MAURICE DRUON | De cómo un rey perdió Francia
Los Reyes Malditos VII

byblos

Título original: *Quand un Roi perd la France*

Traducción: M.ª Guadalupe Orozco Bravo

1.ª edición: noviembre 2006

2.ª reimpresión: septiembre 2008

© 1966 by Maurice Druon, Librairie Plon et Editions Mondiales
© Ediciones B, S. A., 2004
   Bailén, 84 - 08009 Barcelona (España)
   www.edicionesb.com
   www.edicionesb.com.mx

Diseño de cubierta: Estudio B / Leo Flores
Diseño de colección: Ignacio Ballesteros

ISBN: 84-666-1803-1

Impreso por Quebecor World

MAURICE DRUON | De cómo un rey perdió Francia

Los Reyes Malditos VII

Nuestra guerra más larga, la guerra de los Cien Años, no fue más que un debate judicial durante el que en ocasiones se recurría a las armas.

Paul Claudel

Agradecimientos

Quiero agradecer vehementemente a Jacques Suffel la ayuda que me ha brindado en el proceso de documentación de esta obra. Asimismo, quiero dejar constancia de mi reconocimiento a la dirección de la Biblioteca Nacional y a la dirección de los Archivos de Francia.

M. D.

Introducción

Las tragedias de la historia revelan a los grandes hombres, pero los mediocres son quienes provocan las tragedias.

A principios del siglo XIV Francia es el más poderoso, el más poblado, el más activo y rico de los reinos cristianos; el país cuyas intervenciones son temidas, cuyos arbitrajes merecen respeto y cuya protección es deseada por todos. Por tanto, cabe pensar que se inicia en Europa un siglo francés.

Entonces, ¿por qué, cuarenta años después, esa misma Francia sufre una estrepitosa derrota en los campos de batalla, vencida por una nación cinco veces inferior en número? ¿Por qué su nobleza se divide en facciones, su burguesía se rebela, su pueblo sucumbe bajo el exceso de impuestos, sus provincias se separan unas de otras, las bandas de asaltantes se entregan al saqueo y al delito, se menosprecia la autoridad, se devalúa la moneda, se paraliza el comercio y, por doquier, prevalecen la miseria y la inseguridad? ¿A qué responde esta derrota? ¿Quién ha desviado el curso del destino?

La mediocridad. La mediocridad de unos cuantos reyes, su fatua vanidad, la superficialidad con que atienden los asuntos, su incapacidad para rodearse de hombres capaces, su pereza, su presunción y su ineptitud para concebir grandes planes o, por lo menos, para ejecutar los que algunos proponen.

En política es imposible acometer empresas grandes

y duraderas sin hombres que, merced a su genio, su carácter y su voluntad, inspiran, agrupan y encauzan las energías de un pueblo.

Todo se derrumba cuando los ineptos se suceden en la cúspide del Estado. La unidad se desintegra cuando se derrumba la grandeza.

Francia es una idea histórica, una idea nacida de la voluntad que, a partir del año 1000, se encarna en una familia reinante y se transmite tan obstinadamente de padres a hijos que la primogenitura de la rama principal se convierte rápidamente en legitimidad suficiente.

Por supuesto, la casualidad también representó un papel, como si el destino hubiera querido favorecer, gracias a una dinastía vigorosa, a esta reciente nación. Desde la elección del primer Capeto hasta la muerte de Felipe el Hermoso hubo once reyes en apenas tres siglos y cuarto, y cada uno dejó un heredero varón.

Naturalmente, no todos estos soberanos fueron auténticos linces. Pero siempre, a un incapaz o un monarca marcado por la mala suerte, le sucedió inmediatamente, como por la gracia del cielo, un rey de envergadura; en otros casos, un ministro talentoso gobernaba en nombre de un príncipe carente de las cualidades necesarias.

La joven Francia corre el riesgo de perecer a causa de Felipe I, hombre de mezquinos vicios y gran incompetencia. Lo sigue el adiposo Luis VI el Infatigable, que al acceder al trono encuentra un poder amenazado a cinco leguas de París, y al morir lo deja restaurado o restablecido hasta los Pirineos. El inseguro e inconsecuente Luis VII compromete al reino en las desastrosas aventuras de ultramar, pero el abad Suger mantiene en nombre del monarca la cohesión y la actividad del país.

Después, la suerte de Francia es tener, desde fines del siglo XII hasta comienzos del siglo XIV, tres soberanos geniales o excepcionales, cuya permanencia en el trono es prolongada —cuarenta y tres años, cuarenta y un años, y veintinueve años de reinado respectivamente—, de modo que el plan principal de cada uno llega a ser irreversible. Tres hombres de carácter y virtudes muy distintos, pero los tres muy superiores al común de los reyes.

Felipe Augusto, forjador de la historia, comienza, alrededor y más allá de las posesiones reales, a sellar efectivamente la unidad de la patria. San Luis, iluminado por la piedad, comienza a consolidar, alrededor de la justicia real, la unidad del derecho. Felipe el Hermoso, gobernante superior, comienza a imponer, alrededor de la administración real, la unidad del Estado. Ninguno de ellos se preocupa demasiado de complacer a nadie, y más bien quieren actuar y ser eficaces. Cada uno debió beber el amargo brebaje de la impopularidad. Pero después de muertos se lamentó su desaparición más de lo que en vida se los había zaherido, burlado u odiado. Y lo que ellos desearon comenzó a ser una realidad.

Una patria, una justicia, un Estado: los fundamentos definitivos de una nación. Con estos tres artesanos supremos de la idea francesa, Francia había superado el período de las posibilidades. Consciente de sí misma, se afirmaba en el mundo occidental como una realidad indiscutible que rápidamente adquiría preeminencia.

Veintidós millones de habitantes, fronteras bien vigiladas, un Ejército que podía movilizarse rápidamente, señores feudales obligados a obedecer, direcciones administrativas controladas con bastante precisión, caminos seguros, un comercio activo; ¿acaso otro país cristiano de entonces puede compararse a Francia? ¿Y cuál de ellos no la envidia? Sin duda, el pueblo se queja de que la mano que lo gobierna es demasiado dura; gemirá mucho más cuando se vea entregado a manos demasiado blandas o demasiado frívolas.

Después de la muerte de Felipe el Hermoso, de pronto, todo comienza a resquebrajarse. Se ha agotado la buena y prolongada suerte que presidió la sucesión del trono.

Los tres hijos del Rey de Hierro desfilan por el trono sin dejar descendencia masculina. Ya hemos relatado en otro libro los dramas que vivió entonces la corte francesa, en relación con una corona librada una y otra vez al juego de las ambiciones.

Cuatro reyes descendieron a la tumba en un lapso de catorce años; ¡había motivo para imaginar cosas terribles! Francia no estaba acostumbrada a correr a Reims con tanta frecuencia. Parecía como si un rayo hubiese abatido el tronco del árbol capetino. Y que la corona se deslizara hacia la rama Valois, la rama inquieta y agitadora, no tranquilizaba a nadie. Príncipes ostentosos, irreflexivos, presuntuosos en extremo, dados a los gestos y desprovistos de profundidad, los Valois imaginan que les basta sonreír para conseguir que el reino se sienta feliz. Sus antecesores confundían su persona con Francia. Éstos confunden Francia con la idea que se forjan de sí mismos. Después de la maldición de las muertes rápidas, la maldición de la mediocridad. El primer Valois, Felipe VI, conocido como «el rey encontrado» —es decir el advenedizo—, en el lapso de diez años no fue capaz de consolidar su poder, porque precisamente al cabo de este período su primo Eduardo III de Inglaterra decidió reabrir la querella dinástica; se declaró legítimo rey de Francia, con autoridad para apoyar en Flandes, en Bretaña, en Saintonge y en Aquitania a todos los que, trátese de ciudades o de señores, tienen quejas contra el nuevo reino. Frente a un monarca más eficaz, el inglés sin duda hubiera continuado vacilando.

Felipe de Valois tampoco supo rechazar los peligros; en la Esclusa los ingleses destruyeron su flota por culpa de un almirante a quien sin duda eligieron teniendo en cuenta su desconocimiento de las cosas del mar. El mismísimo rey erraba por los campos, la tarde de Crécy, porque permitió que su caballería cargase pasando sobre su propia infantería.

Cuando Felipe el Hermoso aprobaba impuestos que después provocaban quejas, lo hacía para cubrir los gastos de la defensa de Francia. Cuando Felipe de Valois exige impuestos aún más gravosos, lo hace para pagar el precio de sus derrotas.

Durante los cinco años de su reinado, modificó ciento sesenta veces la ley de la moneda; el dinero perdió las tres cuartas partes de su valor. Los artículos, inútilmente gravados, alcanzaban precios desorbitados. Una inflación sin precedentes provocaba el descontento en las ciudades.

Cuando la desgracia se abate sobre un país, todo se entremezcla, y las calamidades naturales se suman a los errores de los hombres.

La peste, la gran peste, llegó del corazón de Asia y golpeó Francia con más dureza que a otras regiones europeas. Las calles de las ciudades eran como mataderos y los suburbios carnicerías. Sucumbió aquí un cuarto de la población, allá un tercio. Desaparecieron aldeas enteras, y de ellas sólo restaron, entre los eriales, las casas feudales abiertas al viento.

Felipe de Valois tenía un hijo y, por desgracia, la peste no se lo llevó.

Francia aún tenía que caer más en la ruina y la angustia; será obra de Juan II, llamado por error Juan el Bueno.

Este linaje de mediocres estuvo a un paso de destruir, en la Edad Media, un sistema que confiaba a la naturaleza la tarea de producir en el seno de una misma familia a quien ejercería el poder soberano. Pero ¿acaso los pueblos se ven beneficiados más a menudo por la lotería de las urnas que por la de los cromosomas? Las multitudes, las asambleas e incluso los cuerpos colegiados restringidos no se equivocan menos que la naturaleza. La providencia es poco generosa con la grandeza.

PRIMERA PARTE

LAS DESGRACIAS
VIENEN DE LEJOS

1

El cardenal de Périgord piensa...

Yo habría debido ser Papa. Pienso a menudo que tres veces tuve entre mis manos la tiara; ¡tres veces! Con Benedicto XII, con Clemente VI y con nuestro actual pontífice, en definitiva fui yo quien decidió cuál sería la cabeza que merecía recibir la tiara. Mi amigo Petrarca me llama hacedor de Papas... No tan buen hacedor, porque jamás pude hacerla descansar sobre la mía. En fin, es la voluntad de Dios... ¡Ah! ¡Qué cosa tan extraña es un cónclave! Creo que de todos los cardenales que aún viven soy el único que ha visto tres. Y quizá vea un cuarto, si nuestro Inocencio VI está tan enfermo como él dice...

¿Qué son estos techos, a lo lejos? Sí, ya reconozco el lugar, es la abadía de Chancelade, en el valle de Beauronne... Sí, la primera vez yo era muy joven. Treinta y tres años, la edad de Cristo, y en Aviñón se murmuraba, apenas se supo que Juan XXII... Señor, conservad su alma en vuestra santa luz; fue mi bienhechor... si levantara la cabeza. Pero los cardenales no estaban dispuestos a elegir al más joven de sus hermanos, y reconozco sin vacilar que era una actitud razonable. En este cargo se requiere la experiencia que yo adquirí después. Eso sí, ya sabía bastante, por lo menos, para no alimentar inútiles ilusiones... Me las arreglé para que, por distintos caminos, muchos cuchichearan a los italianos que, jamás, jamás los cardenales franceses votarían por Jacobo Fournier, y así conseguí que volcaran sobre él sus votos, y que se le eligiese por unanimidad. «¡Habéis elegido a un

19

asno!» Es el agradecimiento que nos arrojó a la cara apenas se proclamó su nombre. Conocía sus propios defectos. No, no era un asno; pero tampoco un león. Un buen principal de una orden, que se las había arreglado bastante bien para conseguir que le obedecieran, a la cabeza de los cartujos. Pero para dirigir a toda la cristiandad era demasiado minucioso, demasiado prudente e inquisidor. En definitiva, sus reformas hicieron más mal que bien. Claro que con él uno estaba absolutamente seguro de que la Santa Sede no regresaría a Roma. En ese punto era un muro, una roca... y era lo esencial.

La segunda vez, durante el cónclave de 1342... ¡Ah! La segunda vez habría tenido excelentes posibilidades si... si Felipe de Valois no hubiese pretendido que se eligiera a su canciller, el arzobispo de Ruan. Nosotros, los Périgord, siempre obedecimos a la corona de Francia. Y además, ¿cómo hubiera podido mantenerme a la cabeza del partido francés si hubiese querido oponerme al rey? Por otra parte, Pedro Roger ha sido un gran Papa, sin duda el mejor de todos los pontífices a quienes he servido. Es suficiente ver en qué se convirtió Aviñón con él, el palacio que ordenó construir y el notable reflujo de gentes de letras, sabios y artistas... Además, consiguió comprar Aviñón. Yo me ocupé de esa negociación con la reina de Nápoles; bien puedo decir que es mi obra. Ochenta mil florines no era nada, una limosna. La reina Juana tenía menos necesidad de dinero que de indulgencias en vista de sus sucesivos matrimonios, por no hablar de sus amantes.

Seguramente pusieron arneses nuevos a mis caballos de tiro. La litera es dura. Siempre ocurre así al partir, siempre es así... Después, el vicario de Dios dejó de ser una especie de inquilino, sentado con el borde de las nalgas sobre un trono inseguro. ¡Y la corte que tuvimos, que era ejemplo del mundo! Todos los reyes acudían en tropel. Para ser Papa, no basta con ser sacerdote; también es necesario que uno sepa ser príncipe. Clemente VI fue un gran político; siempre estaba dispuesto a escuchar mis consejos. ¡Ah! La liga naval que unía a los latinos de Oriente, al rey de Chipre, a los venecianos y a los hospitalarios... Limpiamos el archipiélago griego de los berberiscos que lo infestaban, y pensábamos hacer aún más. Y entonces sobrevino esa absurda guerra entre los reyes francés e inglés, esa guerra que me pregunto si acabará jamás, y que nos impidió continuar nuestro proyecto, y atraer nuevamente la Iglesia de Oriente al seno de la romana. Y más tarde, la peste... Y Clemente murió...

La tercera vez, en el cónclave celebrado hace cuatro años, el obstáculo fue mi nacimiento. Parece que yo era demasiado gran señor, y acabábamos de tener a uno. A mí, Helio de Talleyrand, a quien llaman el cardenal de Périgord, ¿acaso elegirme no era un insulto para los pobres? Hay momentos en que acomete a la Iglesia un súbito furor de humildad y pequeñez. Lo cual jamás sirve de nada. Despojémonos de nuestros ornamentos, ocultemos nuestras casullas, vendamos nuestros cálices de oro y ofrezcamos el Cuerpo de Cristo en una escudilla de pocos centavos; vistámonos como patanes y, si es posible, muy sucios, de modo que ya nadie nos respete, y menos que nadie los patanes... ¡Caramba! Si nos parecemos a ellos, ¿por qué habrían de honrarnos? Además, así acabaremos en una situación tal que ni siquiera nosotros mismos nos respetaremos... Estos encarnizados defensores de la humildad, cuando se les formula dicha objeción, nos ponen por delante el Evangelio, como si ellos fueran los únicos en conocerlo, e insisten en la cuna, entre el buey y el asno, e insisten en la mesa del carpintero... Seamos parecidos a Nuestro Señor Jesús... Pero, mis pequeños y vanidosos clérigos, ¿dónde está ahora Nuestro Señor? ¿No está a la diestra del Padre, confundido con él en su omnipotencia? ¿No es Cristo majestuoso, fulminando en la luz de los astros y la música celestial? ¿No es el rey del mundo, rodeado por legiones de serafines y bienaventurados? Entonces, ¿qué os autoriza a determinar cuál de estas imágenes es la mejor para ofrecer a los fieles a través de vuestra persona? ¿La de su breve existencia terrestre o la de su triunfante eternidad?

Vaya, si pasara por una diócesis y viese que el obispo se inclina un tanto a rebajar a Dios porque tiende a las nuevas ideas, eso es lo que yo predicaría... Caminar sosteniendo diez kilos de oro tejido, además de la mitra y la cruz, no es una tarea cotidiana que me parezca grata, sobre todo cuando lo hago desde hace más de treinta años. Pero es necesario.

No se atrae a las almas con vinagre. Cuando un vagabundo dice a otros vagabundos «hermanos míos», el efecto no es muy considerable. Pero si lo dice un rey es distinto. Dad a la gente un poco de respeto por sí misma, ésa es la primera condición de la caridad, ignorada por nuestros amantes de la fraternidad y por otras cabezas huecas. Precisamente porque la gente es pobre, sufre, se siente pecadora y miserable, es necesario ofrecerle una razón para creer en el más allá. Sí, con incienso, dorados y música. La Iglesia debe ofrecer a los fieles una visión del reino celeste, una visión completa y acabada, comenzando por el Papa y sus cardenales, que reflejan un poco la imagen del Supremo Creador...

En el fondo, no está mal que hable conmigo mismo; así encuentro argumentos para mis próximos sermones, pero prefiero hallarlos acompañado... Espero que Brunet no haya olvidado mis grajeas. Ah, no, aquí están. Por lo demás, él jamás olvida...

No soy un gran teólogo, como los que proliferan ahora por doquier, pero sé mantener ordenada y limpia la casa del buen Dios en la Tierra, y me niego a reducir mi tren de vida y a vivir en un sitio peor. El propio Papa, que sabe muy bien lo que me debe, no ha intentado contradecirme. Si le complace practicar la humildad sobre su trono, es asunto suyo. Pero yo, que soy su nuncio, deseo preservar la gloria de su sacerdocio.

Sé que algunos murmuran a propósito de mi gran litera púrpura con pomos y clavos dorados, en la que ahora viajo, y mis caballos enjaezados de púrpura, las doscientas lanzas de mi escolta, mis tres leones de Périgord bordados sobre mi estandarte y la librea de mis sargentos. Pero precisamente por todo esto, cuando entro en una ciudad, la gente acude a prosternarse y quiere besar mi capa, y obligo a los reyes a arrodillarse... Para mayor gloria vuestra, Señor, para mayor gloria vuestra.

Claro que estas cosas no merecían el favor de mis colegas durante el último cónclave, y me lo dieron a entender claramente. Querían un hombre común, un simple, un humilde, un desposeído. Tuve que esforzarme para evitar que eligieran a Juan Birel, ciertamente un santo varón, un hombre santo, pero que no tenía ni pizca de capacidad para gobernar, y que habría sido un segundo Pedro de Morone. Desplegué elocuencia suficiente para demostrar a mis hermanos del cónclave cuán peligroso era, en el estado en que se encontraba Europa, cometer el error de elegir a otro Celestino V. ¡Ah, le di un buen repaso a ese Birel! Lo elogié tanto, demostrando cómo sus admirables virtudes lo incapacitaban para gobernar la Iglesia, que lo dejé completamente aplastado. Y logré que eligiesen a Esteban Aubert, que nació en un hogar bastante pobre, por el lado de Pompadour, y cuya carrera era tan oscura que consiguió que todo el mundo lo apoyase.

Aseguran que el Espíritu Santo nos ilumina para permitirnos que elijamos al mejor. De hecho, a menudo votamos para evitar al peor.

Nuestro Santo Padre me decepciona. Gime y vacila, decide y rectifica. Ah, yo habría gobernado de otro modo la Iglesia. Y además, su idea de enviar conmigo al cardenal Capocci, como si se necesitaran dos legados, como si yo no tuviese sagacidad suficiente para arreglar solo las cosas. ¿El resultado? Disputamos desde el comienzo, porque yo le demuestro su estupidez. Capocci se hace el ofendido; me deja el campo libre, y mientras corro desde Breteuil a Montbazon, de Montbazon a Poitiers, de Poitiers a Burdeos, de Burdeos a Périgueux, él, desde París, no hace otra cosa que escribir a todos para dificultar mis negociaciones. Sí, espero no volver a encontrarlo en Metz, en el palacio del emperador...

Périgueux, mi Périgord... Dios mío, ¿será la última vez que los vea?

Mi madre estaba segura de que yo sería Papa. Me lo dio a entender más de una vez, por eso me obligó a tomar la tonsura cuando tenía seis años, y consiguió de Clemente V que le dispensaba una intensa y sincera amistad, que me inscribiesen inmediatamente como novicio papal, en estado de recibir beneficios. ¿Qué edad tenía cuando me llevó ante el pontífice? «Señora Brunissande, que vuestro hijo, a quien bendecimos especialmente, pueda alcanzar, en el estado que habéis elegido para él, las virtudes que cabe esperar de su linaje, y que se eleve rápidamente hacia los más altos cargos de Nuestra Santa Iglesia.» No, no tendría yo más de siete años. Me nombró canónigo de Saint-Front; mi primera sotana. Hace casi cincuenta años... Mi madre me veía Papa. ¿Era ambición maternal, o en verdad era una visión profética como la tienen a veces las mujeres? ¡Ah! Creo que nunca seré Papa.

Y sin embargo... sin embargo, en el momento de mi nacimiento Júpiter estaba en conjunción con el Sol, en una hermosa culminación, signo de dominio y de reinado en la paz. Ninguno de los restantes cardenales aparece marcado por tan hermosos augurios. Mi configuración es bastante más promisoria que la de Inocencio el día de la elección. Pero veamos... un reino en la paz, un reino en paz; pero ahora estamos en guerra, en tiempos difíciles y tormentosos. Mis astros son demasiado bellos para los tiempos que vivimos: los de Inocencio, que hablan de dificultades, de errores, de derrotas, convenían más a este sombrío período. Dios armoniza a los hombres con los momentos del mundo, y convoca a los Papas que convienen a sus designios, y a éste le encomienda la grandeza de la gloria, y al otro la sombra y la caída...

Si no hubiese entrado en la Iglesia, como quiso mi madre, habría sido conde de Périgord, pues mi hermano mayor murió sin dejar herederos, precisamente el año de mi primer cónclave; de modo que, como no había quien la ciñera, la cadena pasó a mi hermano menor, Roger-Bernard... Ni Papa ni conde. Y bien, es necesario aceptar el lugar en que nos puso la Providencia, y tratar de hacerlo lo mejor posible. Seguramente pertenezco a esa clase de hombres que representan un papel importante en su siglo, y a quienes se olvida apenas mueren. La memoria de los pueblos es perezosa; conserva únicamente el nombre de los reyes... Vuestra voluntad, Señor, vuestra voluntad...

En fin, de nada sirve volver a pensar en estas cosas, las mismas que he meditado cien veces... Pero me conmueve ver de nuevo el Périgueux de mi infancia, y mi querido Saint-Front, y volver a alejarme. Más vale contemplar este paisaje, que quizá vea por última vez. Gracias, Señor, porque me concediste esta alegría...

Pero ¿por qué vamos tan rápido? Acabamos de dejar atrás Château-l'Evêque; hasta Bourdeilles quedan sólo dos horas. El primer día de viaje conviene hacer etapas cortas. Los adioses, las últimas súplicas, las últimas bendiciones que vienen a pedirnos, el equipaje que olvidamos. Uno jamás parte a la hora fijada. Pero esta vez será realmente una etapa corta...

¡Brunet! ¡Eh, Brunet, amigo mío! Adelántate y ordena que aminoren la marcha. ¿Quién nos mete tanta prisa? ¿Quizá Cunhac o La Rue? No hay por qué sacudirme así. Y después dile a mi señor Archambaud, mi sobrino, que descienda de su montura y que lo invito a compartir mi litera. Bien, hazlo de una vez...

Para venir de Aviñón, solía viajar con mi sobrino Roberto de Durazzo; era un compañero muy agradable. Tenía muchos rasgos de mi hermana Agnes, y de nuestra madre. ¡Y pensar que se hizo matar en Poitiers por esos patanes de ingleses, entrando en batalla con el rey de Francia! ¡Oh! No lo desapruebo, aunque fingí que lo hacía. ¿Quién diría que el rey Juan se las ingeniaría para que lo castigasen de tal modo? ¡Reúne treinta mil hombres contra seis mil, y por la noche se encuentra prisionero! ¡Ah, qué príncipe absurdo, qué estúpido! ¡Y pensar que si hubiera aceptado el acuerdo que yo le traía en bandeja de plata habría podido ganarlo todo sin librar batalla!

Archambaud me parece menos ágil y brillante que Roberto. No ha conocido Italia, una experiencia importante para la juventud. En fin, él será conde de Périgord, si Dios quiere. Viajando conmigo este joven aprenderá mucho. Y, en realidad, lo tiene que aprender todo de mí... Después de rezar mis oraciones, no me agrada estar solo.

2

El cardenal de Périgord habla

No es que me desagrade cabalgar, Archambaud, ni que la edad me lo impida. Creedme, aún puedo hacer mis buenas quince leguas a caballo, y conozco a hombres mucho más jóvenes que yo que quedarían rezagados. Por otra parte, como bien veis, siempre me sigue un corcel completamente enjaezado, no sea que yo desee o necesite montarlo. Pero por experiencia sé muy bien que una jornada entera cabalgando abre el apetito y lleva a comer y a beber más que a conservar la cabeza con la claridad que necesito tener cuando voy a un lugar para inspeccionar, dirigir o negociar desde el momento mismo de mi llegada.

Muchos reyes, y en primer lugar el de Francia, podrían dirigir mejor sus Estados si se fatigasen menos manejando las riendas y obligasen al cerebro a trabajar más; también si no se obstinasen con la idea de tratar los principales asuntos sentados a la mesa, al final de una etapa del viaje o de regreso de la caza. Observad que uno no viaja con menor rapidez en litera, como lo hago yo, si dispone de un buen tiro de caballos, y de la prudencia necesaria para cambiarlos con frecuencia... Archambaud, ¿queréis una grajea? En ese cofrecito que está cerca de vuestra mano... Pues bien, pasadme una...

¿Sabéis cuántos días me llevó viajar de Aviñón a Breteuil, en Normandía, para reunirme con el rey Juan, que estaba organizando allí un absurdo sitio? ¿Qué os parece? No, sobrino mío; menos que eso. Partimos el veintiuno de junio, día del solsticio de verano, y no muy temprano por cierto. Pues sabéis, o mejor dicho no sabéis, cómo se organiza la partida de un nuncio, o de dos, ya que entonces éramos dos... Es sana costumbre que, después de la misa, el colegio entero de cardenales escolte a los viajeros hasta una legua de la ciudad; siempre hay mucha gente que se reúne para seguir a la comitiva o para contemplar el paso desde los bordes del camino. Y es necesario ir al paso de una procesión, para conferir dignidad al cortejo. Después se hace un alto, y los cardenales se alinean por orden de importancia, y el nuncio da a cada uno el beso de la paz. Esta ceremonia avanza bastante en la mañana... así, partimos el veintiuno de junio y llegamos a Breteuil el nueve de julio. Dieciocho días. Incola Capocci, mi compañero de viaje, estaba enfermo. Debo aclarar que sacudí un poco a ese flojo. Jamás había viajado con tal prisa. Pero una semana después el Santo Padre tenía en sus manos, llevada por mis correos, el relato de mi primera conversación con el rey.

Pero ahora no necesitamos darnos tanta prisa. Ante todo, en esta época del año los días son breves, si bien aprovechamos los beneficios de una estación benigna... No recordaba que noviembre pudiese ser tan agradable en Périgord, y en verdad hoy fue un día muy amable. ¡Qué luminosidad! Pero a medida que avancemos hacia el norte del reino corremos el riesgo de soportar un clima menos grato. He calculado las etapas con cierta holgura, de modo que estemos en Metz para Nochebuena, si Dios lo quiere. No, no tengo tanta prisa como el último verano, porque pese a todos mis esfuerzos se desencadenó esta guerra, y el rey Juan fue tomado prisionero.

¿Cómo pudo sobrevenir semejante infortunio? ¡Oh! Sobrino mío, no sois el único que se asombra. Europa entera experimenta sorpresa, y todos estos meses discute acerca de las causas y las razones... Las desgracias de los reyes vienen de lejos, y a menudo se interpreta como accidente de su destino lo que no es más que la fatalidad de su carácter. Y cuanto peores las desgracias, más hondo calan las raíces.

Conozco al detalle este asunto... Acercadme un poco esa manta... y más aún, os diré que lo esperaba. Temía que una gran derrota, una grave humillación afectase a este rey, y por desgracia también al reino. En Aviñón terminamos sabiendo todo lo que interesa a las cortes, todas las intrigas y todas las conspiraciones finalmente confluyen sobre nosotros. No se proyecta un matrimonio sin que seamos advertidos por los propios novios... «En caso de que la señora de tal linaje diese su mano al señor de tal otro, que es su primo segundo, ¿nuestro Muy Santo Padre concedería su dispensa?» Ningún tratado se negocia sin que algún agente de las dos partes haya sido enviado a nuestra corte; no se comete ningún crimen que no determine la búsqueda de nuestra absolución... La Iglesia aporta a los reyes y los príncipes sus cancilleres, así como la mayoría de sus legistas...

Hace dieciocho años que las casas de Francia e Inglaterra están trabadas en lucha franca. ¿Cuál es la causa de esta lucha? Sin duda, las pretensiones del rey Eduardo a la corona de Francia. Es el pretexto, reconozco que un buen pretexto jurídico, pues el asunto puede discutirse hasta el infinito; pero no es el único ni el verdadero motivo. Están las fronteras, siempre mal definidas, entre Guyena y los condados vecinos, comenzando por el nuestro, Périgord... todos esos territorios confusamente delimitados, donde los derechos feudales se superponen; están las dificultades para entenderse entre los vasallos y los soberanos, cuando ambos son reyes; las rivalidades comerciales, sobre todo las que se refieren a las lanas y los tejidos, y que constituyen la raíz de la disputa acerca de Flandes; tenemos que considerar también el apoyo que Francia siempre dio a los escoceses, la verdadera amenaza que soporta el rey inglés y que le llega del Norte... La guerra estalló no por una razón, sino por veinte que eran como brasas encendidas y mantenidas durante la noche. Roberto de Artois, deshonrado y proscrito del reino, fue a Inglaterra para avivar esas brasas. El Papa era entonces Pedro Roger, es decir Clemente VI, e hizo todo lo posible para impedir esta perversa guerra. Propuso un compromiso y concesiones de ambas partes. Y envió también a un legado, que no fue otro que el actual pontífice, el cardenal Aubert. Quiso imprimir renovado impulso al proyecto de Cruzada, en la cual los dos reyes debían participar cada uno con sus nobles. Hubiera sido un medio eficaz para desviar las ansias guerreras, y al mismo tiempo reconstruir la unidad de la cristiandad... En lugar de la Cruzada, tuvimos que presenciar lo que ocurrió en Crécy. Allí estaba vuestro padre; habéis oído de sus labios el relato de este desastre...

¡Ah, sobrino! Ya veréis a lo largo de vuestra vida que no es un mérito especial servir de todo corazón a un buen rey; os obliga el deber, y los trabajos que uno se toma no tienen importancia porque pensamos que contribuyen al bien supremo. En cambio, es muy difícil servir a un mal monarca... o a un mal Papa. Los hombres del tiempo de mi primera juventud, los que servían a Felipe el Hermoso, me parecían muy felices. Ser fiel a estos Valois vanidosos exige más esfuerzo. No oyen consejos y sólo están dispuestos a hablar razonablemente cuando se encuentran en la derrota y el desastre.

Sólo después de Crécy Felipe VI aceptó una tregua, basada en las propuestas que yo mismo había preparado. Bien podemos creer que mi plan no fue muy malo, porque esta tregua duró, al margen de algunas escaramuzas locales, desde 1347 hasta 1354. Siete años de paz relativa. Habría podido ser para muchos una época de felicidad. Pero ya lo veis, en este siglo maldito, apenas terminamos la guerra comienza la peste.

En Périgord lo pasaron relativamente bien... Sí, sobrino, sin duda habéis pagado vuestro tributo al flagelo; sí, habéis soportado vuestra parte del horror. Pero eso no es nada comparado con lo sucedido en las ciudades muy pobladas y rodeadas también por campiñas con gran número de habitantes, como Florencia, Aviñón, o París. ¿Sabéis que este flagelo vino de China, pasando por la India, Tartaria y Asia Menor? Según dicen, se propagó hasta Arabia. En efecto, es una enfermedad de infieles, que nos fue enviada para castigar los muchos pecados de Europa. Desde Constantinopla y las orillas del Levante, los navíos llevaron la peste al archipiélago griego, y de allí pasó a los puertos italianos; atravesó los Alpes, y vino a asolarnos, antes de entrar en Inglaterra, Holanda y Dinamarca, para terminar en los países del extremo norte, en Noruega e Islandia. ¿Habéis tenido aquí las dos formas de la peste, la que mataba en tres días, con fiebre ardiente y vómitos de sangre... los infortunados que la padecían afirmaban que ya estaban soportando las penas del infierno... y después la otra, de agonía más larga, de cinco a seis días, también con fiebre y grandes forúnculos y pústulas que aparecían en las ingles y las axilas?

La sufrimos siete meses seguidos en Aviñón. Por las noches, cuando uno se acostaba, se preguntaba si llegaría a levantarse. Por la mañana, nos palpábamos bajo los brazos y en las ingles. Apenas sentíamos calor en el cuerpo, nos acometía la angustia y se nos extraviaba la mirada. Con cada respiración, uno se decía que quizás esa bocanada de aire era la que traía la enfermedad. Uno no se separaba de un amigo sin pensar: «¿Será él quien padezca esa muerte atroz, o tal vez seré yo, o seremos los dos?»

Los tejedores morían al pie de sus telares, con sus trabajos interrumpidos, los orfebres junto a sus crisoles fríos, los cambistas junto a sus escritorios. Los niños acababan de morir sobre el jergón de su madre muerta. Y el olor, Archambaud, el olor en Aviñón. Las calles estaban cubiertas de cadáveres.

Oídme bien, la mitad de la población pereció. Entre enero y abril de 1348 hubo setenta y dos mil muertes. El cementerio que el Papa ordenó comprar deprisa se llenó en un solo mes; metieron allí once mil cadáveres. La gente moría sin servidores, y los amortajaban sin sacerdotes. El hijo no se atrevía a visitar a su padre, ni el padre a visitar a su hijo. ¡Siete mil casas cerradas! Quienes podían huían a sus palacios en el campo.

Clemente VI y algunos cardenales, entre ellos yo mismo, permanecimos en la ciudad. «Si Dios quiere llevarnos, hágase su voluntad.» El Papa ordenó permanecer a la mayoría de los cuatrocientos hombres de la residencia pontificia, que apenas bastaron para organizar socorros. Pagó un salario a todos los médicos y físicos; contrató sepultureros y carreteros a sueldo; ordenó distribuir víveres y recomendó medidas adecuadas contra el contagio. Nadie le reprochó entonces su excesivo dispendio. Fulminó a los monjes y las monjas que no demostraron caridad hacia los enfermos y los agonizantes... ¡Ah! Escuché entonces confesiones y arrepentimientos de labios de hombres muy encumbrados y poderosos, incluso de algunos que pertenecían a la Iglesia, y que acudían para limpiar el alma de todos los pecados y pedir la absolución. Incluso los grandes banqueros lombardos y florentinos que se confesaban castañeteando los dientes y de pronto descubrían una veta de generosidad. Y las amantes de los cardenales... sí, sí, sobrino; no todos, pero los hay... Estas hermosas damas venían a depositar sus joyas a los pies de las estatuas de la Santa Virgen. Llevaban bajo la nariz un pañuelo impregnado en esencias aromáticas, y se descalzaban antes de entrar en sus casas. Quienes reprochan a Aviñón ser la ciudad de la impiedad y la comparan con la nueva Babilonia, no la vieron durante la peste. ¡Os aseguro que todos se mostraban piadosos!

¡Qué extraña criatura es el hombre! Cuando todo le sonríe, goza de una salud floreciente, sus asuntos prosperan, su esposa es fecunda y su provincia vive en paz, ¿no debería elevar a cada momento su alma al Señor para agradecerle tantos beneficios? Nada de eso; olvida a su Creador, se muestra orgulloso y trata de faltar a todos los mandamientos. Pero tan pronto lo afecta la desgracia y sobreviene la calamidad, corre en busca de Dios. Y ruega, se acusa y promete corregirse... Como vemos, Dios tiene motivos suficientes para abrumarlo, porque según parece es el único modo de lograr que el hombre entre en razón...

Yo no elegí mi estado. Quizá ya sabéis que lo hizo mi madre, que adoptó esa decisión cuando yo era niño. Si lo acepté creo que ha sido porque siempre demostré gratitud hacia Dios por todo lo que me dio, y sobre todo por la vida. Uno de los recuerdos de mi primera infancia es nuestro viejo castillo de la Rolphie en Périgueux, donde vos mismo nacisteis, Archambaud, aunque no residís allí desde que vuestro padre decidió, hace quince años, vivir en Montignac... Pues bien, en ese gran castillo erigido sobre un anfiteatro de los antiguos romanos, recuerdo el sentimiento de maravilla que me embargaba porque yo estaba vivo en medio del vasto mundo, porque respiraba y veía el cielo; recuerdo que experimentaba ese sentimiento sobre todo en las tardes estivales, cuando la luz se prolonga mucho tiempo y me ordenaban ir a dormir mucho antes de que hubiese caído la noche. Las abejas zumbaban en una parra que trepaba por los costados del muro, bajo mi dormitorio; las sombras cubrían lentamente el patio ovalado, de enormes lajas; el cielo aún conservaba cierta claridad y volaban los pájaros, y la primera estrella se instalaba en las nubes aún rosadas. Yo sentía mucha necesidad de agradecer todo eso, y mi madre me llevó a comprender que debía expresar ese agradecimiento a Dios, organizador de tanta belleza. Ese sentimiento jamás me abandonó.

Y hoy mismo, mientras avanzamos por el camino, experimenté varias veces un sentimiento agradecido, algo que me llena el corazón, por este tiempo tan benigno que ahora tenemos, por estos bosques rojizos que atravesamos, estos prados aún verdes, estos fieles servidores que me escoltan, esos hermosos y robustos caballos que veo trotar al costado de la litera. Me agrada contemplar el rostro de los hombres, el movimiento de las bestias, la forma de los árboles, toda esta infinita variedad que es la obra inacabable y perpetuamente maravillosa de Dios.

Todos nuestros doctores, que disputan sobre teología en salas cerradas, se cargan de palabras vacías, se cruzan amargas invectivas y se castigan con palabras inventadas para dar un nombre diferente a lo que todos ya sabíamos antes de que ellos nacieran; toda esa gente bien haría en curarse la cabeza mirando la naturaleza. Por mi parte, la teología que abrazo es la que aprendí, la que me viene de los padres de la Iglesia, y no tengo la más mínima intención de cambiarla...

Sabéis que habría podido ser Papa... sí, sobrino. Algunos me lo dicen, como dicen también que podría serlo si Inocencio dura menos que yo. Que sea lo que Dios quiera. No me quejo de lo que me dio. Le agradezco que me haya puesto donde me puso, y que me haya conservado hasta la edad que ahora tengo, una edad a la que muy pocos llegan... Cincuenta y cinco años, mi querido sobrino... y gozando de muy buena salud. También esto es una bendición del Señor. Algunos que no me veían desde hace diez años, apenas pueden creer que mi apariencia haya cambiado tan poco, la mejilla siempre sonrosada y la barba apenas encanecida.

La idea de recibir o no recibir la tiara en verdad no me ha molestado... Os lo confío como a un pariente fiel... o quizá me inquieta cuando pienso que hubiera podido desempeñarme mejor que quien ahora la lleva. Pero no conocí ese sentimiento cuando vivía Clemente VI. Él sabía muy bien que el Papa debía ser un monarca superior a todos los monarcas, el lugarteniente de Dios. Cierta vez que Juan Birel u otro predicador de la pobreza le reprochaba el mostrarse demasiado despilfarrador y muy generoso con los peticionarios, respondió: «Nadie debe retirarse descontento de la presencia del príncipe.» Después, se volvió hacia mí y agregó entre dientes: «Mis predecesores no supieron ser Papas.» Y como os decía, durante esta gran peste nos demostró realmente que era el mejor. A decir verdad, no creo que hubiera podido hacer tanto como él, y en definitiva también he agradecido a Dios que no me señalara para conducir a la cristiandad doliente durante esa terrible prueba.

Clemente jamás abdicó de su majestad, y demostró claramente que era el Santo Padre, el padre de todos los cristianos e incluso de los otros, porque cuando las poblaciones por doquier, principalmente en las provincias renanas, en Mayence y en Worms, se volvieron contra los judíos, a quienes acusaron de ser los responsables del flagelo, condenó esas persecuciones. Todavía hizo más; decidió tomar bajo su protección a los judíos; excomulgó a quienes los molestaban; ofreció asilo y asiento en sus estados a los judíos perseguidos, y allí, es necesario reconocerlo, esta gente en pocos años reconquistó su prosperidad.

Pero ¿por qué os hablé tan largamente de la peste? ¡Ah, sí! A causa de las grandes consecuencias que tuvo para la corona de Francia, y para el propio rey Juan. En efecto, hacia el final de la epidemia, durante el otoño de 1349, tres reinas, una tras otra, o más bien dos reinas y una princesa destinada al trono...

¿Qué dices, Brunet? Habla más alto. ¿Estamos a la vista de Bourdeilles? Ah, sí, deseo verla. Una posición fuerte, en efecto, y el castillo bien ubicado, de modo que domina desde lejos las vías de acceso.

Ahí tienes, Archambaud, el castillo que mi hermano menor, vuestro padre, me entregó en agradecimiento porque liberé Périgueux. Pues si no conseguí arrancar al rey Juan de las manos de los ingleses, por lo menos pude recuperar nuestra ciudad condal, y lograr que allí se nos devolviera la autoridad.

Recordaréis que la guarnición inglesa no quería salir. Pero las lanzas que me acompañaban, y de las cuales algunas personas se burlan, nuevamente demostraron tener mucha utilidad. Bastó que yo apareciese con ellas, viniendo de Burdeos, para que los ingleses preparasen su equipaje sin pedir más explicaciones. Doscientas lanzas y un cardenal son mucho... Sí, la mayoría de mis servidores conoce el manejo de las armas, y lo mismo puede decirse de mis secretarios y los doctores de la ley que vienen conmigo. Y mi fiel Brunet es caballero; hace tiempo logré que le diesen un título.

Al entregarme Bourdeilles, mi hermano, en el fondo, refuerza su propia situación, pues con la castellanía de Auberoche, próxima a Savignac, la fortaleza de Bonneval, próxima a Thenon, que compré por veinte mil florines hace diez años al rey Felipe VI —dije que la compré, pero en realidad compensó con ella parte de las sumas que yo le había prestado—; con la abadía fortificada de Saint-Astier, de la cual soy abad, y mis prioratos de Fleix y de Saint-Martin-de-Bergerac, tengo ahora seis lugares, a distancia regular alrededor de Périgueux, que dependen de una autoridad de la Iglesia. Es casi como si el Papa mismo tuviera en sus manos estos lugares. Todos vacilarán antes que causar problemas. Así se asegura la paz en nuestro condado.

Seguramente conocéis Bourdeilles; habéis venido a menudo. Por mi parte, hace mucho tiempo que no visito el lugar... Caramba, no recordaba ese gran baluarte octogonal. Tiene un aspecto imponente. Ahora es mío, pero solamente para pasar en él una noche y una mañana, el tiempo necesario para instalar al gobernador a quien elegí, sin saber cuándo volveré, si es que vuelvo. Dispongo de poco tiempo para gozar de la vida. En fin, agradezcamos a Dios por el tiempo que me concede. Espero que nos hayan preparado una buena cena, pues incluso viajando en litera el camino abre el apetito.

3

La muerte llama a todas las puertas

Sobrino, yo sabía, y así lo dije, que no debíamos suponer que hoy llegaríamos más allá de Nontron. E incluso llegaremos sólo después del rezo vespertino, ya entrada la noche. La Rue estuvo fastidiándome: «Monseñor aminora la marcha; Monseñor no se contentará con una etapa de ocho leguas...» ¡Caramba! La Rue viaja siempre como si le hubiesen encendido fuego bajo las nalgas. Lo cual no es muy mala cosa, pues con él mi escolta no se duerme. Pero yo sabía que no podríamos salir de Bourdeilles antes de mediado el día. Hay mucho que hacer y que decidir, y demasiadas firmas que estampar.

Bien, Bourdeilles me encanta; sé que podría ser feliz allí, si Dios me hubiese ordenado no sólo tenerla sino residir en ella. Quien tiene un bien único y modesto lo disfruta plenamente. Quien tiene posesiones vastas y numerosas goza sólo de la idea de tenerlas. El cielo siempre compensa lo que nos otorga.

Archambaud, cuando entréis en Périgord hacedme el favor de ir a Bourdeilles, y ved si repararon los techos según ordené hace poco. Además, la chimenea de mi dormitorio humeaba... Es buena cosa que los ingleses no la destruyeran. Habéis visto Brantome, por donde pasamos hace poco; ya veis cuánta desolación en una ciudad otrora tan dulce y bella, a orillas del río. Por lo que me dijeron, el príncipe de Gales estuvo allí la noche del nueve de agosto. Y por la mañana, antes de partir, sus escuderos y sus lacayos lo saquearon todo.

Repruebo enérgicamente este modo que tienen de destruirlo todo, de quemar, dispersar y arruinar, un método que según parece practican cada vez más. Es comprensible que en la guerra los hombres de armas se degüellen unos a otros; si Dios no me hubiese destinado a la Iglesia y yo hubiera tenido que llevar mi estandarte al combate, no habría dado cuartel. Practicar el saqueo aún es tolerable; es necesario conceder cierto respiro a los hombres a quienes se exigen riesgos y fatigas. Pero cabalgar con el único fin de reducir el pueblo a la miseria, destruir sus techos y sus cosechas y exponerlo al hambre y el frío es algo que me indigna. Sé cuál es el propósito: el rey ya no puede obtener impuestos de las provincias arruinadas, y para debilitarlo se destruyen así los bienes de sus súbditos. Pero eso no vale. Si los ingleses pretenden tener derecho sobre Francia, ¿por qué la destruyen? Y, por otra parte, si después de haberla ocupado con las armas la dominan gracias a los tratados, ¿creen que actuando así jamás serán tolerados? Los ingleses siembran odio. Seguramente, privan de dinero al rey de Francia, pero le aportan almas animadas por el sentimiento de cólera y de venganza. El rey Eduardo encontrará aquí y allá señores dispuestos a prestarle juramento de fidelidad por interés, pero en adelante el pueblo se opondrá, porque este trato que los ingleses le dispensan es injustificable. Ved lo que está ocurriendo: la buena gente no reprocha su derrota al rey Juan; lo compadecen y lo llaman Juan el Valiente, o Juan el Bueno, cuando deberían llamarlo Juan el Tonto, Juan el Patán o Juan el Incapaz. Y ya veréis que estarán dispuestos a dar incluso la sangre para pagar su rescate.

Ayer me preguntabais por qué os decía que la peste había tenido graves efectos sobre él y sobre la suerte del reino. Ah, sobrino, a causa de ciertas muertes sobrevenidas en un orden poco apropiado, muertes de mujeres y ante todo de su propia esposa, Bonne de Luxemburgo, antes de que ocupara el trono.

Bonne de Luxemburgo nos fue arrebatada por la peste en septiembre de 1349. Debió ser reina, y hubiera sido una buena reina. Como sabéis, era hija del rey de Bohemia, Juan el Ciego, que amaba tanto Francia que decía que la corte de París era la única donde podía vivirse noblemente. Este rey era un modelo de la caballería, aunque puede afirmarse que un poco loco. A pesar de que no veía nada, se obstinó en combatir en Crécy, y para hacerlo hizo atar su caballo a las monturas de dos de sus caballeros, uno a cada lado. Y así se lanzaron al combate. Los encontraron muertos a los tres, todavía atados. El rey de Bohemia llevaba tres plumas de avestruz blancas en la cimera de su yelmo. Su noble muerte impresionó mucho al joven príncipe de Gales... Tenía entonces alrededor de dieciséis años; era su primer combate, y se desempeñó bien, incluso aunque el rey Eduardo consideró conveniente exagerar un poco el papel de su heredero en este episodio... Como decía, el príncipe de Gales se sintió tan impresionado que rogó a su padre que en adelante le permitiese lucir el mismo emblema del finado rey ciego. Y por eso vemos las tres plumas blancas que ahora coronan el yelmo del príncipe.

Pero lo más importante en relación a Bonne era su hermano, Carlos de Luxemburgo, cuya elección para la corona del Santo Imperio había contado con el apoyo del papa Clemente VI y con el mío propio. No es que temiéramos dificultades con ese rústico, astuto como un mercader... Oh, completamente distinto a su padre, ya lo veis; pero como preveíamos que Francia afrontaría tiempos difíciles, tratábamos de reforzarla con un futuro rey que era cuñado del emperador. Muerta la hermana, terminó la alianza. Tuvimos dificultades con su Bula de Oro; pero no prestó el más mínimo apoyo a Francia, y por eso ahora voy a Metz.

El rey Juan, que entonces era sólo duque de Normandía, no se mostró muy desconsolado por la muerte de su esposa. Había poca armonía entre ellos y a menudo chocaban. Aunque ella tenía encanto y le dio un hijo cada año, hasta once, desde que se dio a entender al rey que debía acercarse a su esposa en el lecho, mi señor Juan, desde el punto de vista de los afectos, se inclinaba más por su primo, ocho años menor y bastante apuesto... Carlos de La Cerda, a quien llamaban también mi señor de España, porque pertenecía a una rama escindida del trono de Castilla.

Apenas su esposa descendió a la tumba, el duque Juan se retiró a Fontainebleau en compañía del bello Carlos de España para escapar del contagio... Ah, sobrino, este vicio no es tan raro. No lo comprendo, y me irrita; es de los vicios por los cuales muestro menos indulgencia. Pero es forzoso reconocer que se ha difundido incluso entre los reyes, a los cuales perjudica mucho. Juzgad por lo que ocurrió con el rey Eduardo II de Inglaterra, padre del actual. La sodomía le costó el trono y la vida. Por ahora, nuestro rey Juan no es sodomita convicto y confeso; pero ya lo parece y más lo parecerá en su pasión funesta por este primo de España de rostro tan agraciado...

¿Qué ocurre, Brunet? ¿Por qué nos detenemos? ¿Dónde estamos? En Quinsac. No estaba previsto... ¿Qué quieren estos mendigos? ¡Ah!, una bendición. Que no detengan el cortejo por eso; bien sabes que bendigo a la pasada... *In nomine patris... lii... sancti...* Id, buenas gentes, habéis recibido la bendición, id en paz... Si tuviese que detenerme cada vez que me piden la bendición, tardaríamos seis meses en llegar a Metz.

Bien, os decía que en septiembre de 1349 muere Bonne de Luxemburgo y deja viudo al heredero del trono. En octubre le tocó el turno a la reina de Navarra, Juana, a quien llamaban otrora Juana la Pequeña, la hija de Margarita de Borgoña, y quizás o sin quizá, de Luis el Obstinado; era la misma a quien apartaron de la sucesión de Francia porque descargaron sobre ella la presunción de bastardía... Sí, la hija de la Torre de Nesle... Se la llevó la peste. Tampoco su muerte mereció sollozos demasiado intensos. Hacía seis años que era viuda de su primo, Felipe de Evreux, muerto en algún lugar de Castilla en un combate contra los moros. La corona de Navarra les había sido legada por Felipe VI poco después de su acceso al trono, para evitar las reivindicaciones que hubieran podido formular en relación con la de Francia. Este asunto fue uno de los acuerdos que aseguraron el trono a los Valois.

Jamás aprobé ese acuerdo navarro, que no era bueno de hecho ni de derecho. Pero mi opinión todavía no pesaba. Acababan de nombrarme obispo de Auxerre. Y aunque lo hubiese dicho... desde el punto de vista jurídico la situación era insostenible. Navarra venía de la madre de Luis el Obstinado. Si la pequeña Juana no era hija suya, sino de un caballerizo cualquiera, no tenía sobre Navarra más títulos que sobre Francia. Por lo tanto, si se reconocía la corona de una, *ipso facto* sus derechos se extendían a la otra, tanto para ella como para sus herederos. En realidad, se venía a confesar que la apartaban del trono no sólo por su supuesta bastardía sino porque era mujer, y gracias al artificio de una ley inventada por los varones. Con respecto a las razones de hecho, el rey Felipe el Hermoso jamás habría consentido, fueran cuales fuesen las razones, amputar así el reino que él había agrandado. No se asegura el trono cortándole un pie. Juana y Felipe de Navarra se habían mantenido tranquilos: ella porque no le llegaba a su madre a la suela de los zapatos, y él porque era como su padre, Luis de Evreux, de naturaleza digna y reflexiva. Parecían satisfechos con su rico condado normando y su pequeño reino pirenaico. Las cosas cambiarían con su hijo Carlos, joven muy activo para sus dieciocho años, que dirigía miradas rencorosas al pasado de su familia y ambiciosas en relación con su propio futuro. «Si mi abuela no hubiese sido una puta tan caliente, si mi madre hubiera nacido hombre... Ahora sería rey de Francia.» Se lo oí decir yo mismo... Convenía por lo tanto asegurarse Navarra, que por su situación en medio del reino cobraba aún mayor importancia en vista de que ahora los ingleses ocupaban Aquitania entera. Entonces, como siempre en casos parecidos, concertamos un matrimonio.

El duque Juan de buena gana se hubiese abstenido de concertar una nueva unión. Pero se había prometido ser rey, y la imagen real exigía que tomara esposa, y sobre todo en su caso. Una esposa impediría que él se mostrase demasiado francamente del brazo de Carlos de España. Por otra parte, ¿qué mejor modo de atarle las manos que elegir entre sus hermanas a la futura reina de Francia? La mayor, Blanca, tenía dieciocho años y era una mujer muy bella y muy espiritual. El proyecto avanzó considerablemente, se solicitaron las dispensas al Papa y el matrimonio ya estaba casi anunciado mientras uno se preguntaba quién estaría vivo la semana siguiente en ese horrible período que todos atravesábamos.

Pues la muerte continuaba llamando a todas las puertas. A principios de diciembre la peste se llevó a la propia reina de Francia, Juana de Borgoña, la reina mala. En el caso de esta muerte, poco faltó para que la complacencia se manifestase en gritos de alegría y la gente se pusiese a bailar en las calles. La odiaban; vuestro padre seguramente os lo dijo. Robaba el sello de su marido para encarcelar a la gente; preparaba baños envenenados para los invitados que le desagradaban. Poco faltó para que de ese modo matase a un obispo... A veces, el rey la molía a palos; pero no por eso consiguió corregirla. Yo desconfiaba mucho de esta reina. Su carácter suspicaz poblaba la corte de enemigos imaginarios. Era una mujer colérica, mentirosa, odiosa; era criminal. Por otra parte, poco después de eso, la epidemia comenzó a remitir, como si esa gran hecatombe, venida de tan lejos, no hubiese tenido otro propósito que abatir finalmente a esa arpía.

Entre todos los hombres de Francia, el que sintió más alivio fue el propio rey. Menos de un mes después, en el frío de enero, volvió a casarse. Aunque era viudo de una mujer unánimemente detestada, su actitud implicaba hacer poco caso de las conveniencias. Pero lo peor no estaba en la prisa. ¿Con quién se unía? Con la prometida de su hijo, con Blanca de Navarra, la joven de quien se había enamorado cuando la vio en la corte. Los franceses se muestran complacientes con las aventuras masculinas, pero no ven con agrado extravíos de esta clase en el soberano.

Felipe VI tenía cuarenta años más que la belleza de la cual despojaba brutalmente a su heredero. Y no podía tampoco invocar, como ocurre en tantas uniones principescas inarmónicas, el interés superior del Imperio. Era como engastar una piedra de escándalo en su corona, al mismo tiempo que infligía a su sucesor la ira mortal del ridículo. Fue un matrimonio celebrado deprisa, allá por Saint-Germain-en-Laye. Por supuesto, Juan de Normandía no asistió a la boda. Jamás había sentido mucho afecto por su padre y éste lo retribuía cumplidamente. Ahora, le profesaba odio.

A su vez, el heredero volvió a casarse un mes después. Tenía prisa por reparar el ultraje. Decidió arreglarse con madame de Boulogne, viuda del duque de Borgoña. Mi venerable hermano, el cardenal Gocido de Boulogne, concertó esta unión para ventaja de su familia y en su propio provecho. Desde el punto de vista de la fortuna, madame de Boulogne era un excelente partido y aquel matrimonio hubiera debido bastar para sanear la situación del príncipe, que ya se mostraba terriblemente manirroto; de hecho, sólo sirvió para fomentar su tendencia al despilfarro.

La nueva duquesa de Normandía tenía más edad que su suegra; reunidas, causaban un extraño efecto en las reuniones de la corte, sobre todo porque desde el punto de vista de la actitud y el rostro, la comparación no beneficiaba a la nuera. El duque Juan se mostró despechado; se le metió en la cabeza que estaba enamorado de Blanca de Navarra, que le había sido tan villanamente arrebatada, y sufría viéndola cerca de su padre, que a menudo la exhibía en público en la actitud más tonta que pueda concebirse. Esta situación no mejoró las noches del duque Juan con madame de Boulogne, y lo llevó de nuevo a los brazos de Carlos de España. La prodigalidad le sirvió de compensación. Hubiérase dicho que se honraba dilapidando.

Por otra parte, después de los meses de terror e infortunio sufridos durante la peste, todo el mundo gastaba locamente. Sobre todo en París. En la corte y sus alrededores era una pura locura. Afirmábase que este despliegue de lujo daba trabajo a los humildes. Sin embargo, no se veía jamás ese efecto en las chozas y las casas campesinas. Entre los príncipes endeudados y el pueblo común necesitado estaba el escalón donde se concentraba la ganancia, arrebatada por grandes mercaderes, como los Marcel, que negociaban con telas, sedas y otros artículos de adorno, y que entonces se enriquecieron enormemente. La moda llegó a ser extravagante, y el duque Juan, que ya tenía treinta y un años, lucía en compañía de mi señor de España camisas de encaje tan cortas que dejaban ver las nalgas. Quienes los veían se reían de ellos cuando habían pasado.

Blanca de Navarra había sido reina antes de lo previsto y reinó menos tiempo del calculado. Felipe de Valois se había salvado de la peste; no resistió el amor. Mientras vivió con aquella coja de mal carácter, gozó de buena salud; era un poco grueso, pero siempre se lo veía sólido y activo, y esgrimía las armas y cabalgaba presto y dedicaba mucho tiempo a la caza. Seis meses de proezas galantes con su bella desposada terminaron con él. Abandonaba el lecho con la idea de regresar. Era una obsesión; un frenesí. Exigía a sus médicos preparados que lo convirtiesen en un hombre infatigable... ¿Qué? Os sorprende que... Pero sí, sobrino, sí, aunque pertenezco a la Iglesia, o más bien porque soy un hombre de la Iglesia, debo conocer estas cosas, sobre todo cuando tocan a la persona de los reyes.

Blanca, que consentía y al mismo tiempo se sentía inquieta y halagada, soportaba esta pasión que se le demostraba constantemente. El rey se vanagloriaba públicamente de que su esposa se fatigaba antes que él. Pronto comenzó a adelgazar. Ya no le interesaba gobernar. Cada semana envejecía un año. Murió el veintidós de agosto de 1350 a los cincuenta y siete años, de los cuales treinta y dos había sido rey.

Espléndido en apariencia, este soberano a quien yo fui fiel... era rey de Francia y, por otra parte, yo no podía olvidar que había pedido para mí el capelo... Aquel soberano había sido un lamentable jefe militar y un financiero desastroso. Había perdido Calais y también Aquitania; dejaba Bretaña en estado de rebelión y muchos lugares del reino eran inseguros o estaban asolados. Sobre todo, había perdido prestigio. Ah, sí... en efecto, había comprado el delfinado. Nadie puede provocar catástrofes permanentes. Yo mismo, es bueno que lo sepáis, cerré el trato, dos años antes, de Crécy. El delfín Huberto estaba tan endeudado que ya no sabía a quién pedir prestado para pagar a quién... Si os interesa, otra vez os explicaré detalladamente el asunto, y cómo yo conseguí, trasladando la corona del delfín al hijo mayor de Francia, que el Viennois entrase en el dominio del reino. También puedo afirmar, sin excesiva vanidad, que serví a Francia mejor que el rey Felipe VI, pues él solamente supo disminuirla y en cambio yo logré agrandarla.

¡Ya han pasado seis años! Seis años desde que murió el rey Felipe, y mi señor, el duque Juan, se convirtió en el rey Juan II. Esos seis años han pasado tan rápido que uno se creería aún al comienzo del reinado. ¿Será porque nuestro nuevo rey hizo muy pocas cosas memorables o porque a medida que uno envejece el tiempo parece correr más rápido? Cuando uno tiene veinte años, cada mes, cada semana, cargados de novedades, parecen durar mucho... Ya lo veréis, Archambaud, cuando tengáis mi edad, si llegáis a eso, lo que os deseo de todo corazón... Uno mira atrás y se dice: «¿Cómo? ¿Ya pasó un año? ¡Qué rápido!» Quizá porque uno dedica mucho tiempo a recordar, a revivir el tiempo...

Y bien, ha terminado el día. Sabía que llegaríamos a Nontron de noche cerrada.

¡Brunet! ¡Brunet! Mañana tendremos que partir antes del alba, pues nos espera una larga etapa. Por eso quiero que ensillen a tiempo, y que cada uno lleve víveres, pues no dispondremos de tiempo para detener la marcha. ¿Quién fue a Limoges para anunciar mi llegada? Armando de Guillermis; muy bien... Envío a mis bachilleres para que se ocupen de mi alojamiento y los preparativos de la recepción un día o dos antes, pero no más. Lo indispensable para conseguir que la gente se dé prisa, y no lo suficiente para que los quejosos de la diócesis acudan a abrumarme con sus súplicas... ¿El cardenal? ¡Ah! Sólo ayer nos enteramos. Lamentablemente, ya partió... De lo contrario, sobrino, sería un verdadero tribunal ambulante.

4

El cardenal y las estrellas

Ah, sobrino, veo que os gusta mi litera y las livianas comidas que aquí me sirven. Y mi compañía, por supuesto, mi compañía... Probad este pastel de pato que nos regalaron en Nontron. Es la especialidad del lugar. No sé cómo nuestro maestro cocinero se las arregló para conservarlo tibio...

¡Brunet! Brunet, diréis a mi cocinero que aprecio mucho que conserve un poco calientes los platos que me preparan para el camino; es hábil... Ah, en su carro lleva brasas... No, no, no me quejo si me sirven dos veces seguidas los mismos alimentos, con la única condición de que me hayan agradado la primera vez. Y este pastel me pareció muy sabroso anoche. Agradezcamos a Dios que nos ha provisto de todo lo necesario.

Ciertamente, el vino es demasiado joven y flojo. No es el vino de Sainte-Foy ni el de Bergerac, a los cuales estáis acostumbrado. Por no hablar de los vinos de Saint-Emilion y de Lussac, que son maravillosos, pero que ahora salen todos de Libourne, en las bodegas atestadas, hacia Inglaterra... Los paladares franceses ya no tienen derecho a saborearlo.

¿No es verdad, Brunet, que esto no vale un jarro de Bergerac? El caballero Aymar Brunet es de Bergerac y aprecia lo que crece en su región. De eso yo me burlo un poco...

Esta mañana, Francisco Calvo, secretario papal, me acompañó. Yo deseaba que me recordase los asuntos que tendré que atender en Limoges. Allí permaneceremos dos días completos, tal vez tres. De todos modos, salvo que me vea obligado por una urgencia o un mandato explícito, evito viajar en domingo. Deseo que mi escolta pueda asistir a los oficios y descansar.

Ah, no niego que me emociona un poco volver a Limoges. Fue mi primer obispado. Yo tenía... tenía... Archambaud, era más joven que vos ahora; tenía veintitrés años. ¡Y os trato como si fuerais un jovencito! Es una manía que viene con la edad y que significa tratar a la juventud como si ésta todavía fuese la infancia, olvidando lo que uno mismo fue a esa edad. Sobrino, tendréis que reprenderme cuando me veáis caer en ese error. Obispo... ¡mi primera mitra! Me sentía muy orgulloso, y muy pronto por esa razón incurrí en el pecado del orgullo. Cierto, decían que debía mi sede al favoritismo, y que del mismo modo que mis primeros beneficios me fueron concedidos por Clemente V a causa de la gran amistad que profesaba a mi madre, Juan XXII me asignó un obispado porque dimos la mano de mi última hermana, vuestra tía Aremburge, a uno de sus sobrinos nietos, Jacobo de La Vie. En realidad, era bastante cierto. Ser sobrino de un Papa es una hermosa casualidad, pero el beneficio no dura mucho salvo que uno se relacione con una nobleza de primera categoría, como la nuestra... Vuestro tío La Vie fue un gran hombre.

Por mi parte, aunque era joven, creo que no dejé el recuerdo de un mal obispo. Cuando veo a tantos obispos ancianos que no saben dirigir ni a sus ovejas ni a su clero, y que nos abruman con sus agravios y sus procesos, me digo que supe desempeñarme bastante bien, sin provocar conflictos excesivos. Tenía buenos vicarios... Vamos, servidme más vino; es necesario aligerar el pastel... Buenos vicarios a quienes yo dejaba las fatigas de la administración. Ordenaba que me molestasen sólo en los asuntos graves, y de ese modo acabaron respetándome, e incluso temiéndome. Así dispuse del tiempo necesario para proseguir mis estudios. Ya sabía mucho de derecho canónico; conseguí reunir buenos maestros en mi residencia con el fin de desarrollar mis estudios de derecho civil. Vinieron de Tolosa, donde yo me había diplomado, que es una universidad tan buena como la de París, igualmente dotada de hombres sabios. Movido por el agradecimiento, decidí... quiero advertiros, sobrino, pues la ocasión se presta; esto está indicado en mis últimas voluntades, en caso de que no pueda acabar el proyecto en vida... Decidí fundar en Tolosa un colegio para los estudiantes pobres de Périgord... Archambaud, tomad este pedazo de tela y secáos los dedos...

Precisamente en Limoges comencé a aprender la astrología. Pues las dos ciencias más necesarias para quienes tienen que ejercer el gobierno son el derecho y la ciencia de los astros, ya que la primera enseña las leyes que rigen las relaciones y las obligaciones mutuas de los hombres, o con el reino, o con la Iglesia, y la segunda permite conocer las leyes que rigen las relaciones de los hombres con la Providencia. El derecho y la astrología; las leyes de la tierra, las leyes del cielo. Yo afirmo que no tiene objeto alejarse de estos dos temas. Dios impone que cada uno de nosotros nazca a la hora que Él quiere, y esta hora está señalada en el reloj celeste, donde movido por su gran bondad nos ha permitido leer. Sé que hay malos creyentes que se burlan de la astrología, porque en esta ciencia abundan los charlatanes y los mercaderes de mentiras. Pero así ocurrió siempre, y los viejos libros nos dicen que los antiguos romanos y otros pueblos del pasado denunciaban a los falsos lectores de horóscopos y a los falsos magos vendedores de predicciones; ello no impedía que buscasen con afán a los buenos y justos lectores del cielo, que ejercían a menudo en los templos. Si hay sacerdotes maníacos o intemperantes, no por eso es necesario cerrar todas las iglesias.

Me alegro de que compartáis mis opiniones sobre este punto. Es la actitud humilde que conviene al cristiano ante los decretos del Señor, el creador de todas las cosas, el que está detrás de las estrellas...

Desearíais... Pero, sobrino, de buena gana lo haré por vos. ¿Sabéis a qué hora nacisteis? Ah, sería necesario saberlo. Enviad un mensajero a vuestra madre para rogarle que os indique la hora de vuestro primer grito. Las madres son las personas que recuerdan esas cosas...

Por mi parte, siempre me felicité de practicar la ciencia astral. Ello me permitió ofrecer útiles consejos a los príncipes que estaban dispuestos a escucharme, y también conocer el carácter de las personas con quienes trataba, y cuidarme de aquellas cuya suerte era contraria a la mía. Por ejemplo, siempre supe que Capocci sería mi antagonista en todo, y siempre desconfié de él... Precisamente a causa de los astros desarrollé con éxito muchas negociaciones y concluí muchos arreglos favorables, por ejemplo el de mi hermana de Durazzo, o el matrimonio de Luis de Sicilia, y los beneficiarios agradecidos acrecentaron mi fortuna. Pero en primer lugar, y con respecto a Juan XXII... Dios lo guarde, fue mi benefactor... esta ciencia me prestó un precioso servicio. Pues este Papa era gran alquimista y también astrólogo, y cuando supo que yo me consagraba al mismo arte, y con éxito, su simpatía por mí aumentó, y le indujo a escuchar la petición del rey de Francia, de modo que me vi cardenal a los treinta años, lo cual es cosa poco común. Por lo tanto, fui a Aviñón a recibir mi capelo. Sabéis cómo es eso, ¿no?

El Papa ofrece un gran banquete, al que convida a todos los cardenales, con motivo del ingreso del nuevo miembro en la curia. Finalizada la comida, el Papa se sienta en su trono e impone el capelo al nuevo cardenal, que está arrodillado; le besa primero el pie y después la boca. Yo era demasiado joven para que Juan XXII... tenía entonces ochenta y siete años... me llamase *venerabilis frater*; prefirió dirigirse a mí utilizando la forma *dilectus filius*. Y antes de proponer que me incorporase, me dijo al oído: «¿Sabes lo que me cuesta tu capelo? Seis libras, siete sueldos y diez denarios.» Era muy propio de este pontífice hacer lo posible para rebajar el orgullo de su interlocutor, y en el instante en que éste trataba de elevarse, lo conseguía deslizando una burla acerca de la grandeza. Ése fue el día cuyo recuerdo se conserva más vivo en mi memoria. El Santo Padre, enjuto y arrugado, bajo el bonete blanco que le apretaba las mejillas... fue el catorce de julio de 1331...

¡Brunet! Ordena detener mi litera. Voy a estirar un poco las piernas con mi sobrino mientras limpian esas migas. El camino es llano y el sol nos regala sus suaves rayos. Continúen la marcha. Que me escolten sólo doce hombres; deseo un poco de paz... Salud, maestro Vigier... salud Volnerio... salud Bousquet... La Paz de Dios sea con vosotros, hijos míos, buenos servidores.

5

Los comienzos de este rey llamado el Bueno

¿La carta astral del rey Juan? Sí, la conozco; muchas veces me incliné sobre esa carta... ¿Si yo preveía? Por supuesto, preveía; por eso me esforcé tanto por impedir esta guerra, pues sabía que sería funesta para él y, por lo tanto, para Francia. Pero tratad de que un hombre se atenga a razones, y peor aún si es un rey, cuyos astros impiden precisamente la acción del entendimiento y la razón.

Cuando nació, el rey Juan II tenía Saturno dominando la constelación de Aries, en medio del cielo. Esta configuración, funesta para un rey, es la que corresponde a los soberanos destronados, a los reinos que concluyen muy pronto o que terminan en trágicas derrotas. Agregad a eso una Luna que se alza en el signo de Cáncer, también lunar, y que destaca así una naturaleza muy femenina. Finalmente, y por no señalar más que los rasgos más evidentes, los que saltan a la vista de cualquier astrólogo, un difícil agrupamiento en el cual se encuentran el Sol, Mercurio y Marte estrechamente unidos en Tauro. Un cielo que pesa demasiado sobre un hombre poco equilibrado, de apariencia varonil e incluso bastante pesada, pero en quien todo lo que debería ser viril está como castrado; y lo que digo se aplica también al entendimiento. Al mismo tiempo un individuo brutal, violento, asaltado por sueños y miedos secretos que le inspiran furores súbitos y homicidas, incapaz de escuchar consejos o dominarse y que oculta sus debilidades bajo una apariencia de ostentación. En el fondo, un tonto, lo contrario de un vencedor o de un alma capaz de imponerse.

Se diría que para ciertas personas lo que importa es la derrota, la codician secretamente y no descansan hasta haberla encontrado. Verse derrotadas complace a la verdadera naturaleza de su alma; el signo del fracaso es su brebaje preferido, del mismo modo que otros anhelan el hidromiel de las victorias; aspiran a la dependencia y nada les agrada tanto como contemplarse en una impuesta sumisión. Y es muy lamentable cuando tales inclinaciones innatas se manifiestan en un rey.

Mientras fue señor de Normandía y vivía bajo la férula de un padre a quien no amaba, Juan II fue un príncipe aceptable y los ignorantes creyeron que reinaría bien. Por otra parte, los pueblos, e incluso las cortes, siempre dados a la ilusión, esperan que el nuevo rey sea mejor que el precedente, como si la novedad implicase en sí misma una virtud milagrosa. Al tener el cetro en la mano, sus astros y su carácter comenzaron a demostrar sus infortunados efectos.

Hacía apenas diez días que era rey cuando mi señor de España, durante ese mes de agosto de 1350, se dejó derrotar en el mar, frente a Winchelsea, por el rey Eduardo III. La flota capitaneada por Carlos de España era castellana, y Juan no era responsable de la expedición. De todos modos, como el vencedor venía de Inglaterra y el vencido era un amigo muy querido del rey de Francia, el episodio representó un mal comienzo para éste.

La consagración se realizó a fines de septiembre. Mi señor de España había regresado, y en Reims se dispensaron muchas atenciones al vencido para consolarlo por su derrota.

A mediados de noviembre, el condestable Raúl de Brienne, conde de Eu, regresó a Francia. Desde hacía cuatro años era cautivo del rey Eduardo, aunque un cautivo bastante libre a quien a veces se dejaba viajar entre ambos países porque participaba en las negociaciones que se realizaban en busca de una paz general, el mismo asunto que reclamaba nuestros intensos esfuerzos en Aviñón. Yo mismo me escribía con el condestable. Esta vez había venido para reunir el precio de su rescate. No necesito deciros que Raúl de Brienne era un personaje muy encumbrado y poderoso, y por así decirlo, el segundo hombre del reino. Había sucedido en su cargo a su padre Raúl V, muerto en un torneo. Poseía vastos feudos en Normandía y en Turena, entre ellos Bourgueil y Chinon, otros en Borgoña y el Artois. Poseía tierras, por el momento confiscadas, en Inglaterra y en Irlanda; las tenía también en la región del Vaud. Era primo por matrimonio del conde Amadeo de Saboya.

A un hombre como éste, sobre todo cuando se acaba de subir al trono, se le trata con cierta consideración, ¿no creéis, Archambaud? Pues bien, nuestro Juan II, después de haberle formulado, la noche de su llegada, furiosos reproches, aunque poco claros, ordenó encarcelarlo inmediatamente. Y dos días después, por la mañana, mandó que lo decapitaran sin juicio previo... No; ninguna razón explícita. En la curia no pudimos saber de esto más que vosotros en Périgueux. Y creedme, hicimos todo lo posible para aclarar el asunto. Para explicar esta precipitada ejecución, el rey Juan afirmó que conservaba las pruebas escritas de la felonía del condestable; pero jamás, jamás las mostró. Incluso cuando el Papa lo presionó, en su propio interés, para que revelara esas famosas pruebas, mantuvo un silencio obstinado.

Entonces todas las cortes europeas comenzaron a murmurar y a imaginar... Se habló de una correspondencia amorosa que el condestable había mantenido con madame Bonne de Luxemburgo, y que, después de la muerte de esta señora, había caído en manos del rey... ¡Ah, también vos habéis oído esa fábula! En realidad, un extraño vínculo. En todo caso, cuesta creer que haya podido llevar a situaciones impropias una relación entre una mujer siempre embarazada y un hombre casi permanentemente cautivo desde hacía cuatro años. Es posible que en las cartas del señor Brienne hubiese cosas penosas para el rey; pero en ese caso, dichos comentarios seguramente se referían a la propia conducta del monarca más que a las de su primera esposa... No, no había nada que explicara la ejecución, salvo que tengamos en cuenta el carácter rencoroso y criminal del nuevo rey, bastante parecido al de su madre, la perversa reina.

El verdadero motivo se reveló poco después, cuando dieron el cargo de condestable... sabéis muy bien a quién... ¡Sí! A Carlos de España, con una parte de los bienes del difunto, cuyas tierras y posesiones fueron distribuidas entre los parientes del rey. De este modo, el conde Juan de Artois recibió una porción considerable: el condado de Eu.

Las generosidades de esta clase crean menos amigos que enemigos.

El señor de Brienne tenía muchos parientes, amigos, vasallos, servidores, una clientela muy nutrida y muy vinculada a su persona, y toda esta gente se convirtió de pronto en una red de descontentos. Contad, además, a los miembros del séquito real que no recibieron ni una miga de los despojos, y que se sintieron por eso celosos e irritados...

Ah, desde aquí tenemos una buena vista de Châlus y sus dos castillos.

¡Qué bien casan esas dos altas torres separadas por un angosto río! Y es grato contemplar la región bajo estas nubes que se desplazan tan ágiles...

¡La Rue! La Rue, creo que no me engaño: precisamente debajo del baluarte de la derecha, sobre la colina, el señor Ricardo Corazón de León fue abatido por la flecha que le quitó la vida. Hace mucho ya que los habitantes de nuestro país se acostumbraron a los ataques ingleses, y a defenderse de ellos...

No, La Rue, de ningún modo estoy fatigado; me detengo sólo para contemplar... Sí, en efecto, acostumbro a marchar a buen paso. Ahora caminaré un trecho y la litera me alcanzará más adelante.

Nada nos apremia: de Châlus a Limoges, si la memoria no me engaña, hay menos de nueve leguas. Nos bastarán tres horas y media sin necesidad de forzar la marcha. ¡Sea! Cuatro horas.

Dejadme aprovechar estos últimos días de buen tiempo que Dios nos concede. Cuando llegue el mal tiempo y la lluvia, sin duda me veré obligado a permanecer encerrado detrás de mis persianas...

Archambaud, os explicaba de qué modo el rey Juan se las ingenió para conseguir su primera camada de enemigos, en el seno mismo del reino. Resolvió entonces crearse amigos, vasallos, hombres que le fueran completamente devotos, unidos a su persona por un vínculo nuevo; un núcleo de individuos que lo ayudarían en la guerra tanto como en la paz y que serían la gloria de su reino. Y con este fin, apenas comenzó el año siguiente, fundó la Orden de la Estrella, y le asignó como propósito la renovación de la caballería y la elevación del honor a una nueva y digna jerarquía. Esta novedad no era tan nueva, pues el rey Eduardo de Inglaterra ya había instituido la Jarretera. Pero el rey Juan se burlaba de esta orden creada alrededor de un muslo de mujer; la Estrella sería una cosa completamente distinta. Ya veis en eso un rasgo constante en él. Solamente sabe copiar, pero siempre lo hace con el aire de quien inventa algo.

Nada menos que quinientos caballeros debían jurar sobre las Sagradas Escrituras que jamás retrocederían un palmo en la batalla, que jamás se rendirían. Carácter tan sublime debía distinguirse con marcas visibles. Juan II no ahorraba cuando se trataba de mostrarse ostentoso, y su tesoro, que ya estaba bastante exhausto, comenzó a perder nivel como un tonel perforado.

Para alojar a la orden ordenó arreglar la casa de Saint-Ouen, en adelante llamada la Casa Noble, y que estaba repleta de soberbios muebles, esculpidos y cincelados, grabados con marfil y otros materiales preciosos. No he visto la Casa Noble, pero me la describieron. Los muros están, o más bien estaban, revestidos con telas de oro y plata, o bien con terciopelo salpicado de estrellas y flores de lis doradas. El rey ordenó confeccionar una cota de seda blanca para todos los caballeros, una sobre-túnica mitad blanca y mitad roja, y un sombrero rojo con un broche de oro en forma de estrella. Recibieron, además, una bandera blanca bordada de estrellas y, cada uno, un lujoso anillo de oro y esmalte, para demostrar que todos estaban como casados con el rey... lo cual provocaba una sonrisa. Quinientas mallas, quinientos estandartes, quinientos anillos, ¡calculad el gasto! Según parece, el rey ideó y discutió cada pieza de este glorioso atuendo. ¡Creía firmemente en su Orden de la Estrella! En vista de los malos astros que presidían su destino, hubiera sido más sensato elegir otro emblema.

De acuerdo a la norma que él había impuesto, una vez por año los caballeros debían reunirse en un gran festín, y cada uno relatar las aventuras heroicas y las proezas bélicas realizadas durante el año. Dos escribientes llevarían el registro y la crónica correspondientes. Tenían que revivir la Mesa Redonda, y el rey Juan alcanzar más fama que el rey Arturo de Britania. Concebía grandiosos y nebulosos proyectos. Volvió a hablarse de la posibilidad de una Cruzada...

La primera asamblea de la Estrella, convocada para el Día de Reyes de 1352, fue bastante decepcionante. Los futuros héroes no tenían grandes hazañas que relatar. Les había faltado tiempo. Los infieles partidos en dos, desde el casco a la montura, y las vírgenes liberadas de las mazmorras bárbaras serían cosa del año siguiente. Los dos escribientes destinados a anotar la crónica de la orden no tuvieron que usar mucha tinta, a menos que el desenfreno fuese considerado una hazaña. Pues la Casa Noble fue teatro de la orgía más gigantesca que se hubiese visto en Francia desde Dagoberto. Los caballeros blanquirrojos se consagraron con tal ímpetu al festín, que antes incluso de llegar a los entremeses, gritando, cantando, aullando, borrachos perdidos, abandonando la mesa sólo para ir a orinar o vomitar, regresando para picotear de las fuentes, lanzando ardientes desafíos a ver quién vaciaba más jarros de licor, merecieron pura y simplemente que los armaran caballeros de la orgía. La hermosa vajilla de oro, trabajada para ellos, se vio descascarada o rajada; se la arrojaban por encima de las mesas como niños traviesos, o bien las destrozaban con los puños. De los hermosos muebles tallados e incrustados sólo quedaron restos. La borrachera sin duda llevó a algunos a creer que ya estaban en guerra, pues hicieron todo lo posible para saquear la casa. Así, los cortinajes de oro y plata que colgaban de los muros desaparecieron; fueron robados por algunos de los presentes.

Pues bien, ése fue precisamente el día en que los ingleses se apoderaron de Guines, entregada por traidores mientras el capitán que comandaba el lugar festejaba en Saint-Ouen.

El rey tuvo una gran decepción a causa de todo lo ocurrido. Comenzó a quejarse, dominado por la idea de que sus empresas más valerosas, quién sabe por obra de qué destino funesto, estaban condenadas al fracaso. Poco tiempo después se libró el primer combate en el cual debieron participar los caballeros de la Estrella; no fue en un Oriente fantástico, sino en un rincón de un bosque de la Baja Bretaña. Quince de ellos, ansiosos de demostrar que eran capaces de hazañas más dignas que las del jarro de vino, respetaron su juramento de no retroceder ni retirarse jamás, y en lugar de retirarse a tiempo, como hubiesen hecho individuos más sensatos, se dejaron rodear por un adversario cuyo número no les dejaba ninguna oportunidad, ni siquiera la más mínima.

Nadie volvió para contar esta proeza. Pero los parientes de los caballeros muertos no se privaron de decir que el nuevo rey tenía el seso bastante perturbado, puesto que imponía a sus hombres un juramento tan absurdo, y que si todos debían atenerse a eso, el monarca muy pronto se encontraría completamente solo...

Ah, aquí está mi litera... ¿Ahora preferís cabalgar? Por mi parte, creo que voy a dormir un poco para sentirme bien a la llegada. Pero ¿comprendéis, Archambaud, por qué la Orden de la Estrella no tuvo muchos adeptos, y a medida que pasa el tiempo se habla cada vez menos de ella?

6

Los comienzos de este rey a quien llaman el Malo

Sobrino, ¿habéis observado que dondequiera que nos detenemos, en Limoges o en Nontron, o en otros lugares, siempre nos piden noticias del rey de Navarra, como si la suerte del rey dependiese de este príncipe? En realidad, qué extraña situación ésta que vivimos. El rey de Navarra vive prisionero en un castillo del Artois, y el carcelero es su primo el rey de Francia. El rey de Francia es prisionero, en una residencia de Burdeos, de su primo el príncipe heredero de Inglaterra. El delfín, heredero de Francia, se debate en el palacio de París, entre sus burgueses agitados y sus Estados Generales que reclaman. Pero se diría que todo el mundo se inquieta por el rey de Navarra. Ya habéis oído las palabras del propio obispo: «Decíase que el delfín es muy amigo de mi señor de Navarra. ¿No se propone liberarlo?» ¡Dios Santo! Espero que no lo haga. Por el momento, este joven ha tenido el buen tino de no hacer nada. Y me inquieta ese intento de evasión que los caballeros del clan navarro habrían organizado para liberar a su jefe. Fracasó; alegrémonos por ello. Pero todo nos lleva a creer que querrán recomenzar.

Sí, sí, me he enterado de muchas cosas durante nuestra escala en Limoges. Y apenas lleguemos a La Péruse me propongo escribir al Papa.

Si fue una grave tontería del rey Juan encerrar a mi señor de Navarra, sería igualmente absurdo que el delfín lo liberase ahora. No conozco embrollón peor que este Carlos a quien llaman el Malo, y él y el rey Juan han unido fuerzas, con su querella, para sumir Francia en su actual infortunio. ¿Sabéis de dónde le viene el sobrenombre? De los primeros meses de su reinado. No perdió tiempo para merecerlo.

Su madre, la hija de Luis el Obstinado, murió, como os conté el otro día, en el otoño de 1349. Durante el verano de 1350 él fue a hacerse coronar en su capital de Pamplona, una ciudad donde jamás había puesto los pies desde el día de su nacimiento en Evreux, dieciocho años antes. Como deseaba hacerse conocer, recorrió sus estados; una tarea que no le exigió viajes muy prolongados. Después fue a visitar a sus parientes y vecinos; a su cuñado, el conde de Foie y de Béarn, el mismo que se hace llamar Febo; al otro cuñado, el rey de Aragón, Pedro el Ceremonioso, y también al rey de Castilla.

Ahora bien, cierto día que regresaba a Pamplona y estaba cruzando un puente, a caballo, se encontró con una delegación de nobles navarros que venían a reclamar, porque el monarca había permitido que se violaran los derechos y los privilegios de la nobleza. Como rehusó oírlos, los miembros de la delegación se excitaron un poco; entonces, el rey ordenó a sus soldados que detuviesen a los que gritaban más cerca y que los colgasen inmediatamente de los árboles vecinos, al mismo tiempo que decía que era necesario aplicar un pronto castigo si uno quería ser respetado.

He observado que los príncipes que se dan mucha prisa para aplicar la pena capital a menudo obedecen el impulso del miedo. Este Carlos no es una excepción, pues lo creo más valeroso en sus palabras que de cuerpo. Este brutal ahorcamiento, que enlutó Navarra, le valió que sus súbditos muy pronto lo llamasen el Malo. Por otra parte, no tardó en alejarse de su reino, cuyo gobierno dejó a su hermano menor, Luis, que entonces tenía sólo quince años, y él prefirió acercarse a la corte de Francia en compañía de otro hermano, Felipe.

Entonces, me diréis, ¿cómo es posible que el partido navarro pueda ser tan numeroso y fuerte, si en la propia Navarra una parte de la nobleza se opone a su rey? Ah, sobrino, ocurre que este partido está formado sobre todo por caballeros normandos del condado de Evreux. Y Carlos de Navarra es tan peligroso para la corona de Francia, no tanto por sus posesiones en el Mediodía del reino, sino por las que ocupa u ocupaba en las proximidades de París, por ejemplo, los señoríos de Mantes, Pacy, Meulan o Nonancourt, que controlan los accesos a la capital por el lado oeste de la región.

Esto, el rey Juan lo comprendió muy bien o alguien se lo dio a entender; y al menos por una vez demostró buen sentido, pues se esforzó por llegar a un acuerdo con su primo de Navarra. ¿Qué vínculo podía unirlos mejor? El matrimonio. ¿Y qué matrimonio podría ofrecerle que lo vinculase a la corona tan estrechamente como la unión que durante seis meses había convertido a su hermana Blanca en reina de Francia? Pues bien, el matrimonio con la mayor de las hijas del propio rey, la pequeña Juana de Valois. Ella tenía sólo ocho años, pero era un partido que bien merecía una paciente espera. Por otra parte, Carlos de Navarra no carecía de compañías amables que fortalecieran su paciencia. Entre otras, cierta señorita Graciosa... sí, es su nombre, o el que ella menciona... La pequeña Juana de Valois ya era viuda, pues la habían casado por primera vez a los tres años con un pariente de su madre, un hombre a quien Dios se había llevado muy pronto.

En Aviñón nos mostramos favorables a este compromiso, que según nos parecía aseguraba la paz. El contrato resolvía todas las cuestiones pendientes entre estas dos ramas de la familia de Francia, comenzando por la del condado de Angulema, prometido desde hacía mucho tiempo a la madre de Carlos a cambio de su renuncia a Brie y Champaña, y después canjeado por Pontoise y Beaumont, un pacto que no llegó a ejecutarse. Ahora se volvía al primer acuerdo; Navarra recibía Angoumois, igual que otros lugares y castellanías importantes que formaban la dote. El rey Juan se daba aires de gran autoridad y dispensaba grandes beneficios a su futuro yerno. «Tendréis esto, yo lo quiero; os doy aquello, ya os lo dije...»

El de Navarra se burlaba, con sus amigos, de estos nuevos vínculos con el rey Juan. «Éramos primos por la cuna; estuvimos a punto de ser cuñados; como su padre desposó a mi hermana, vine a convertirme en su tío, y ved cómo ahora seré su yerno.» Pero mientras se negociaba el contrato, hacía todo lo posible para mejorar su propia situación. A él no se le pidió más que un adelanto de dinero: cien mil escudos, los que el rey Juan debía a los mercaderes de París y que Carlos tendría que reembolsar. Tampoco él tenía esa suma contante y sonante; se la proporcionaron los banqueros de Flandes, a los cuales aceptó dar como garantía una parte de sus joyas. Hacerlo era más fácil para el yerno del rey que para el propio monarca...

Creo que en esta ocasión Carlos de Navarra debió relacionarse con el preboste Marcel... un asunto acerca del cual también debo escribir al Papa, pues los movimientos actuales de este hombre no dejan de inquietarme. Pero ésa es otra historia...

Los cien mil escudos le fueron reconocidos a Navarra en el contrato matrimonial; debían devolvérselos a plazos lo más pronto posible. Además, lo hicieron caballero de la Estrella, e incluso se lo indujo a suponer que sería nombrado condestable, pese a que aún no había cumplido veinte años. El matrimonio fue celebrado con gran brillo y mucho regocijo.

Pero la hermosa amistad que se demostraban el suegro y el yerno pronto se enturbió. ¿Por qué? El otro Carlos, el de España, el bello La Cerda, inevitablemente se sintió celoso del favor que se le dispensaba al de Navarra, e inquieto porque veía el astro del advenedizo elevarse refulgente en el cielo de la corte. Carlos de Navarra tiene ese defecto, común a muchos jóvenes... y del cual, Archambaud, os recomiendo defenderos... que es hablar demasiado cuando la fortuna les sonríe, y no resistir la tentación de pronunciar palabras perversas.

La Cerda no dejó de informar al rey Juan de cuáles eran los rasgos característicos de su yerno, y sazonó el relato con su propia salsa. «Mi querido señor, se burla de vos; cree que todo le está permitido. No podéis tolerar ese ataque a vuestra majestad, y si lo toleráis, yo, que os amo, no puedo soportarlo.» Y día tras día destiló veneno en la cabeza del rey. Navarra había dicho esto; Navarra había hecho aquello; Navarra se acercaba demasiado al delfín; Navarra intrigaba con este miembro del Gran Consejo. No hay hombre más dispuesto que el rey Juan a alimentar una idea mala acerca de la conducta ajena; ni hombre menos dispuesto a abandonarla. Es al mismo tiempo crédulo y obstinado. Nada más fácil que inventarle enemigos.

Muy pronto, Carlos de Navarra se vio despojado de la dignidad de teniente general del Languedoc, con la cual se lo había honrado. ¿En beneficio de quién? De Carlos de España. Después, el cargo de condestable, vacante desde la decapitación de Raúl de Brienne, fue concedido no a Carlos de Navarra sino a Carlos de España. De los cien mil escudos que Juan debía reembolsarle, el de Navarra no vio uno solo y, mientras, los regalos y los beneficios llovían sobre el amigo del rey. Finalmente, el condado de Angulema fue dado a mi señor de España, y eso pisoteando todos los acuerdos. Carlos de Navarra tuvo que contentarse de nuevo con una indefinida promesa de canje.

Así, entre Carlos el Malo y Carlos de España, primero hubo frialdad, después se detestaron, y muy pronto se demostraron un odio franco y confeso. Mi señor de España bien podía decir al rey: «¡Ved, mi querido señor, que yo estaba en lo cierto! Vuestro yerno, cuyos malos instintos he adivinado, se rebela contra vuestra voluntad. Me ataca, porque os sirvo demasiado bien.»

Otras veces fingía que anhelaba alejarse de la corte, nada menos que él, que gozaba de más favor que nadie, si los hermanos de Navarra continuaban criticándolo. Hablaba como un amante: «Me iré a un desierto, lejos de vuestro reino, para vivir con el recuerdo del amor que me habéis demostrado. ¡O para morir allí! Pues lejos de vos, el alma abandonará mi cuerpo.» ¡Algunos vieron derramar lágrimas a este extraño condestable!

Como el rey Juan tenía el seso sorbido por el español, y todo lo veía por sus ojos, se obstinó inexorablemente en convertir en enemigo irreductible al primo a quien había elegido por yerno con el propósito de consolidar una alianza.

Ya os lo dije: es difícil hallar un rey más tonto que éste, o más perjudicial para sus propios intereses... Lo cual no tendría demasiada importancia si al mismo tiempo no perjudicase a su reino.

En la corte se hablaba únicamente de esta disputa. La reina, abandonada por su marido, se unía con madame de España... pues el condestable estaba casado, en un matrimonio destinado a salvar las apariencias, con una prima del rey, la señora de Blois.

Los consejeros del rey, si bien todos fingían adular a su amo, estaban muy divididos, según creyeran más conveniente unir su fortuna a la del condestable o a la del yerno. Y las luchas que los oponían eran tanto más ásperas cuanto que este rey, que querría demostrar a la gente que es el único capaz de resolver drásticamente los problemas, siempre ha abandonado a su entorno la atención de los asuntos más graves.

Mi querido sobrino, ya veis que se intriga alrededor

de todos los reyes. Pero se conspira únicamente alrededor de los reyes débiles, o de aquellos que están debilitados por un vicio, o por los efectos de la enfermedad. ¡Hubiera querido ver que se conspirase alrededor de Felipe el Hermoso! Nadie soñaba hacerlo, nadie se habría atrevido a eso. Lo que no quiere decir que los reyes fuertes estén a salvo de las conspiraciones; pero en ese caso, hay que contar con la presencia de auténticos traidores; en cambio, cerca de los príncipes débiles es natural que incluso las personas honestas se conviertan en conspiradoras.

La víspera de la Nochebuena de 1354, en una residencia de París, Carlos de España y Felipe de Navarra intercambiaron palabras e insultos tan groseros que el último desenfundó la daga y estuvo a un paso, si no lo hubiesen detenido, de herir al condestable. Éste fingió reír y le dijo al joven de Navarra que se habría mostrado menos amenazador si alrededor no hubiese habido tanta gente para detenerlo. Felipe no es tan refinado, pero en el combate demuestra más vigor que su hermano mayor. Cuando lo sacaban de la sala gritó que muy pronto se vengaría del enemigo de su familia y que lo obligaría a tragarse el insulto. Lo que hizo, dos semanas después, la noche de la fiesta de los Reyes Magos.

El señor de España fue a visitar a su prima, la condesa de Alençon. Se detuvo a descansar en Laigle, en un albergue cuyo nombre se recuerda con facilidad, La Trucha que Huye. Demasiado seguro del respeto que inspiraban su juicio, su cargo y la amistad del rey, creía que no corría el más mínimo peligro cuando viajaba por el reino, de modo que llevaba consigo una escolta muy pequeña. Ahora bien, el núcleo de Laigle está en el condado de Evreux, a pocas leguas del castillo donde se alojaban los hermanos Evreux-Navarra. Advertidos del paso del condestable, le tendieron una hermosa emboscada.

Hacia la medianoche, veinte caballeros normandos, todos hombres rudos, el señor de Graville, el señor de Clères, el señor de Mainemares, el señor de Morbecque, el caballero de Aunay... ¡Sí! El descendiente de uno de los galanes de la Torre de Nesle; no podía sorprender que se le encontrase en el partido navarro... En fin, una buena veintena de hombres, cuyos nombres son conocidos porque el rey, muy a disgusto, tuvo que darles después cartas de perdón... aparecieron en el burgo, capitaneados por Felipe de Navarra. Derribaron las puertas de La Trucha que Huye y se precipitaron en el interior del alojamiento del condestable.

El rey de Navarra no estaba con ellos. Por si la cosa tomaba mal sesgo, había preferido esperar en el límite de la aldea, cerca de una granja, en compañía de sus ayudantes. Ah, me parece ver a Carlos el Malo, pequeño, vivaz, envuelto en su capa como en un soplo de humo infernal, brincando de aquí para allá sobre la tierra helada. Parece el diablo que no alcanza a tocar el cielo. Espera. Mira el cielo invernal. El frío le muerde los dedos. Tiene el alma atenazada al mismo tiempo por el miedo y el odio. Presta atención. Inquieto, vuelve a caminar de un lado para el otro. Entonces, aparece Juan de Fricamps, llamado Friquet, gobernador de Caen, su consejero y su más celoso organizador, y le dice casi sin aliento: «¡Mi señor, es cosa hecha!»

Y después aparecen Graville, Mainemares, Morbecque y el propio Felipe de Navarra, así como el resto de los conjurados. Allá en el albergue, el bello Carlos de España, a quien arrancaron de debajo del lecho donde se había escondido, yace atravesado. Lo han castigado sin piedad, a través del camisón. Le contaron ochenta heridas en el cuerpo, ochenta cuchilladas. Cada uno quiso hundir cuatro veces su espada... Ya veis, mi buen sobrino, cómo el rey Juan perdió a su buen amigo, y cómo mi señor de Navarra inició su rebelión...

Y ahora, os ruego cedáis el lugar a Francisco Calvo, mi secretario papal, con quien deseo conversar antes de que lleguemos al final de esta etapa.

7

Las noticias de París

Don Francesco, como yo estaré muy atareado cuando llegue a La Péruse, para inspeccionar la abadía y ver si fue tan saqueada por los ingleses que, como me piden los monjes, debo eximirlos durante un año de la obligación de pagar mis beneficios de prior, necesito explicar ahora mismo las cosas que figurarán en mi carta al Santo Padre. Os agradeceré me preparéis esa carta apenas lleguemos, y que le agreguéis todos los floripondios que son costumbre en vuestro estilo.

Es necesario informar al Santo Padre de las noticias de París que llegaron a mis oídos en Limoges, y que no dejan de inquietarme.

En primer lugar, los movimientos del maestro Esteban Marcel, preboste de los mercaderes de París. Sé que desde hace un mes este preboste ordena construir fortificaciones y cavar fosos alrededor de la ciudad, allende los antiguos muros, como si se preparase para afrontar un sitio. Ahora bien, según están en este momento las conversaciones de paz, los ingleses no tienen la más mínima intención de amenazar a París, de modo que es incomprensible este apremio por fortificar la plaza. Pero además, el preboste ha organizado a sus burgueses en un cuerpo municipal, y lo arma y ejercita dotándolo de jefes por cuartos, quintos y decenas, para asegurar los mandos, exactamente como en las milicias de Flandes, que gobiernan por sí mismas sus ciudades. Incluso la aceptación de esta milicia, en momentos en que todos los impuestos y las tasas reales son objeto general de queja y rechazo, el propio preboste, con el fin de equipar a sus hombres, ha fijado un impuesto sobre la bebida, y lo recauda directamente.

El maestro Marcel, que otrora se enriqueció considerablemente como proveedor del rey, pero que desde hace cuatro años perdió esa proveeduría, y por eso mismo le guarda profundo rencor, quiere mezclarse en todas las cosas del reino después de la desgracia de Poitiers. No se ve muy claramente cuáles son sus intenciones, como no sea la de llegar a ser importante; en todo caso, no se orienta hacia la pacificación deseada por nuestro Santo Padre. Por lo demás, mi deber piadoso es aconsejar al Papa que se muestre muy duro si le llega alguna petición de su parte, y que no ofrezca el más mínimo apoyo, ni siquiera aparentemente, al preboste de París y a sus actividades. Ya me habéis comprendido, don Francesco. El cardenal Capocci está en París. Como es un hombre irreflexivo y que jamás pierde la oportunidad de cometer errores, es posible que se crea muy sagaz. Si comienza a intrigar con este preboste... No, no se me ha informado nada definido, pero mi nariz me lleva a olfatear uno de esos caminos desviados por los cuales mi colega jamás deja de meterse...

En segundo lugar, quiero invitar al soberano pontífice a conocer detalladamente los Estados Generales del Langue d'Oil que concluyeran en París a comienzos de este mes, para que su santa atención arroje luz sobre las cosas extrañas que hemos visto manifestarse allí.

El rey Juan había prometido convocar estos Estados en diciembre; pero en vista de la conmoción, el desorden y la depresión en que se encontró el reino a consecuencia de la derrota de Poitiers, el delfín Carlos ha considerado sensato adelantar la reunión al mes de octubre. En verdad, no tenía otra alternativa si deseaba consolidar la autoridad que se resquebrajaba en vista de este infortunio; es un hombre joven, tiene un ejército desmoralizado por las derrotas, y el Tesoro soporta una penuria extrema.

Pero los ochocientos diputados del Langue d'Oil, entre ellos cuatrocientos burgueses, de ningún modo deliberaron acerca de los puntos que se les había señalado en la correspondiente invitación. La Iglesia tiene mucha experiencia en los concilios que escapan de las manos de quienes lo convocaron. Quiero decir al Papa que estos Estados se parecen a un concilio que se extravía y se toma el derecho de decidirlo todo, y se consagra a una reforma desordenada, aprovechando la debilidad del poder supremo. En lugar de ocuparse de la liberación del rey de Francia, nuestra gente de París se dedicó inmediatamente a reclamar la del rey de Navarra, lo que demuestra claramente de qué lado están quienes lo dirigen.

Además de eso, los ochocientos han designado una comisión de ochenta que se dedica a trabajar en secreto para elaborar una larga lista de quejas, donde hay poco de bueno y mucho de peor. Ante todo, reclama la destitución y el enjuiciamiento de los principales consejeros del rey, a quienes acusan de haber dilapidado los auxilios y a los que consideran responsables de la derrota...

Acerca de esto, debo deciros, Calvo... no es para escribirlo, sino para expresar mi pensamiento... las quejas no son del todo injustas. Entre las personas a las cuales el rey Juan entregó el gobierno, algunas no se lo merecen, y otras incluso son granujas hechos y derechos. Es natural que uno se enriquezca en los altos cargos; si no fuera así, nadie querría aceptar el trabajo y los riesgos. Pero es necesario cuidarse de sobrepasar los límites de la honradez y de no hacer negocios a expensas del interés público. Y sobre todo, es necesario demostrar capacidad. Pero el rey Juan que, por sí mismo, no es muy capaz, eligió de buena gana a personas que lo son menos.

Después, los diputados comenzaron a pedir cosas abusivas. Exigen que el rey, o por el momento su teniente, el delfín, gobierne únicamente con consejeros designados por los tres Estados: cuatro prelados, doce caballeros y doce burgueses. Este consejo tendría poder para hacer y deshacer, como el rey hacía antes, y nombraría todos los cargos; podría reformar la Cámara de Cuentas y todas las compañías del reino, decidiría el rescate de los prisioneros y muchas otras cosas. En verdad, se trata nada menos que de despojar al rey de los atributos de la soberanía.

De ese modo, la dirección del reino ya no estaría en manos de quien fue ungido y consagrado de acuerdo con los ritos de nuestra santa religión. Sería confiada a ese consejo, cuyo derecho se originaría en una asamblea charlatana de la que dependería. ¡Qué debilidad y qué confusión! Estas pretendidas reformas... ya lo entendéis, don Francesco. Insisto en eso, pues no puede ser que el Santo Padre pueda afirmar que no fue advertido... Estas pretendidas reformas constituyen una ofensa al buen sentido, y al mismo tiempo rozan la herejía.

Pero es lamentable que gente de la Iglesia se incline hacia ese lado, y es lo que hace el obispo de Laon, Roberto le Coq, un hombre que también merece la repulsa del rey y que por eso se ha unido al preboste. Es uno de los más vehementes.

El Santo Padre debe comprender claramente que detrás de todas estas agitaciones se encuentra el rey de Navarra, que parece llevar las cosas desde el fondo de su prisión, y que las empeoraría todavía más si pudiese actuar libremente. Con su gran sabiduría, el Santo Padre llegará a la conclusión de que le conviene abstenerse de intervenir en nada para que Carlos el Malo, quiero decir mi señor de Navarra, recupere la libertad, aunque muchas súplicas venidas de todos los rincones seguramente se lo pidan.

Por mi parte, utilizando mis prerrogativas de legado y nuncio... ¿Me escucháis, Calvo? He pedido al obispo de Limoges que me acompañe a Metz. Se reunirá conmigo en Bourges. Y he decidido hacer lo mismo con todos los obispos que están en mi camino, los hombres cuyas diócesis fueron saqueadas y arruinadas por las incursiones del príncipe de Gales, con el fin de que testifiquen sobre lo ocurrido ante el emperador. De ese modo reforzaré mi posición cuando afirme qué perniciosa es la alianza concertada por el rey navarro y el de Inglaterra...

Pero, don Francesco, ¿por qué miráis constantemente hacia fuera? ¡Ah! El balanceo de mi litera os revuelve el estómago. Yo estoy muy habituado a este movimiento, incluso diría que me estimula el espíritu, y veo que mi sobrino, el señor de Périgord, que a menudo me acompaña desde que partimos, de ningún modo se siente afectado por este balanceo... Es cierto, tenéis mala cara. Bien, descended. Pero cuando toméis la pluma no olvidéis lo que os he dicho.

8

El tratado de Mantes

¿Dónde estamos? ¿Ya pasamos Mortemart? ¡Aún no! Bien, parece que me adormecí un rato... Ah, cómo oscurece, y cómo se acortan los días. Sobrino, estaba soñando, soñaba con un ciruelo en flor, un gran ciruelo completamente blanco, redondo, poblado de pájaros, como si cada flor cantase. Y el cielo era azul, parecido al tapiz de la Virgen. Una visión angelical, un auténtico rincón del paraíso. ¡Qué cosa extraña son los sueños! ¿Habéis observado que en los Evangelios no se relatan sueños, fuera del que tuvo José al comienzo de san Mateo? Es el único. En cambio, en el Antiguo Testamento, los patriarcas tienen sueños a cada momento. En el Nuevo nadie sueña, y a menudo me he preguntado por qué y no encuentro respuesta... ¿No os llamó la atención ese hecho? Archambaud, quizás eso se debe a que no sois gran lector de las Santas Escrituras... Creo que es un tema apropiado para nuestros sabios doctores de París o de Oxford, que podrían disputar y suministrarnos gruesos tratados y discursos, en un latín tan espeso que nadie entendería ni una palabra...

En todo caso, el Espíritu Santo me ha inspirado la idea de desviarme por La Péruse. ¿Ya habéis visto a esos buenos hermanos benedictinos que querían aprovechar las incursiones inglesas para abstenerse de pagar lo que corresponde al prior? Los obligaré a reemplazar la cruz de esmalte y los tres cálices decorados que se apresuraron a ofrecer a los ingleses para salvarse del pillaje, y además tendrán que renunciar a sus anualidades.

Trataban muy benedictinamente de que los confundieran con la gente de la orilla opuesta del Vienne, donde la soldadesca del príncipe de Gales realmente lo saqueó todo; en Chirac o Sain-Maurice-des-Lions pillaron y quemaron, lo vimos esta mañana. Y sobre todo en la abadía de Lesterps, donde los canónigos regulares se mostraron muy valerosos. «Nuestra abadía está fortificada, la defenderemos.» Y estos canónigos se batieron como hombres buenos y valerosos, a quienes nadie puede doblegar. En el episodio perecieron varios que se comportaron más noblemente que en Poitiers muchos caballeros que yo conozco.

Si todos los habitantes de Francia tuviesen tanta fibra... Y aun así, estos honestos canónigos encontraron el modo de ofrecernos una comida tan sabrosa y tan bien preparada que me dio sueño. ¿Y habéis observado ese aire de santa alegría que mostraban en el rostro? «¿Nuestros hermanos han muerto? Están en paz; Dios los ha recibido en su mansedumbre... ¿Nos ha permitido continuar viviendo sobre la tierra? Es para que podamos hacer una buena obra... ¿Nuestro convento está medio destruido? Es la ocasión para rehacerlo más hermoso que nunca...»

Sobrino, los buenos religiosos son hombres alegres. Desconfío de los ayunadores demasiado severos, de los individuos de cara larga, con los ojos ardientes y muy juntos, como si hubiesen permanecido demasiado tiempo cerca del infierno. Los hombres a quienes Dios concedió el más elevado honor posible, porque los llamó a su servicio, en cierto modo tienen la obligación de mostrarse alegres; es un ejemplo y una cortesía que deben a los restantes mortales.

Lo mismo que los reyes, puesto que Dios los elevó sobre todos los restantes hombres, tienen el deber de mostrar constantemente mucho dominio de sí mismos. Felipe el Hermoso, que era un ejemplo de auténtica majestad, condenaba sin demostrar cólera, y soportaba el duelo sin verter una lágrima.

Cuando se conoció el asesinato del señor de España, lo que os contaba ayer, el rey Juan demostró del modo más lamentable que era incapaz de poner freno a sus pasiones. El rey no debe inspirar compasión; más vale que se le crea insensible al dolor. Durante cuatro días no pudo decir una sola palabra, y ni siquiera manifestó que quería comer o beber. Erraba por las habitaciones, con los ojos enrojecidos y hundidos, sin reconocer a nadie, y se detenía de pronto para sollozar. Era inútil hablarle de nada. El enemigo hubiera podido invadir su palacio y se habría dejado tomar de la mano. No había demostrado ni la cuarta parte de dolor cuando murió la madre de sus hijos, madame de Luxemburgo, y el delfín Carlos no dejó de observarlo. Fue incluso la primera vez en que se le vio demostrar menosprecio por su padre, y llegó al extremo de decirle que no era decente abandonarse así al sentimiento. Pero el rey no escuchaba.

Salió de su abatimiento para pedir, aullando, que le ensillaran inmediatamente su corcel de guerra y que se reuniese a las huestes; correría a Evreux para hacer justicia y todos temblarían... Sus allegados tuvieron mucha dificultad para hacerlo entrar en razón y recordarle que para reunir a las huestes, incluso sin aviso previo, se necesitaba por lo menos un mes; que si quería atacar Evreux, encendería la guerra en Normandía; que la tregua con el rey de Inglaterra estaba próxima a su fin y si éste aprovechaba el desorden, el reino podía encontrarse en peligro.

Se le recordó también que, quizás, hubiera sido mejor respetar el contrato de matrimonio de su hija y mantener su promesa de devolver Angulema a Carlos de Navarra, en lugar de regalarla a su querido condestable.

Juan II abría los brazos y clamaba: «Entonces, ¿qué soy si nada puedo? Ya veo que ninguno de vosotros me ama, y que he perdido todo apoyo.» Pero al fin decidió permanecer en su residencia, y juró por Dios que jamás recuperaría la alegría si no se vengaba.

Entretanto, Carlos el Malo no permanecía inactivo. Escribía al Papa, escribía al emperador, escribía a todos los príncipes cristianos y les explicaba que no había deseado la muerte de Carlos de España, que sólo había pretendido detenerlo para obligarle a pagar por las molestias y los ultrajes que el favorito le había infligido; que se habían excedido en el cumplimiento de sus órdenes, pero que asumía toda la responsabilidad y expulsaba a sus parientes, amigos y servidores, que, en el tumulto de Laigle, habían actuado impulsados sólo por un exceso de celo y en defensa de su señor.

De ese modo, después de subir al banquillo de los acusados como un bandolero asaltante de caminos, se ponía los guantes del caballero.

Escribió al duque de Lancaster, que estaba en Malinas, y al propio rey de Inglaterra. Conocimos el contenido de estas cartas cuando las cosas se embrollaron. El Malo no se andaba con rodeos. «Si mandáis a vuestros capitanes de Bretaña que se apresten, yo iré a su encuentro de modo que podrán entrar libre y seguramente en Normandía. Sabed, muy querido primo, que todos los nobles de Normandía están conmigo y dispuestos, si es necesario, a dar la vida.» Con el asesinato del señor de España, nuestro hombre había iniciado la rebelión; ahora pasaba a la traición. Pero al mismo tiempo lanzaba a las damas de Melun sobre el rey Juan.

¿Sabéis a quiénes se da este nombre? ¡Ah! Ya llueve. Cabía esperarlo; esta lluvia amenazaba desde que salimos. Archambaud, estoy seguro de que ahora os mostraréis dispuesto a ocupar mi litera, en lugar de permitir que el agua os corra por el cuello bajo esa audaz chaqueta y que el lodo os salpique hasta las riendas...

¿Las damas de Melun? Son las dos reinas viudas y

Juana de Valois, la pequeña esposa de Carlos, que espera llegar a la edad núbil. Las tres viven en el castillo de Melun, y por eso se lo llama el castillo de las Tres Reinas, o también la Corte de las Viudas.

En primer lugar, Juana de Evreux, viuda del rey Carlos IV y tía de nuestro rey el Malo. Sí, sí, aún vive; ni siquiera es tan vieja como creen. Apenas debe de pasar de la cincuentena; tiene cuatro o cinco años menos que yo. Hace veinte años que es viuda, veinte años que viste de blanco. Compartió el trono sólo tres años. Pero conserva cierta influencia en el reino. Es la decana, la última reina de la primera dinastía de los Capetos. Si en sus tres partos —tres mujeres, de las cuales sólo vive la última— hubiese tenido un varón, ahora sería reina madre y regente. La dinastía terminó en su seno. Cuando ella dice: «Mi señor de Evreux, mi padre... mi tío Felipe el Hermoso... mi cuñado Felipe el Largo...», todos callan. Es la superviviente de una monarquía indiscutida, y de una época en que Francia era mucho más poderosa y gloriosa que hoy. Es como una advertencia para la nueva raza. Y bien, hay cosas que no se hacen porque madame de Evreux las desaprobaría.

Además, la gente dice: «Es una santa.» Confesemos que se necesita poco, cuando una mujer es reina, para que una pequeña corte desocupada donde la alabanza es la única tarea posible la considere una santa. Juana de Evreux se levanta antes del alba; ella misma enciende su candela para no molestar a las criadas. Después, se dedica a leer su libro de horas (el más pequeño del mundo, dicen), un regalo de su marido, que ordenó al maestro Juan Pucelle que lo ilustrara. Reza mucho y distribuye numerosas limosnas. Se ha pasado veintiocho años repitiendo que no tenía futuro porque no había podido engendrar un varón. Las viudas viven de ideas fijas. Habría podido tener más peso en el reino si hubiese sido la suya una inteligencia proporcionada con la virtud que demuestra.

Después está madame Blanca, la hermana de Carlos de Navarra, segunda esposa de Felipe VI, que fue reina solamente seis meses, apenas el tiempo necesario para acostumbrarse a llevar la corona. Dicen que es la mujer más bella del reino. La vi hace un tiempo y confirmo de buena gana ese juicio. Tiene veinticuatro años, y hace más de seis que se pregunta de qué le sirven la blancura de la piel, los ojos de esmalte y el cuerpo perfecto. Si la naturaleza la hubiese dotado de una apariencia menos espléndida ahora sería reina, porque estaba destinada al rey Juan. El padre la tomó porque se sintió traspasado por su belleza.

Después de conseguir en medio año que su esposo pasara del lecho a la tumba, la pidió en matrimonio el rey de Castilla, don Pedro, a quien sus súbditos apodaron el Cruel. Ella contestó, quizá con excesivo apresuramiento: «Una reina de Francia no vuelve a casarse.» Se le elogió mucho tanta grandeza. Pero ahora se pregunta si no está realizando un sacrificio excesivo en homenaje a su gloria pasada. El dominio de Melun le corresponde. Ha realizado importantes obras de embellecimiento, pero por mucho que en Navidad y en Pascua cambie los tapices y los cuadros de su dormitorio, lo cierto es que siempre duerme sola.

Finalmente, está la otra Juana, la hija del rey Juan, cuyo matrimonio desencadenó las tormentas. Carlos de Navarra la confió a su tía y a su hermana, hasta que la niña alcance la edad necesaria para consumar el vínculo. Es una pequeña calamidad, como puede serlo una mocosa de doce años que recuerda haber sido viuda a los seis y que se sabe ya reina sin ocupar todavía el lugar correspondiente. No puede hacer otra cosa que esperar el paso del tiempo, y lo espera con mala cara, oponiéndose a todo lo que se le ordena, exigiendo todo lo que le niegan, poniendo a prueba los nervios de sus damas de compañía y prometiéndoles mil torturas para el día en que sea púber. Es necesario que madame de Evreux, que no tolera bromas en asuntos de conducta, le propine a menudo una bofetada.

Nuestras tres damas reciben en Melun y en Meaux... Meaux es el dominio de madame de Evreux... una ilusión de corte. Tienen canciller, tesorero, mayordomo. Títulos muy elevados para funciones muy menudas. Uno se sorprende de encontrar a muchos individuos a quienes creía muertos. Viejos servidores heredados de los reinos precedentes, viejos confesores de reyes difuntos, secretarios guardianes de secretos revelados, hombres que parecieron poderosos un instante porque estaban muy cerca del poder, y que se regodean en sus recuerdos y se dan importancia porque intervinieron en hechos que ya no la tienen. Cuando uno de ellos comienza diciendo: «El día que el rey me dijo...», es necesario adivinar de qué rey se trata, entre los seis que ocuparon el trono desde principios de siglo. Y lo que el rey dijo suele ser una confidencia grave y memorable, por ejemplo: «Hoy hace buen tiempo, Gros-Pierre...»

Así, cuando ocurre un hecho como este del rey de Navarra, es casi una ganga para la Corte de las Viudas, que de pronto despierta de sus sueños. Todos se conmueven, se agitan y murmuran... Agreguemos que para las tres reinas, mi señor de Navarra es el que ocupa el principal lugar en sus pensamientos, es el sobrino bienamado, el hermano querido, el esposo adorado. ¡Que nadie se atreva a decirles que en Navarra lo llaman el Malo! Él hace todo lo posible para parecerles amable, las colma de regalos y a menudo las visita... por lo menos eso hacía cuando no estaba encarcelado... Las alegra con sus relatos, las divierte con sus aventuras, las apasiona con sus empresas, siempre encantador, y finge respeto por su tía, es afectuoso con su hermana y se muestra enamorado con su pequeña esposa; todo lo hace por cálculo, para retenerlas como peones de su juego.

Después del asesinato del condestable, y cuando pareció que el rey Juan se había calmado un poco, ellas vinieron juntas a París, a petición de mi señor de Navarra.

La pequeña Juana de Valois se arrojó a los pies del rey y le recitó con donaire la lección que le habían enseñado: «Señor, padre mío, no es posible que mi esposo haya cometido traición contra vos. Si procedió mal, será por culpa de los traidores. Por amor a mí, os conjuro a que lo perdonéis.»

Madame de Evreux, investida de la tristeza y la autoridad que le confiere su edad, dijo: «Señor, primo mío, como soy la más anciana que lleva corona en este reino me atrevo a aconsejaros y a rogaros que seáis bueno con mi sobrino. Si se portó mal con vos, es seguro que lo hizo porque algunos que os sirven se portaron mal con él, y creyó que lo abandonabais a sus enemigos. Pero os aseguro que él mismo tiene para vos sólo pensamientos de verdadero y fiel afecto. Sería perjudicial para ambos continuar esta discordia...»

Madame Blanca no dijo nada. Miró al rey Juan. Sabe que él no puede olvidar que ella debía ser su mujer. Frente a ella este hombre altivo y tosco, generalmente tan tajante, se muestra dubitativo y tímido, rehuye la mirada, habla con dificultad. Y cuando está frente a esta mujer, decide lo contrario de lo que cree querer.

Inmediatamente después de esta entrevista designó al cardenal de Boulogne, al obispo de Laon, Roberto Le Coq y Roberto de Lorris, su chambelán, para negociar con su yerno y concertar la paz. Ordenó que se acelerase el trámite. De hecho, así se hizo, porque una semana antes de fines de febrero los negociadores de ambas partes firmaron el acuerdo en Mantes. Por lo que recuerdo, jamás un tratado se concertó tan fácilmente ni se concluyó con tanta prisa.

Esta vez, el rey Juan demostró la rareza de su carácter y su inconsecuente conducta. Un mes antes sólo deseaba capturar y matar a mi señor de Navarra; ahora, aceptaba todo lo que éste deseaba. Si le decían que su yerno reclamaba el Clos de Cotentin, con Valognes, Coutances y Carentan, respondía: «¡Dádselo, dádselo!» ¿El vizcondado de Pont-Audemer y el de Obbec? «Dádselos, pues queréis que me reconcilie con él.» Así, Carlos el Malo recibió también el gran condado de Beaumont, con las castellanías de Breteuil y Conches, todo lo que fuera antaño el dominio del conde Roberto de Artois.

Una hermosa revancha, *post mortem*, para Margarita de Borgoña: su nieto recuperaba los bienes del hombre que la había destruido. ¡Conde de Beaumont! El joven de Navarra estaba exultante. Gracias a este tratado, él mismo no cedía casi nada; devolvía Pontoise, y después confirmaba solemnemente que renunciaba a Champaña, algo que estaba definido desde hacía más de veinticinco años.

Del asesinato de Carlos de España ya no se hablaría. Tampoco del castigo, ni siquiera de los comparsas; tampoco de una posible reparación. Todos los cómplices de La Trucha que Huye, los mismos que a partir de ese momento no vacilaron en identificarse, recibieron cartas de perdón.

Ah, este tratado de Mantes no sirvió para ensalzar la imagen del rey Juan. «Le matan a su condestable; cede la mitad de Normandía. Si le matan a su hermano o a su hijo, entregará Francia.» Eso decía la gente.

Por su parte, el pequeño rey de Navarra no se había conducido con torpeza. Teniendo Beaumont, además de Mantes y Evreux, podía aislar París de Bretaña; con el Cotentin, tendía una línea directa hacia Inglaterra.

Por eso, cuando acudió a París para recibir el perdón, su actitud era la de quien lo concede.

Sí, ¿qué dices, Brunet? ¡Oh! ¡Esta lluvia! Mi cortina está empapada... ¿Ya llegamos a Bellac? Muy bien. Aquí por lo menos tendremos un albergue confortable, y no tienen excusa para negarse a ofrecernos una gran recepción. La incursión inglesa no llegó a Bellac por orden del príncipe de Gales, pues se trata del dominio de la condesa de Pembroke, que es una Châtillon-Lusignan. Los guerreros tienen estas gentilezas...

Concluyo, sobrino, la historia del tratado de Mantes. Como decía, el rey de Navarra se presentó en París como si hubiese ganado una batalla, y para recibirlo el rey Juan convocó al Parlamento y apareció con las dos reinas viudas sentadas una a cada lado. Un abogado del rey vino a arrodillarse frente al trono... ¡Oh!, la ceremonia era imponente... «Mi buen y temido Señor, mis señoras, las reinas Juana y Blanca, han oído decir que el señor de Navarra ha caído en desgracia con vos, y os suplican su perdón...»

Oído esto, el nuevo condestable, Gualterio de Brienne, duque de Atenas... sí, un primo de Raúl, la otra rama de los Brienne. Esta vez habían elegido a un joven... Fue a tomar de la mano al de Navarra... «El rey os perdona, por la amistad de las reinas, con buen corazón y buena voluntad.»

Dicho lo cual, el cardenal de Boulogne se ocupó de agregar en voz bien alta: «Que ningún miembro del linaje del rey se atreva en adelante a recomenzar, pues aunque fuese hijo del rey se hará justicia.»

Hermosa justicia, de la cual cada uno reía a hurtadillas. Y en presencia de la corte entera, el suegro y el yerno se abrazaron. Mañana os contaré lo que sucedió a continuación.

9

El Malo en Aviñón

A decir verdad, sobrino, prefiero estas iglesias de antaño, como la del Dorat, frente a la que acabamos de pasar, a las iglesias que construyeron hace ciento cincuenta o doscientos cincuenta años, que son proezas, pero donde reina una oscuridad tan densa, con profusión de ornamentos a menudo tan terribles, que uno siente el corazón dominado por la angustia. Más o menos como si uno se hubiese perdido por la noche en el bosque. Bien sé que la gente no ve con buenos ojos a quienes manifiestan tener gustos como los míos; pero así opino y a ello me atengo. Quizá sea porque crecí en nuestro viejo castillo de Périgueux, construido sobre un monumento de la antigua Roma, muy cerca de nuestro Saint-Front, muy cerca de nuestro Saint-Etienne, y amo redescubrir las formas que me lo recuerdan, esas hermosas columnas sencillas y regulares, y las altas bóvedas redondeadas bajo las cuales la luz se difunde fácilmente.

Los antiguos monjes construían esos santuarios, cuya piedra parece suavemente dorada, porque el sol penetra a raudales, y donde los cantos, bajo las altas bóvedas que representan el techo celeste, se elevan magníficos como voces de ángeles en el paraíso.

Por la gracia divina, los ingleses, que saquearon el Dorat, no llegaron a destruir esta expresión suprema de las obras maestras, de modo que no ha sido necesaria su reconstrucción. Si no hubiese sido así, apuesto que nuestros arquitectos norteños se habrían complacido creando una pesada nave de su gusto, apoyada sobre patas de piedra como un animal fantástico; un lugar en el que cuando uno entra cree precisamente que la casa de Dios es la antecámara del infierno. Y habrían reemplazado el ángel de cobre dorado, en la punta de la flecha, que dio su nombre a la parroquia... por supuesto, *lou dorat*... por un diablo cornudo y terrorífico...

El infierno... Mi bienhechor, Juan XXII, mi primer Papa, no creía en él, o más bien afirmaba que estaba vacío. Era ir un poco lejos. Si la gente dejase de temer el infierno, ¿cómo podríamos conseguir que diese limosna e hiciera penitencia, en compensación por sus pecados? Sin el infierno, la Iglesia podría cerrar la tienda. Era una manía de viejo. Tuvimos que lograr que se retractase en su lecho de muerte. Yo estaba presente...

Ah, realmente está refrescando. Es evidente que dentro de dos días comenzará diciembre. Un frío húmedo, el peor de todos.

¡Brunet! Aymar Brunet, amigo mío, mira si el carro de los víveres no trae un brasero que podamos poner en mi litera. Las pieles ya no bastan, y si continuamos de este modo, tendréis un cardenal tembloroso en Saint-Benoît-du-Sault. Me dicen que también allí los ingleses asolaron la comarca... Y si no hay brasas suficientes en el carro del cocinero, pues necesito más que para entibiar un guiso, que vayan a buscarlas a la primera aldea que atravesemos... No, no necesito que venga el maestro Vigier. Que siga su camino. Apenas viene el médico a mi litera, toda la escolta imagina que estoy agonizando. Me siento muy bien. Necesito brasas y eso es todo...

Archambaud, queréis saber cuáles fueron las consecuencias del tratado de Mantes, del cual os hablé ayer... Sobrino, sabéis escuchar, y es un placer instruiros en lo que yo sé. Incluso sospecho que cuando llegamos al final de cada etapa anotáis algunas cosas, ¿no es verdad? Sí, os he juzgado bien. Sólo los señores del norte se vanaglorian de ser más ignorantes que los asnos, como si leer y escribir fuese tarea de tinterillo o de pobre. Necesitan un servidor para enterarse del más mínimo mensaje que reciben. En cambio, los que nacimos en el Mediodía del reino, los que desde siempre conocemos la herencia romana, no despreciamos la instrucción. Lo cual nos da alguna ventaja en muchas cosas.

De modo que anotáis. Es cosa buena. Por mi parte, no podría dejar testimonio de lo que vi y de lo que hice. Todas mis cartas y mis escritos van o irán a parar a los archivos del papado, para no salir jamás de allí, como es norma. Pero allí estaréis, Archambaud, para decir, por lo menos acerca de las cosas de Francia, lo que sabéis, y para hacer justicia a mi memoria si algunos, como sin duda lo hará Capocci... Dios quiera solamente conservarme sobre la tierra un día más que a él... y ciertamente haré todo lo posible para que así sea.

De modo que, muy poco tiempo después del tratado de Mantes, un documento en el que se había mostrado tan inexplicablemente generoso con su yerno, el rey Juan acusó a sus negociadores Roberto Le Coq, Roberto de Lorris, e incluso al tío de su mujer, el cardenal de Boulogne, de haberse dejado comprar por Carlos de Navarra.

Entre nosotros, creo que no estaba muy lejos de la verdad. Roberto Le Coq es un joven obispo devorado por la ambición, un hombre que destaca y se deleita en la intriga, y que muy pronto vio cuánto podía interesarle una aproximación al navarro, un partido al cual por otra parte, después de su disputa con el rey, se adhirió francamente. El chambelán Roberto de Lorris guarda fidelidad a su amo; pero procede de una familia de banqueros, cuyos miembros no resisten jamás la tentación de arrebatar algunos puñados de oro a la pasada. Conocí a este Lorris cuando vino a Aviñón, hace más o menos diez años, para negociar el préstamo de trescientos mil florines que el rey Felipe V solicitó al Papa que entonces ocupaba el trono. Por mi parte, me contenté honestamente con mil florines por haberlo puesto en contacto con los banqueros de Clemente VI, los Raimondi de Aviñón y los Mattei de Florencia; pero él se sirvió más generosamente. Y Boulogne, por mucho que sea pariente del rey...

Comprendo que es justo que los cardenales recibamos adecuada recompensa por nuestras intervenciones en beneficio de los príncipes. Si no fuera así, no podríamos cubrir nuestros gastos. Jamás oculté, e incluso me honré de haber recibido veintidós mil florines de mi hermana de Durazzo por el trabajo que me tomé, hace veinte años, ¡ya pasaron veinte años!, atendiendo sus asuntos ducales, que estaban muy embrollados. Y el año pasado, por la dispensa necesaria para celebrar el matrimonio de Luis de Sicilia con Constanza de Aviñón, me recompensaron con la suma de cinco mil florines. Pero jamás acepté nada sino de aquellos que encomendaban a mi talento o a mi influencia la defensa de su causa. Y creo que Boulogne no resistió la tentación. Después de este asunto, la amistad entre él y Juan II se enfrió mucho.

Tras un período de alejamiento, Lorris recuperó el favor, como ocurre siempre con los Lorris. Se arrojó a los pies del rey el Viernes Santo pasado, juró su absoluta lealtad y afirmó que todas las duplicidades y las complacencias eran imputables a Le Coq, que continuó distanciado del rey y desterrado de la corte.

Es ventajoso desautorizar a los negociadores. Uno puede argüir que eso significa la nulidad del tratado. Es lo que el rey no se privó de hacer. Cuando le decían que hubiera podido controlar mejor a sus representantes, y ceder menos de lo que había hecho, respondía irritado: «Tratar, discutir, argumentar, no son cosas propias de un caballero.» Siempre fingió que menospreciaba la negociación y la diplomacia, y esa actitud le permite negar sus obligaciones. De hecho, había prometido tanto sólo porque calculaba no cumplir nada.

Pero al mismo tiempo dispensaba a su yerno mil fingidas cortesías, y quería tenerlo siempre cerca de su persona; no sólo a él, sino también a su hermano menor, Felipe, e incluso al que le seguía, Luis, pues insistía en que éste regresara de Navarra. Decíase el protector de los tres hermanos, y exhortaba al delfín a demostrarles la más profunda amistad.

El Malo se sometía no sin arrogancia a tantas y tan excesivas delicadezas, a tan increíble solicitud, y cierta vez llegó a decir al rey, sentados todos a la mesa: «Confesad que os he prestado un buen servicio quitando de en medio a Carlos de España, que pretendía dirigir todo el reino. No lo decís, pero en verdad os he beneficiado.» Ya podéis imaginar cómo complacían estas gentilezas al rey Juan.

Y entonces, un día de verano en que había fiesta en palacio y Carlos de Navarra acudía acompañado por sus hermanos, vio acercarse deprisa al cardenal de Boulogne, que le dijo: «Desandad el camino y volved a vuestra residencia, si apreciáis la vida. El rey ha decidido mataros inmediatamente; los tres moriréis durante la fiesta.»

La cosa no era fruto de la imaginación, ni se basaba en rumores infundados. El rey Juan lo había decidido así, esa misma mañana, en su consejo privado, al que Boulogne asistía... «Esperé para hacer esto a que los tres hermanos se reuniesen, pues quiero que los maten a todos, de modo que no queden retoños varones de esta mala raza.»

Por mi parte, no critico a Boulogne porque advirtiera a los navarros, a pesar de que eso demostraba que se había vendido a ellos. Pues un sacerdote de la Santa Iglesia, que además es miembro de la curia pontificia, hermano del Papa en el Señor, no puede escuchar tranquilamente que se proyecta cometer un triple asesinato y aceptar que se ejecute sin haber intentado nada. Equivaldría a ser cómplice en cierto modo a través del silencio. ¿Por qué el rey Juan necesitaba hablar en presencia de Boulogne? Era suficiente que apostase a sus sargentos... pero no, se creyó muy hábil. ¡Ah, cuando este rey quiere pasar por refinado! Nunca supo calcular tres jugadas de ajedrez. Sin duda creyó que cuando el Papa le reprochase haber ensangrentado su palacio, podría contestar: «Pero vuestro cardenal estaba allí, y no desaprobó mi gesto.» Boulogne no quería ni podía prestarse a semejante juego.

Advertido, Carlos de Navarra se retiró deprisa a su residencia y ordenó a su escolta que se preparase. El rey Juan comprobó que los tres hermanos no acudían a la fiesta y los mandó llamar imperativamente. Pero su mensajero no obtuvo más respuesta que la grupa de los caballos, pues precisamente en ese momento los navarros emprendían el camino de Normandía.

El rey Juan tuvo entonces un acceso de cólera, pero disimuló su despecho haciéndose el ofendido. «¡Ved a este mal hijo, a este felón que rehúsa la amistad de su rey y que por propia voluntad se exilia de mi corte! Sin duda tiene que disimular planes muy malvados.»

Aquello le sirvió de pretexto para proclamar que suspendía los acuerdos del tratado de Mantes, cuya ejecución jamás había iniciado.

Enterado de esto, Carlos dijo a su hermano Luis que regresara a Navarra, y despachó a su hermano Felipe a Cotentin, donde debía reunir tropas; el propio Carlos no permaneció en Evreux.

Pues al mismo tiempo nuestro Santo Padre, el papa Inocencio, había decidido celebrar una conferencia en Aviñón... la tercera, la cuarta, o más bien la misma de siempre que recomenzaba, entre los enviados de los reyes de Francia y de Inglaterra para negociar, ya no una tregua prolongada, sino una paz auténtica y definitiva.

Inocencio decía que esta vez deseaba coronar la obra de su predecesor, y se vanagloriaba de triunfar allí donde Clemente VI había fracasado. La presunción, Archambaud, anida incluso en el corazón de los pontífices.

El cardenal de Boulogne había presidido las negociaciones anteriores; Inocencio volvió a designarlo para la misma función. Boulogne siempre había sido un hombre sospechoso, lo mismo que yo, para el rey Eduardo de Inglaterra, que lo consideraba demasiado próximo a los intereses franceses. Ahora bien, después del tratado de Mantes y la fuga de Carlos el Malo, era sospechoso también para el rey Juan. Quizá por esa razón Boulogne presidió las negociaciones mejor de lo que se esperaba; no tenía que complacer a nadie. Se entendió bastante bien con los obispos de Londres y de Norwich, y sobre todo con el duque de Lancaster, que es un buen hombre de guerra y un auténtico señor. Y yo mismo, desde mi retiro, puse manos a la obra. El pequeño navarro seguramente se enteró...

¡Ah, aquí están las brasas! Brunet, coloca el brasero bajo mis vestiduras. Supongo que está bien cerrado, no quiero quemarme. Sí, está muy bien.

De modo que Carlos de Navarra debió de enterarse de que se avanzaba hacia la paz, lo cual ciertamente no beneficiaba sus intereses, pues un buen día de noviembre, hace exactamente dos años, apareció en Aviñón, donde nadie lo esperaba.

Lo vi entonces por primera vez. Veinticuatro años, pero aparentaba apenas dieciocho a causa de su baja estatura; porque es bajo, realmente muy bajo, el más menudo de los reyes europeos, pero de físico tan armonioso, tan erguido, tan ágil y vivo que uno no tiene en cuenta ese defecto. A eso hay que agregar un rostro encantador, al que no perjudica la nariz un poco gruesa, y unos hermosos ojos zorrunos, de comisuras ya arrugadas en forma de estrella, a causa de la malicia. Su apariencia es tan afable, sus modales tan corteses y al mismo tiempo tan ágiles, su palabra tan fácil, fluida e imprevista, es tan rápido para el cumplido, pasa tan velozmente de la gravedad a la broma y de la diversión a la seriedad, y, en fin, parece tan dispuesto a demostrar amistad a la gente que es comprensible que las mujeres se le resistan muy poco y que los hombres se dejen embobar por su persona. No, realmente jamás escuché a un conversador tan brioso como ese pequeño rey. Escuchándolo olvida uno la maldad que oculta tan hermosa fachada, lo curtido que está en las estratagemas, la mentira y el crimen.

Su posición cuando apareció en Aviñón no era de las mejores. Era un insumiso en opinión del rey de Francia, que se dedicaba a tomar sus castillos, y había ofendido profundamente al rey de Inglaterra al firmar el tratado de Mantes sin previo aviso. «He aquí a un hombre que reclama mi ayuda y me propone la entrada en Normandía. Movilizo para él mis tropas de Bretaña, dispongo el desembarco de otras y, cuando se siente lo bastante fuerte, gracias a mi apoyo, para intimidar a su adversario, trata con él sin prevenirme antes. Que ahora recurra a quien le plazca; que acuda al Papa...»

Pues bien, al Papa era a quien Carlos de Navarra acababa de acudir. En una semana se había metido a todo el mundo en el bolsillo.

En presencia del Santo Padre y de bastantes cardenales, entre los cuales me encontraba, jura que no quiere otra cosa que reconciliarse con el rey de Francia, poniendo en ello el énfasis necesario para que todos le crean. Con los delegados de Juan II, el canciller Pedro de La Fôret y el duque de Borbón, va todavía más lejos dándoles a entender que, para compensar la buena amistad que quiere recuperar, podría hacer una leva de tropas en Navarra con el fin de atacar a los ingleses en Bretaña o en sus propias costas. En los días posteriores, tras fingir que abandonaba la ciudad con su escolta, vuelve de noche varias veces a escondidas para conferenciar con el duque de Lancaster y los emisarios ingleses.

Celebraba sus encuentros secretos en casa de Pedro Bertrand, el cardenal de Arras, o en casa de Gocido de Boulogne. Eso precisamente le reproché luego a Boulogne, que jugaba a dos bandas. «Quería enterarme de lo que tramaban —me respondió—. Prestándoles mi casa podía hacer que mis espías los escucharan.» Sus espías tenían que ser muy sordos, porque no se enteró de nada, o fingió no enterarse. Si no actuaba en connivencia, entonces el rey de Navarra se burló descaradamente de él.

Yo sí que me enteré. ¿Os gustaría saber, sobrino, cómo hizo el de Navarra para ganarse a Lancaster? Pues bien: le propuso reconocer al rey Eduardo de Inglaterra como monarca de Francia, nada menos. Tanto progresó el plan que prepararon un tratado de alianza.

Primer punto: Carlos de Navarra reconocía como rey de Francia a Eduardo. Segundo punto: acordaban emprender conjuntamente la guerra contra el rey Juan. Tercer punto: Eduardo reconocía a Carlos de Navarra el ducado de Normandía, Champaña, Brie, Chartres y también el Languedoc, además, por supuesto, del reino de Navarra y el condado de Evreux. En otras palabras, se repartían Francia. Prescindamos del resto.

¿Cómo me enteré del proyecto? ¡Ah! Puedo deciros que las anotaciones fueron hechas por el propio obispo de Londres, que acompañaba al señor de Lancaster. Pero no me preguntéis quién me lo dijo poco después. Recordad que soy canónigo de la catedral de York, y que, por muy mal considerado que esté en la corte allende la Mancha, aún conservo amigos allí.

No necesito explicaros que, si al comienzo había posibilidades de progresar hacia una paz entre Francia e Inglaterra, desaparecieron gracias a las maniobras de este pequeño rey intrigante.

¿Acaso era posible que los embajadores se mostrasen

dispuestos a un acuerdo cuando cada una de las partes se creía empujada a la guerra por las promesas de mi señor de Navarra? Decía al Borbón: «Hablo con Lancaster y le miento para serviros.» Después, cuchicheaba a Lancaster: «Ciertamente, hablé con el Borbón, para engañarlo. Soy vuestro hombre.» Y lo admirable del caso es que ambos le creían.

De modo que cuando se alejó definitivamente de Aviñón para acercarse a los Pirineos, ambos bandos estaban convencidos, aunque se cuidaban de revelarlo al otro, que veían partir a un amigo.

En la conferencia la atmósfera estaba saturada de acritud; ya nadie concedía nada. Y la ciudad parecía dominada por cierta somnolencia. Durante tres semanas no habían hecho otra cosa que ocuparse de Carlos el Malo. El propio Papa sorprendió a todos volviéndose otra vez hosco y rezongón; el malvado encantador lo había distraído un tiempo...

¡Ah!, me he calentado un poco. Es vuestro turno, sobrino; acercad el brasero a vuestro cuerpo para desentumecer un poco las piernas.

10

El mal año

Decís bien, decís bien, Archambaud, y pienso como vos. Hace apenas diez días que partimos de Périgueux, y parece que hubiéramos viajado un mes entero. El viaje alarga el tiempo. Esta noche dormiremos en Châteauroux. No os oculto que no me molestaría llegar mañana a Bourges, si Dios quiere, para descansar allí por lo menos tres días completos, y quizá cuatro. Comienzo a cansarme un poco de estas abadías donde nos sirven una comida magra y apenas calientan mi lecho, porque quieren que entienda que están arruinados a causa de la guerra. Que esos pequeños abates no crean que obligándome a ayunar y a dormir en una cama fría conseguirán mejorar sus finanzas... Por otra parte, los hombres de la escolta también necesitan descanso, y reparar los arneses, y secar su ropa. Pues esta lluvia no mejora la situación. Cuando escucho a mis jóvenes ayudantes estornudar alrededor de mi litera, siento deseos de apostar que más de uno ocupará su estancia en Bourges cuidándose y administrándose canela, clavo y vino caliente. Por mi parte, no podré descansar. Revisar el correo de Aviñón, dictar mis respuestas...

Archambaud, quizás os sorprendan las palabras impacientes que a veces pronuncio a propósito del Santo Padre. Sí, tengo el carácter vivo, y a veces expreso con demasiada claridad mis sentimientos de decepción. Es que me trae graves preocupaciones. Pero creedme, tampoco me privo de reprocharle personalmente sus tonterías, y más de una vez he llegado a decirle: «Muy Santo Padre, quiera la gracia de Dios iluminaros acerca de la estupidez que acabáis de cometer.»

¡Ah!, si los cardenales franceses no se hubiesen empecinado en la idea de que un hombre de nuestra cuna no convenía... La humildad, había que nacer humilde... y si por otra parte los cardenales italianos, Capocci y los restantes, se hubiesen obstinado menos con el retorno de la Santa Sede a Roma... ¡Roma, Roma! Piensan en sus estados italianos. El Capitolio les oculta a Dios.

Lo que me irrita más de nuestro Inocencio es su política frente al emperador. Con Pedro Roger, me refiero a Clemente VI, nos hemos esforzado seis años para evitar que el emperador fuese coronado. Estaba bien que lo eligiesen. Aceptábamos que gobernara. Pero había que conservar en secreto su consagración mientras no hubiese firmado los compromisos que nosotros deseábamos. Yo sabía muy bien que al día siguiente de la consagración este emperador nos causaría dificultades.

Y entonces, nuestro Aubert se pone la tiara y comienza a canturrear: «Conciliemos, conciliemos.» Y durante la primavera del año pasado consiguió su propósito. «El emperador Carlos IV será coronado; ¡yo lo ordeno!», acabó por decirme. El papa Inocencio es de esa clase de soberanos que tienen energía sólo para batirse en retirada. Tenemos mucha gente de ese estilo. Creía haber obtenido una gran victoria porque el emperador se había comprometido a entrar en Roma la mañana de la consagración y marcharse esa misma tarde, sin dormir en la ciudad. ¡Qué tontería! El cardenal Bertrand de Colombiers («Ya lo veis, designo a un francés; seguramente estáis satisfechos.») fue enviado para ceñir sobre la cabeza del bohemio la corona de Carlomagno. Seis meses después, en premio por esta bondad, Carlos IV nos gratificó con la Bula de Oro, en virtud de la cual en adelante el papado no tendrá voz ni voto en la elección imperial.

En el futuro, el Imperio es asunto que concierne a siete electores alemanes que reunirán sus Estados... es decir, que convertirán en norma perpetua su perfecta anarquía. Sin embargo, nada se ha decidido en relación a Italia, y nadie sabe a ciencia cierta quién ejercerá el poder ni cómo. Lo más grave de esta bula, y lo que Inocencio no vio, es que separa lo temporal de lo espiritual y consagra la independencia de las naciones respecto del papado. Es el fin, la destrucción del principio de la monarquía universal ejercida por el sucesor de san Pedro en nombre del Señor Todopoderoso. Dios queda limitado al cielo y los hombres hacen lo que quieren sobre la tierra. Afírmase que esto es el «espíritu moderno», y todos se vanaglorian de ello. Por mi parte, y os ruego que me perdonéis, sobrino, yo digo que esto es tener mierda en los ojos.

No hay espíritu antiguo ni espíritu moderno. Hay espíritu a secas, y a éste se contrapone la tontería. ¿Qué hizo nuestro Papa? ¿Tronó, fulminó, excomulgó? Envió al emperador una misiva muy dulce y amistosa, colmada de bendiciones... ¡Oh! No, no; yo no la redacté. Pero yo soy quien tiene que acudir a la dieta de Metz para oír la lectura solemne de esta bula que niega el poder supremo de la Santa Sede, y que sólo puede traer a Europa dificultades, desórdenes y sufrimiento.

Este sapo gigantesco me veo obligado a tragar, y además poniendo buena cara, pues ahora que Alemania se ha alejado de nosotros, más que nunca debemos tratar de salvar Francia, sino nada quedará en poder de Dios. Sí, el porvenir podrá maldecir este año de 1355. Y aún no hemos acabado de cosechar sus frutos venenosos.

¿Y qué hacía entretanto el navarro? Pues bien, estaba en Navarra, encantado de recibir noticias de los embrollos y las complicaciones que él mismo había provocado, y que se sumaban a las que tenían que ver con los asuntos imperiales.

En primer lugar, esperaba el regreso de su Friquet

de Fricamps, que había viajado a Inglaterra con el duque de Lancaster y que volvía con el chambelán del propio duque, portador de las opiniones del rey Eduardo acerca del proyecto de tratado esbozado en Aviñón. Y el chambelán regresaba a Londres, acompañado ahora por Colin Doublel, escudero de Carlos el Malo, y otro de los asesinos de Carlos de España, que iba a presentar las observaciones de su amo.

Carlos de Navarra es exactamente lo contrario del rey Juan. Es más hábil que un notario para discutir cada artículo, cada punto y cada coma de un acuerdo. Y para recordar esto y prever aquello. Y para apoyarse en esta costumbre que hace ley, tratando siempre de reducir un poco sus obligaciones y aumentar las de la otra parte. Y mientras esperaba cocer su pan en el fuego de los ingleses, se permitía el gusto de vigilar el que había puesto a cocer en el horno de Francia.

Era el momento de que el rey Juan se mostrase conciliador. Pero este hombre elige siempre el momento menos oportuno para actuar. Haciéndose el bravucón, reúne tropas y se arroja sobre un ausente; invade Caen y ordena ocupar todos los castillos normandos de su yerno, con la única excepción de Evreux. Una hermosa campaña, que a falta de enemigos fue sobre todo una campaña de festines y desagradó mucho a los normandos, que veían cómo los arqueros reales saqueaban las barricas de salazón y los depósitos de provisiones.

Entretanto, el navarro reunía tranquilamente sus tropas de Navarra, mientras su cuñado, el conde de Foix, Febo (otro día os hablaré de él, no es un señor sin importancia), se dedicaba a asolar el condado de Armagnac para molestar al rey de Francia.

Después de esperar la llegada del verano, para hacerse a la mar con menos riesgo, nuestro joven Carlos desembarca en Cherburgo un hermoso día de agosto, acompañado por dos mil hombres.

Y Juan II recibe desconcertado la noticia de que, al mismo tiempo, el príncipe de Gales, que desde abril era príncipe de Aquitania y teniente del rey de Inglaterra en Guyena, llega a toda vela a Burdeos después de embarcar en sus naves a cinco mil hombres de guerra. De todos modos, tuvo que esperar vientos propicios. Podemos decir que el rey Juan estaba en un bonito aprieto. En Aviñón, veíamos prepararse ese hermoso movimiento cruzado sobre el mar para aferrar a Francia entre los dos brazos de la tenaza. Y se anunciaba incluso la inminente llegada del propio rey Eduardo, que habría estado ya en Jersey si la tempestad no lo hubiese obligado a retornar a Portsmouth. Puede decirse que el año pasado sólo el viento salvó a Francia.

Como no podía luchar en tres frentes, el rey Juan decidió no defender ninguno. Fue otra vez a Caen, pero ahora para tratar. Llevó consigo a sus dos primos de Borbón, Pedro y Jacques, así como a Roberto de Lorris, que como ya os dije gozaba de nuevo del favor real. Pero Carlos de Navarra no acudió. Envió a los señores de Lor y de Couillarville, dos hombres de su corte, para negociar. El rey Juan no tuvo más remedio que volverse por donde había venido, y dejar a los dos Borbones, a quienes ordenó únicamente que se apresurasen a concertar un acuerdo.

El acuerdo se cerró en Valognes, el diez de septiembre. Gracias al mismo, Carlos de Navarra recuperaba todo lo acordado en el tratado de Mantes, y un poco más. Y dos semanas después, en el Louvre, una nueva reconciliación solemne entre suegro y el yerno, por supuesto en presencia de las reinas viudas, Juana y Blanca («Señor primo, he aquí a nuestro sobrino y hermano, en cuyo favor os rogamos que por amor a nosotras...»). Y se abrazan y se besan en las mejillas aunque tienen ganas de morderse, y se cruzan juramentos de perdón y fiel amistad...

¡Ah!, olvido una cosa que no tiene poca importancia.

Para escoltar al rey de Navarra, Juan II había enviado a su hijo, el delfín Carlos, a quien antes había designado teniente general en Normandía. Desde Vaudreuil sur l'Eure, donde descansaron cuatro días, hasta París, los dos cuñados marcharon juntos. Era la primera vez que se veían tantos días seguidos, cabalgando, pensando, charlando, cenando y durmiendo uno al lado del otro. Mi señor el delfín es todo lo contrario del navarro, tan alto como el otro es bajo, tan lento como vivaz el otro, tan silencioso como charlatán el otro. Asimismo, seis años menor y nada precoz. Por otra parte, el delfín padece una enfermedad que se asemeja bastante a una invalidez; la mano derecha se le hincha y adquiere un tinte violáceo. Apenas puede levantar un peso más o menos considerable o sujetar con firmeza un objeto. No puede blandir una espada. Su padre y su madre lo engendraron demasiado pronto, y precisamente cuando ambos estaban enfermos; el fruto de la unión padece las consecuencias.

Pero de todo esto no debe extraerse la conclusión, como se apresuran a hacer algunos y en primer lugar el propio rey Juan, de que el delfín es un tonto que será un mal rey. Estudié cuidadosamente su cielo (veintiuno de enero de 1338). El Sol está todavía en Capricornio, poco antes de entrar en Sagitario... Los nativos de Capricornio triunfan tardíamente, pero lo consiguen si poseen las necesarias luces espirituales. Las plantas invernales se desarrollan lentamente... Estoy dispuesto a apostar por este príncipe más que por muchos otros que parecen mejores. Si se impone a los graves peligros que lo amenazan estos años... ya afrontó algunos; pero le espera el peor... entonces, sabrá afirmarse en el gobierno. Pero es inevitable reconocer que su apariencia no lo favorece...

Ah, como vemos el viento ahora sopla en ráfagas. Archambaud, os ruego que aflojéis los cordeles de seda que sostienen las cortinas. Más vale continuar charlando en la penumbra que mojarse. Y además, se atenuará un poco ese floc-floc de los caballos, que acaba por aturdir. Y esta noche decid a Brunet que cubra mi litera con las telas enceradas que deberá desplegar bajo los lienzos teñidos. Sé que los caballos tendrán que hacer un esfuerzo un poco mayor. Los cambiaremos con más frecuencia...

Sí, os decía que imagino muy bien de qué modo mi señor de Navarra, durante el viaje de Vaudreuil a París... Vaudreuil es una de las más bellas regiones de Normandía; el rey Juan quiso convertirla en una de sus residencias. Parece que la obra que él ordenó edificar es maravillosa; yo no la he visto, pero sé que el tesoro tuvo que desembolsar grandes sumas; hay imágenes pintadas de oro sobre los muros... Imagino de qué modo mi señor Carlos de Navarra, con toda su facundia y su desenvoltura para formular promesas de amistad, se esforzó por seducir a Carlos de Francia. La juventud adopta fácilmente modelos. Y para el delfín, ese hombre seis años mayor, ese compañero tan amable, que ya había viajado y visto tanto, que ya había hecho tanto, y que le relataba muchos secretos y lo entretenía burlándose de los miembros de la corte: «Vuestro padre, señor, seguramente os ha ofrecido una falsa imagen de mi persona... Seamos aliados, seamos amigos, seamos realmente los hermanos que en efecto somos.» El delfín, satisfecho al verse tan apreciado por un pariente que ya había hecho bastante camino en la vida, que ya reinaba y que era tan agradable, se dejó conquistar fácilmente.

Esta aproximación no careció de influencia sobre lo que siguió, y contribuyó mucho a los tropiezos y a las disputas que habrían de sobrevenir.

Pero ya oigo la escolta que se reagrupa para desfilar. Apartad un poco esa cortina... Sí, veo las afueras. Entramos en Châteauroux. No habrá mucha gente que acuda a recibirnos. Es necesario ser un cristiano convencido o un curioso empedernido para empaparse con esta lluvia sólo por ver pasar la litera de un cardenal.

11

Se divide el reino

Siempre se dijo que estos caminos de Berry son malos. Pero veo que la guerra no ha contribuido a mejorarlos... ¡Eh! ¡Brunet, La Rue! Por Dios, ordenad que aminoren la marcha. Sé muy bien que todos tienen prisa por llegar a Bourges, pero no es motivo para molerme en este cajón como si fuese pimienta. ¡Deteneos, deteneos del todo! Y que la cabeza del cortejo interrumpa la marcha. Bien... No, no es culpa de mis caballos. La culpa es vuestra, porque marcháis a un trote tal que parece que os hayan puesto estopa en llamas bajo las posaderas... Ahora, reanudemos la marcha, y os lo ruego, tratad de hacerlo al paso que corresponde a un cardenal. De lo contrario, os obligaré a tapar los baches del camino que seguimos.

¡Estos perversos demonios están dispuestos a romperme los huesos para acostarse una hora antes! De todos modos, la lluvia cesó... Mirad, Archambaud, otra aldea quemada. Los ingleses vinieron a batirse hasta las afueras de Bourges, y prendieron fuego a las casas; incluso enviaron un grupo que se presentó bajo los muros de Nevers.

Mirad, no guardo rencor a los arqueros galos, a los escuderos irlandeses y a la restante chusma utilizada en esta tarea por el príncipe de Gales. Son miserables a quienes se les ofrece el espejismo de la fortuna. Son pobres e ignorantes, y se los maltrata duramente. Para ellos, la guerra es el saqueo, el placer y la destrucción. Cuando se aproximan, ven huir a los habitantes de las aldeas, con sus niños en brazos, aullando: «¡Los ingleses, los ingleses, sálvese quien pueda!» ¡A estos villanos les agrada intimidar a otros villanos! Se creen muy fuertes. Comen aves y cerdo todos los días; perforan todas las barricas para apagar la sed, y lo que no pudieron beber o comer lo destruyen antes de partir. Después de elegir los caballos que necesitan para su remonta, degüellan todo lo que relincha o bala en los caminos y los establos. Y al fin, repletos de comida y alcohol, y con las manos ennegrecidas, riendo, arrojan antorchas sobre los molinos, las granjas y todo lo que puede arder. Ah, qué alegría, verdad, para este ejército de patanes y asaltantes obedecer tales órdenes. Son como niños desobedientes a quienes se invita a desobedecer.

Y tampoco guardo rencor a los caballeros ingleses. Después de todo, no están en su país; se les ha convocado para hacer la guerra. Y el Príncipe Negro les da el ejemplo del saqueo, y ordena que le lleven los más hermosos objetos de oro, marfil y plata, las telas más suntuosas, para cargar sus carretas o premiar a sus capitanes. La grandeza de este hombre consiste en despojar a los inocentes para regalar a sus amigos.

En cambio, deseo que perezcan cruelmente y soporten las llamas del fuego eterno (sí, sí, pese a que soy buen cristiano) deseo que ésa sea la suerte de los caballeros gascones, aquitanios, poitevinos, e incluso de algunos de nuestros pequeños nobles de Périgord, que prefieren obedecer al duque inglés antes que a su rey francés, y que por el placer de la rapiña o por malvado orgullo, o por celos de vecindad, o porque tienen el corazón perverso se dedican a asolar su propio país. No, cuando pienso en ellos ruego a Dios que no los perdone jamás.

La única disculpa que pueden aducir es la tontería del rey Juan, que nunca les demostró que era hombre capaz de defenderlos pues siempre desplegó demasiado tarde sus estandartes y los envió estúpidamente hacia el sitio donde no estaba el enemigo. Sí, es un escándalo que Dios haya permitido el nacimiento de un príncipe tan decepcionante.

Entonces, ¿por qué aceptó el tratado de Valognes, el asunto que os explicaba ayer, y por qué intercambió con su yerno de Navarra otro beso de Judas? Porque temía el ejército del príncipe Eduardo de Inglaterra, que navegaba hacia Burdeos. Pero en ese caso la recta razón habría exigido que, habiéndose liberado del apremio en Normandía, corriese inmediatamente a Aquitania. No es necesario ser cardenal para llegar a esta conclusión. Sin embargo, no fue así. Nuestro lamentable y frívolo rey, que imparte órdenes grandiosas para realizar pequeñas cosas, permite que el príncipe de Gales desembarque en la Gironda y entre triunfante en Burdeos. Gracias a los informes de los espías y los viajeros, se entera de que el príncipe reúne tropas, y que las engrosa con todos esos gascones y poitevinos de los cuales os decía hace un rato que me parecían despreciables. Así, todos los indicios le demuestran que se prepara una peligrosa expedición. Otro hombre habría atacado como un águila para defender su reino y a sus súbditos. Pero este modelo de la caballería no mueve un dedo.

Es cierto que pasaba por aprietos financieros durante ese fin de septiembre del año pasado, y que su situación era un poco más grave que de costumbre. Y precisamente mientras el príncipe Eduardo equipaba a sus tropas, por su parte el príncipe Juan anunciaba que se veía obligado a retrasar seis meses el pago de sus deudas y los sueldos de sus oficiales.

A menudo vemos que cuando un rey está escaso de fondos lanza a sus hombres a la guerra. «¡Triunfad y podréis enriqueceros! Conquistad el botín, obtened rescates...» El rey Juan prefirió permitir que lo empobreciesen todavía más, porque toleró que los ingleses arruinasen el mediodía del reino.

Ah, la incursión fue agradable y fácil para el príncipe de Inglaterra. Necesitó apenas un mes para llevar a su ejército desde las orillas del Garona hasta Narbona y su mar, y se complació aterrorizando Tolosa, incendiando Carcasona y asolando Beziers. Dejó tras de sí una larga estela de terror, y con poco esfuerzo conquistó mucho renombre.

Su arte bélico, comprobado este año por nuestro Périgord, es sencillo: ataca lo que no está defendido. Envía una vanguardia que se adelanta bastante, e identifica las aldeas o los castillos que serán bien defendidos. Evita éstos. Arroja sobre los restantes un nutrido cuerpo de caballeros y soldados, que caen sobre los burgos con horrible estrépito, dispersan a los habitantes, aplastan contra los muros a los que no huyeron con suficiente rapidez, despedazan o atraviesan todo lo que se ofrece a sus lanzas y sus mazas; después, la tropa se divide en varios grupos que caen sobre las aldeas, las residencias o los monasterios vecinos.

Atrás vienen los arqueros, que recogen las provisiones necesarias para la tropa y vacían las casas antes de incendiarlas; después vienen los escuderos y los infantes que acumulan el botín en las carretas y acaban de incendiar lo que aún se sostiene en pie.

Este ejército que bebe hasta hartarse avanza de tres a cinco leguas diarias, pero el miedo que provoca lo precede de lejos.

¿El propósito del Príncipe Negro? Ya os lo dije: debilitar al rey de Francia. Y es necesario reconocer que alcanzó su propósito.

Los grandes beneficiarios fueron los bordeleses y los viñateros, y es natural que hayan apoyado a su duque inglés. Estos últimos años soportaron un rosario de infortunios: la devastación de la guerra, las viñas incendiadas en los combates, las rutas comerciales inseguras, las ventas difíciles; a todo eso vino a sumarse la gran peste que obligó a destruir un barrio entero de Burdeos para sanear la ciudad. Y ahora, las calamidades de la guerra afectan a otros; era natural que se alegrasen. ¡A cada uno le llega su turno!

Apenas desembarcó, el príncipe de Gales ordenó acuñar moneda y promovió la circulación de hermosas piezas de oro, grabadas con la flor de lis y el león (el leopardo, como gustan decir los ingleses). Mucho más gruesas y pesadas que las francesas, marcadas con el cordero. «El león se comió al cordero», dice burlonamente la gente. Las viñas producen bien. La provincia está protegida. En el puerto hay mucho movimiento y la gente gana; en pocos meses se enviaron veinte mil toneles de vino, casi todos a Inglaterra. De modo que después del último invierno los burgueses de Burdeos tienen el rostro alegre y el vientre redondo como sus barricas. Sus mujeres visitan a menudo a los vendedores de telas, los orfebres y los joyeros. La ciudad pasa de fiesta en fiesta, y cada visita del príncipe, revestido de esa armadura negra que tanto le agrada y que le vale su sobrenombre, se celebra con festejos. Todas las burguesas lo aman. Los soldados, enriquecidos por el saqueo, gastan sin medida. Los capitanes de Gales y Cornualles se dan aires, y han logrado que ahora haya muchos cornudos en Burdeos, pues la fortuna no alienta la virtud.

Desde hace un año podría decirse de Francia que tiene dos capitales, y esto es lo peor que puede ocurrirle a un reino. En Burdeos, la opulencia y el poder; en París, la penuria y la debilidad. ¿Qué queréis? Las monedas parisienses han sido modificadas ochenta veces desde el comienzo del reino. ¡Sí, Archambaud, ochenta veces! La libra *tournois* tiene a lo sumo la décima parte del valor que poseía antes del advenimiento del rey. ¿Cómo se pretende administrar un Estado con tales finanzas? Cuando se permite que los precios de todos los artículos se inflen desmesuradamente, y cuando al mismo tiempo se devalúa la moneda, cabe suponer que sobrevendrán grandes dificultades y disturbios. Francia ya conoce las dificultades, y los disturbios se aproximan.

¿Qué hizo, pues, nuestro astuto rey, el invierno pasado, para conjurar los peligros que todos veían? Como ya no podía obtener ayuda del Languedoc, después de la incursión inglesa, convocó los Estados Generales del Langue d'Oïl. La asamblea no le aportó resultados satisfactorios.

Para aceptar el decreto de un impuesto excepcional de ocho denarios por libra, aplicable a todas las ventas, un gravamen muy pesado para todos los oficios y los negocios, además de una tasa especial sobre la sal, los diputados se hicieron rogar mucho y formularon graves exigencias. Querían que la recaudación estuviese a cargo de recaudadores especiales elegidos por ellos; que el dinero de estos impuestos no fuese a parar a manos del rey ni de los funcionarios que lo sirven; que si estallaba otra guerra, no se aprobasen impuestos sin que ellos hubiesen deliberado... ¡Qué sé yo cuántas cosas más! Los miembros del Tercer Estado se mostraron muy vehementes. Pusieron como ejemplo las comunas de Flandes, donde los burgueses se gobiernan por sí mismos, o bien el Parlamento de Inglaterra, que limita los derechos reales mucho más que los Estados de Francia. «Hagamos como los ingleses, puesto que eso les da buenos resultados.» Un defecto de los franceses consiste en que, cuando afrontan una dificultad política, buscan modelos en el extranjero, en lugar de aplicar escrupulosa y exactamente sus propias leyes. Por eso mismo, no debe extrañarnos que la nueva reunión de los Estados Generales, adelantada por el delfín, arrojase los resultados negativos que os explicaba el otro día. El preboste Marcel ya se ejercitó el año anterior... ¿No hablé con vos de ese asunto? Ah, no, en efecto, fue con Calvo... Después no ha viajado conmigo; está enfermo en su litera...

Seguramente preguntaréis qué hacía entretanto el navarro. El navarro trataba de convencer al rey Eduardo de que no lo había traicionado cuando aceptó tratar con Juan II en Valognes, que sus sentimientos hacia el inglés eran los mismos de siempre, que había fingido concertar un acuerdo con el rey de Francia sólo para servir mejor los planes ingleses y navarros, y que en poco tiempo más los hechos lo demostrarían. En otras palabras, que esperaba la primera ocasión para traicionar.

Sin embargo, trataba de consolidar su amistad con el delfín apelando a todos los medios. La seducción, el halago, el placer, e incluso utilizando a las mujeres, pues sé de ciertas señoritas, entre ellas la Graciosa, a quien seguramente ya he mencionado, y también una tal Biette Cassinel, que son muy fieles al rey de Navarra, y de las cuales se afirma que se consagraron con mucho entusiasmo a las fiestecitas de los dos cuñados. Favorecido por esta situación y convertido en maestro del pecado, el navarro comenzó disimuladamente a malquistar al delfín con su padre.

Le decía que el rey Juan no lo amaba, aunque era su hijo mayor, y era cierto. Que era un mal rey. Lo cual también era verdad. Que, después de todo, sería obra piadosa ayudar a Dios, y sin llegar al extremo de abreviar sus días, por lo menos apartarlo del trono. «Hermano mío, seríais mejor rey que él. No esperéis hasta que os deje un reino descalabrado.» Un joven se deja convencer fácilmente por esta canción. «Os aseguro que ambos podemos ejecutar la tarea. Pero necesitamos obtener apoyos en Europa.» Concibieron entonces la idea de ver al emperador Carlos IV, tío del delfín, para solicitar su apoyo y pedirle tropas. Nada menos. ¿Quién tuvo la maravillosa idea de llamar a un extranjero para resolver los asuntos del reino, y ofrecer al emperador, que ya da tanto trabajo al papado, la posición de árbitro de la suerte de Francia? Tal vez el obispo Le Coq, ese mal prelado, arrimado por el navarro al séquito del delfín. De todos modos, el asunto estuvo bien organizado y se promovió enérgicamente...

¿Qué? ¿Por qué nos detenemos cuando yo no lo ordené? ¡Ah! Algunas carretas bloquean el camino. Por supuesto, ya estamos en las afueras de la ciudad. Que despejen el camino. No me agradan estas paradas imprevistas. Uno nunca sabe... Cuando ocurra algo como esto, que la escolta rodee mi litera. Hay salteadores audaces que no se asustan del sacrilegio, y para ellos un cardenal sería una presa interesante...

Bien, el viaje de los dos Carlos, el de Francia y el de Navarra, se decidió en secreto, y ahora sabemos incluso quiénes debían acompañarlos a Metz: el conde de Namur, el conde Juan de Harcourt, ese hombre corpulento que, como os relataré después, habría de sufrir una desgracia; también un Boulogne, Godefroy, y Gaucher de Lor, y por supuesto, los señores de Graville, de Clères y de Aunay, Maubué de Mainemares, Colin Doublel y el inevitable Friquet de Fricamps, es decir, los conjurados de La Trucha que Huye. Y también, cosa interesante porque creo que ellos financiaban la expedición, Juan y Guillermo, dos sobrinos del preboste, amigos del rey de Navarra y convidados a sus fiestas. ¡Conspirar con un rey emociona siempre a los burgueses ricos y jóvenes!

La partida debía realizarse para San Ambrosio. Treinta navarros esperarían al delfín en la barrera de Saint-Cloud, al caer la tarde, para llevarlo a la residencia de su primo en Mantes y, desde allí, el séquito pasaría al Imperio.

Y después, después... No es posible que las cosas le salgan mal siempre a un hombre con mala suerte, e incluso el más tonto de los reyes no consigue fracasar constantemente. La víspera, Día de San Nicolás, nuestro Juan II se enteró del asunto. Ordena llamar a su hijo, lo presiona cumplidamente, y el delfín le confiesa el proyecto, y comprende al mismo tiempo que se ha equivocado, no sólo en perjuicio propio sino del reino.

Debo confesar que aquí el rey Juan se comportó más hábilmente que de costumbre. Reprocha a su hijo únicamente haber deseado salir del reino sin autorización y le demuestra su benevolencia concediéndole el perdón inmediato y el olvido de la falta y, como comprende que su heredero posee cierta capacidad de decisión personal, declara que desea vincularlo más estrechamente a las responsabilidades del trono; en definitiva, lo nombra duque de Normandía. Era tenderle una celada, porque lo enviaba a un ducado completamente poblado de partidarios de los Evreux-Navarra. Pero fue una buena jugada.

Al delfín sólo le restaba informar al Malo que devolvía su libertad a todos los que habían participado en el plan.

Es evidente que este asunto no acentuó el amor del padre por el hijo, y para el caso poco importó que el despecho se disimulase con tan hermoso reglo. Pero es necesario destacar que el odio del rey a su yerno comenzó a adoptar la forma de un sentimiento endurecido, como la pasta recocida seis veces. Matar al condestable del rey, fomentar disturbios, desembarcar tropas, conspirar con el enemigo inglés... ¡y todavía no sabía hasta qué punto! Finalmente, incitar a la rebelión a su propio hijo, era demasiado; el rey Juan esperaba la hora propicia para cobrar todas las cuentas al navarro.

Nosotros, que observábamos estas cosas desde Aviñón, estábamos cada vez más inquietos y veíamos aproximarse circunstancias extremas. Algunas provincias se habían separado, otras soportaban el pillaje y el saqueo de las tropas extranjeras; la moneda devaluada, el tesoro vacío y la deuda cada vez mayor; los diputados rezongones y vehementes; los grandes vasallos obstinados en sus querellas; un rey servido únicamente por sus consejeros inmediatos y, finalmente, para remate, un heredero del trono dispuesto a solicitar la ayuda extranjera contra su propia dinastía... Dije al Papa: «Muy Santo Padre, Francia se divide.» No me equivocaba. Sólo me equivoqué sobre del momento en que eso ocurriría.

Creía que el derrumbe sobrevendría en dos años. Ni siquiera fue necesario que pasara uno. Y aún no habíamos visto lo peor. ¿Qué queréis? Si la cabeza carece de firmeza, ¿cómo pueden sostenerla los miembros? Ahora debemos tratar de recomponer los fragmentos, y hacerlo cueste lo que cueste; con ese propósito, necesitamos recurrir a los buenos oficios de Alemania, y conferir más autoridad a este mismo emperador cuya arrogancia hubiéramos deseado frenar. ¡Confesad que es una situación muy ingrata!

Ahora, Archambaud, montad vuestro caballo y avanzad a la cabeza del cortejo. Aunque sea tarde, deseo que cuando entremos en Bourges la gente vea flotar el pendón de Périgord al lado del estandarte de la Santa Sede. Y descorred las cortinas de mi litera, porque así podré dispensar mi bendición.

SEGUNDA PARTE

EL BANQUETE DE RUAN

1

Dispensas y beneficios

Oh, este Monseñor de Bourges me ha irritado bastante durante los tres días que pasamos en su palacio. ¡Un prelado cuya hospitalidad molesta y agobia! Siempre tironeando de nuestra sotana para conseguir algo. Y cuántos protegidos y clientes tiene este hombre, cuántos individuos a los cuales prometió algo y cuyas necesidades debemos atender. «Permitidme presentar a Su Muy Santa Eminencia un empleado muy meritorio... Su Muy Santa Eminencia tal vez acepte pasar su benévola mirada sobre el canónigo no sé cuántos... Me atrevo a recomendar a los favores de Vuestra Muy Santa Eminencia...» Ayer por la tarde tuve que hacer un verdadero esfuerzo para no decirle: «¡Obispo, idos al infierno y dad... sí, la paz a mi Santa Eminencia!»

Don Francesco, esta mañana os llamé... confío en que ahora toleréis mejor el balanceo de mi litera; por otra parte, seré breve... con el fin de recapitular exactamente lo que le concedí, y nada más. Pues ahora que está en camino con nosotros no se privará de afirmar que yo acepté tales y cuales peticiones que él me hizo. En efecto, me dijo: «¡Respecto de las dispensas menores, de ningún modo quiero fatigar a Vuestra Muy Santa Eminencia; las explicaré al señor Francisco Calvo, que sin duda es persona de mucho saber, o también al señor de Bousquet...!» ¡Vaya! No traje conmigo a un auditor pontificio, dos doctores, dos licenciados en leyes y cuatro bachilleres para descubrir la ilegitimidad de todos los hijos de sacerdotes que dicen misa en esta diócesis, o que poseen algún beneficio. Por otra parte, es extraordinario que después de todas las dispensas que concedió durante su pontificado mi santo protector, el papa Juan XXII (casi cinco mil, y más de la mitad de esa cifra a bastardos de curas, por supuesto con penitencia en dinero, lo que contribuyó mucho a restaurar el tesoro de la Santa Sede), aparezcan ahora tantos tonsurados que son los frutos del pecado.

En mi carácter de legado del Papa, tengo derecho de conceder diez y sólo diez dispensas en el curso de mi misión. He otorgado dos a Monseñor de Bourges; ya es demasiado. Respecto a los cargos de notario, tengo derecho a otorgar veinticinco, y están destinados a hombres que me hayan prestado servicios personales y no a los individuos que se deslizaron entre los papeles de Monseñor de Bourges. Le daréis uno, y para el caso conviene elegir al más estúpido y al menos meritorio, para que de esto le vengan solamente dificultades. Si se asombra, le responderéis: «¡Ah!, Monseñor me recomendó expresamente...» No distribuiremos ninguno de los beneficios sin cargo de almas, llamados también mandas, y que pueden corresponder a eclesiásticos o a laicos. «Monseñor de Bourges ha exigido demasiado. Su Eminencia no quiso provocar celos.» Y otorgaré uno o dos a Monseñor de Limoges, que se ha mostrado más discreto. ¿Acaso la gente no dirá que vine de Aviñón sólo para derramar favores y provechos sobre este Monseñor de Bourges? Aprecio poco a las personas que intentan demostrar que tienen muchos peticionarios, y este obispo se equivoca si cree que hablaré en su favor y recomendaré se le otorgue el capelo cardenalicio.

Y además, he visto que se muestra muy indulgente con los hermanitos, a muchos de los cuales vi pasearse por los corredores de su palacio. Me vi obligado a recordarle la carta del Santo Padre contra estos franciscanos extraviados (la conozco muy bien, porque yo mismo la redacté), estos hombres que se atribuyen el ministerio de la predicación, que seducen a los simples con un hábito de fingida humildad y pronuncian discursos peligrosos contra la fe y el respeto debido a la Santa Sede. Le recordé que estaba obligado a corregir y castigar, según los cánones, a estos malhechores, y a implorar, si era necesario, el auxilio del brazo secular, como Inocencio VI hizo el año pasado, cuando permitió que quemasen a Juan de Chastillon y a Francisco de Arquate, que sostenían herejías... «Herejías, herejías... seguramente errores, pero es necesario comprenderlos. Y no se equivocan del todo. Además, los tiempos cambian...» Eso me contestó Monseñor de Bourges. Por mi parte, no simpatizo con estos prelados que comprenden demasiado bien a los malos predicadores y, en lugar de actuar, prefieren conquistar popularidad navegando del lado de donde sopla el viento.

Os agradeceré, don Francesco, que vigiléis un poco a ese señor mientras dure el viaje, y que evitéis que adoctrine a mis jóvenes, o que se vincule demasiado estrechamente con Monseñor de Limoges o con los restantes obispos que se agregarán a lo largo del camino.

Que el camino le parezca un poco duro, pese a que haremos etapas breves, porque los días se acortan y el frío es más intenso. Unas diez o doce leguas por jornada, nada más. No quiero que viajemos de noche. Por eso hoy no pasaremos de Sancerre. Descansaremos bien esta noche. Cuidado con el vino que se bebe. Es suave y fresco, pero produce más efecto de lo que parece. Informad a La Rue, y que él vigile a la escolta. No quiero borrachos con el uniforme del Papa... Os veo palidecer, Calvo. Realmente, no soportáis la litera... No, descended, descended deprisa, os lo ruego.

2

La cólera del rey

De modo que el viaje a Alemania no se realizó y el navarro se sintió decepcionado. Volvió a Evreux y continuó conspirando. Pasaron tres meses; así, llegamos a fines de marzo del año pasado... sí, digo bien, del año pasado... o de este año, si queréis... pero como este año Pascua cayó el veinticuatro de abril, se trataba todavía del año pasado...

Sí, ya lo sé, sobrino; aunque en Francia festejamos el Año Nuevo el uno de enero, tenemos una tonta costumbre: en los archivos, los tratados y muchos documentos, iniciamos el año a partir de la Pascua. La tontería, que origina mucha confusión, consiste en que fijamos el comienzo legal del año dependiendo de una fiesta que no es fija. De modo que algunos años tienen dos meses de marzo y en otros no hay abril... Desde luego, habría que cambiar esto, en eso coincido completamente con vos.

Hace mucho tiempo que se habla de ello, pero nada se resuelve. El Santo Padre debería resolverlo de una vez por todas, y para toda la cristiandad. Y creedme, en Aviñón estamos peor que en otros sitios; pues en España, como en Alemania, el año comienza para Navidad; en Venecia, el uno de marzo; en Inglaterra, el veinticinco. De modo que cuando varios países firman un tratado concluido en primavera, jamás se sabe de qué año hablan. Imaginad que una tregua entre Francia e Inglaterra haya sido firmada los días que preceden a la Pascua; para el rey Juan el pacto está fechado en el año 1355, para los

121

ingleses en 1356. Oh, lo reconozco de buena gana, es la cosa más estúpida; pero nadie desea modificar sus costumbres, por detestables que sean, y se diría que los notarios, los escribientes, los prebostes y todos los miembros de la Administración se complacen en mantener las dificultades que desconciertan al pueblo llano.

Como decía, llegamos a los últimos días del mes de marzo, y el rey Juan tuvo un terrible acceso de cólera... Naturalmente, contra su yerno. ¡Oh!, admitamos que motivos de desagrado no le faltaban. En los Estados Generales de Normandía, reunidos en Vaudreuil ante el hijo de Juan, que ahora era el nuevo duque, se dijeron cosas muy feas contra el rey, algo que antes jamás se había oído, y las profirieron los diputados de la nobleza, aguijoneados por los Evreux-Navarra. Los dos Harcourt, tío y sobrino, fueron los más violentos, o por lo menos eso me dijeron, y el sobrino, el adiposo conde Juan, llegó a exclamar: «Por la sangre de Dios, este rey es mal hombre; no es un buen rey, y yo me cuidaré de él.» Por supuesto, el comentario llegó a oídos de Juan II. Y después, en los nuevos Estados del Langue d'Oil, que se celebraron poco después, los diputados de Normandía no comparecieron. Sencillamente, rehusaron asistir. No querían tener nada que ver con las ayudas y los subsidios, ni con pagarlos. Por otra parte, la asamblea observó que tanto la tasa como el impuesto sobre las ventas no habían rendido lo esperado. Entonces, se decidió reemplazarlos por un impuesto sobre la renta, al fin del año corriente.

Ya imagináis qué acogida tuvo esta medida, que obligaba a pagar al rey, al cabo del año, una parte de todo lo que se había recibido, percibido o ganado, y que a menudo ya se había gastado... No, esta norma no se aplicó en Périgord ni en ninguna región del Langue d'Oc. Pero conozco personas de mi región que se pasaron a los ingleses sencillamente por temor de que se les aplicase la medida. Este impuesto sobre la renta, unido al encarecimiento de los víveres, provocó disturbios en varios lugares, y sobre todo en Arras, donde el pueblo llano se sublevó, y el rey Juan tuvo que enviar a su condestable al frente de varias compañías de soldados para someter a estos revoltosos... No, todo esto no era motivo de regocijo. Pero por graves que sean sus dificultades, un rey debe conservar el dominio de sí mismo. Es lo que no hizo Juan esta vez.

Estaba en la abadía de Beaupré-en-Beauvaisis para asistir al bautismo del primogénito de mi señor Juan de Artois, conde de Eu desde que recibiera los bienes y los títulos de Raúl de Bienne, el condestable decapitado... Sí, es precisamente el hijo del conde Roberto de Artois, a quien por otra parte se parece mucho. Cuando uno lo ve, se impresiona; cree estar viendo al padre a la misma edad. Un gigante, una torre en movimiento. Los cabellos rojos, la nariz corta, las mejillas manchadas y los músculos que forman una línea desde la mandíbula hasta el hombro. Para cabalgar necesita caballos muy robustos, y cuando carga, con su atuendo de batalla, abre un camino en el ejército enemigo. Pero ahí termina la semejanza. Su espíritu es totalmente opuesto al de su padre. El padre era astuto, ágil, rápido, perverso, demasiado perverso. Éste tiene el cerebro como un mortero de cal bien endurecida. El conde Roberto era ingenioso, amigo de la conspiración, falsario, perjuro y asesino. Como si quisiera compensar las faltas de su padre, el conde Juan quiere ser un modelo de hombre de honor, leal y fiel. Vio a su padre degradado y exiliado. En su infancia, él mismo pasó un tiempo en prisión, con su padre y sus hermanos. Creo que aún no se acostumbró al perdón recibido y a la recuperación de la fortuna. Mira al rey Juan como si éste fuese el Redentor en persona. Además, lo conmueve llevar el mismo nombre de pila. «Mi primo Juan... Mi primo Juan...»

Alude al primo Juan cada tres palabras. Los hombres de mi edad, que conocieron a Roberto de Artois, aunque hayan tenido que sufrir las consecuencias de sus empresas no pueden dejar de experimentar cierta añoranza cuando ven la pálida copia que nos dejó. Ah, el conde Roberto era muy distinto. En su tiempo, la turbulencia que él provocó ocupó el primer plano. Cuando murió, pareció que el siglo había caído en el silencio. Incluso la guerra parecía menos rumorosa. ¿Qué edad tendría ahora? Veamos... bah... alrededor de setenta años. Sí, tenía fuerza suficiente para vivir tanto; pero una flecha perdida lo abatió en el campamento inglés, durante el sitio de Vannes... Lo único que puede decirse es que las pruebas de fidelidad que el hijo prodiga no tuvieron para la corona menor efecto que las traiciones del padre.

Pues fue precisamente Juan de Artois quien, poco antes del bautismo, quizá para agradecer al rey el gran honor de su apadrinamiento, le reveló la conspiración de Conches o lo que él creía una conspiración.

Conches... sí, ya os lo dije... uno de los castillos confiscados otrora a Roberto de Artois, y que pasó a manos de mi señor de Navarra por el tratado de Valognes. Aún quedan allí algunos viejos servidores de Artois, hombres que continúan guardando fidelidad a la familia.

Por eso, Juan de Artois pudo cuchichear al rey (un cuchicheo que se escuchaba hasta el fondo del salón), que el rey de Navarra se había reunido con su hermano Felipe, los dos Harcourt, el obispo Le Coq, Friquet de Fricamps, varios señores normandos que eran antiguos amigos, e incluso Guillermo Marcel (sí, uno de los sobrinos Marcel), y un señor llegado de Pamplona, Miguel de Ezpeleta, y que todos habían conspirado para atacar por sorpresa al rey Juan apenas éste viajase a Normandía. Allí lo matarían. ¿Era cierto o falso? Me inclino a creer que había parte de verdad y que, sin llegar al extremo de concretar los detalles de la conjura, habían considerado el asunto. Pues me parece muy propio del estilo de Carlos el Malo el hecho de que, fracasada la operación grandiosa que implicaba el apoyo del emperador de Alemania, no tuviese inconveniente en realizar la misma empresa pero en un marco de villanía, repitiendo el golpe de La Trucha que Huye. Tendremos que esperar a nuestra propia comparecencia ante el tribunal de Dios para conocer la verdad del asunto.

En todo caso es evidente que en Conches se discutió mucho para determinar si convenía ir a Ruan, una semana más tarde, el martes que precedía a la Cuaresma, para asistir al festín que el delfín, duque de Normandía, ofrecía a los más importantes caballeros normandos con el propósito de concertar un acuerdo. Felipe de Navarra aconsejaba rehusar; por su parte, Carlos se inclinaba a aceptar. El viejo Godofredo de Harcourt, el que cojea, se oponía, y lo decía en voz muy alta. Por otra parte, este hombre, que había disputado con el finado rey Felipe VI por un asunto matrimonial, en el cual se habían contrariado sus inclinaciones amorosas, ya no se consideraba obligado por ningún vínculo de vasallaje hacia la corona. Decía: «Mi rey es el inglés.»

Su sobrino, el obeso conde Juan, que sería capaz de atravesar el reino atraído por el aroma de un banquete, deseaba concurrir. Finalmente, Carlos de Navarra dijo que cada uno haría su voluntad, que él mismo iría a Ruan con quienes desearan acompañarlo, pero que aprobaba igualmente a los que no deseaban visitar al delfín, y que incluso era sensato que algunos no concurriesen, pues nunca había que apostarlo todo a una sola carta. El rey recibió otra información que venía a confirmar la sospecha de que se conspiraba contra él. Carlos de Navarra había dicho que, si el rey Juan moría, publicaría su anterior tratado con el rey de Inglaterra, en virtud del cual lo reconocía como rey de Francia, y que en todo se comportaría como su representante en el reino.

El rey Juan no reclamó pruebas. El primer cuidado de

un príncipe debe ser siempre llegar a probar la relación, y esto vale tanto para la más plausible como para la más increíble. Pero nuestro rey carece absolutamente de esta prudencia. Se traga como si fueran huevos frescos todo lo que alimenta su rencor. Un espíritu más sereno habría escuchado, y después tratado de reunir informes y testimonios acerca de ese tratado secreto que acababan de revelarle. Y si llegaba a la conclusión de que la sospecha era válida, hubiera atacado enérgicamente a su yerno.

Pero el rey Juan consideró sin más que la cosa estaba probada y entró en la iglesia dominado por la cólera. Según me han dicho, mostró allí una actitud extraña; no escuchaba los rezos, respondía equivocadamente, miraba a todos con expresión enfurecida y volcó sobre la túnica de un diácono la brasa de un incensario con el cual había tropezado. No sé muy bien cómo bautizaron al retoño de los Artois, pero con semejante padrino creo que más vale renovar los votos de este pequeño cristiano si queremos que el buen Dios le conceda su misericordia.

Y apenas concluyó la ceremonia, estalló la tempestad. Los monjes de Beaupré jamás oyeron tantos y tan terribles juramentos, y tal parecía que el diablo había venido a instalarse en la garganta del rey. Llovía, pero Juan II no prestó atención al agua. Durante una hora larga se dejó empapar por la lluvia; se paseaba por el jardín de los monjes golpeando los costados de sus polainas (este ridículo calzado que el bello Carlos de España y él pusieron de moda), y obligó a todo su séquito, al señor Nicolás Braque, su mayordomo, el señor de Lorris, los demás chambelanes, el mariscal de Audrehem y el gran Juan de Artois, desconcertado y dolido, a empaparse con él. Ese día consiguió echar a perder millares de libras en terciopelo, bordados y pieles.

«En Francia soy el único amo —aullaba el rey—. Lograré que reviente ese sujeto perverso, esa alimaña, ese ser putrefacto que trama mi fin con todos mis enemigos. Lo mataré con mi propia mano. Le arrancaré el corazón con mis manos y cortaré en pedazos su cuerpo inmundo, ¿oís? Habrá un pedazo para colgar de la puerta de cada uno de los castillos que por debilidad le entregué. Y que nunca más vengan a interceder por él, y que ninguno de vosotros tenga la malhadada idea de aconsejarme una reconciliación. Por otra parte, no permitiré que nadie alegue nada en defensa de este felón, y Blanca y Juana podrán llorar hasta cansarse; ya verán que en Francia soy el único amo.» Y repetía sin cesar esa frase: «En Francia soy el único amo», como si necesitara convencerse de que era el rey.

Se calmó un poco para preguntar cuándo se celebraba el banquete que su estúpido hijo ofrecía cortésmente a esa serpiente de yerno. «El Día de Santa Irene, el cinco de abril. El cinco de abril, para Santa Irene», repetía como si no lograra fijar en la mente una cosa tan sencilla. Sacudió un momento la cabeza, como un caballo, para secarse un poco los cabellos amarillos empapados de lluvia. «Ese día iré a cazar a Gisors», dijo finalmente.

Todos estaban acostumbrados a esos cambios de humor; pensaron que la cólera del rey se había aplacado en palabras y que la cosa quedaría así. Y después, sobrevino el episodio del banquete de Ruan... Sí, pero vos no conocéis los detalles. Os relataré el episodio, pero mañana; pues hoy es tarde y seguramente se acerca el fin de la etapa.

Ya lo veis, charlando el camino se hace más corto. Esta noche sólo nos resta cenar y dormir. Mañana llegaremos a Auxerre, donde recibiré noticias de Aviñón y de París. Ah, una cosa más Archambaud. Si os aborda, sed circunspecto con Monseñor de Bourges, que nos acompaña. No me agrada en absoluto, y no sé por qué, pero creo que este hombre tiene cierta relación con el Capocci. Mencionad su nombre, como si no tuviera importancia, y después me diréis qué os parece la cosa.

3

A Ruan

El rey Juan marchó efectivamente a Gisors, pero allí permaneció únicamente el tiempo necesario para retirar cien piqueros de la guarnición. Después, enfiló ostensiblemente por el camino de Chaumont y Pontoise, de modo que todos creyeran que regresaba a París. Lo acompañaba su segundo hijo, el duque de Anjou, y también su hermano, el duque de Orleans, que parecía más bien uno de sus hijos, pues monseñor de Orleans, que tiene veinte años, cuenta diecisiete menos que el rey, y lo separan del delfín sólo dos años.

También acompañaban al rey el mariscal de Audrehem y los segundos chambelanes, Juan de Andrisel y Gucido de La Roche, pues ya había despachado a Ruan, unos días antes, a Lorris y Nicolás Braque, con el pretexto de que ayudaran al delfín en los preparativos del banquete.

¿Qué fuerza venía detrás del rey? ¡Ah, había organizado bien su tropa! Llevaba a los hermanos del Artois, Carlos y el otro... «mi primo Juan», que cabalgaba al lado del monarca y superaba por una cabeza a toda la tropa, y también a Luis de Harcourt, que había disputado con su hermano y su tío Godofredo, y que por eso se adhería al partido del rey. También los monteros y los escuderos, los Corquilleray, Huet des Ventes y Maudétour. ¡Dios mío! El rey salía de caza, y quería aparentarlo. Montaba su caballo de caza, un napolitano brioso, bravo y al mismo tiempo dócil por el que siente un especial afecto. Nadie podía asombrarse de verlo acompañado por los sargentos de su guardia especial, mandados por dos mocetones famosos por el grosor de sus músculos: Enguerrando Lalemant y Perrinet *el Búfalo*. Los dos pueden derribar a un hombre con una sola mano... Es conveniente que un rey aparezca siempre rodeado por una guardia especial. El Santo Padre tiene la suya. También yo tengo hombres que me protegen, que cabalgan muy cerca de mi litera, como seguramente habéis observado. Estoy tan acostumbrado a ellos que acabo por no verlos; pero ellos no me quitan los ojos de encima.

Lo que hubiera podido sorprender, pero habría sido necesario tener los ojos muy abiertos, era que los ayudas de cámara del monarca, Tassin y Poupart *el Barbero*, llevaban colgados de la silla el yelmo, la gran espada y todo el atuendo de guerra del rey. Y también la presencia del jefe de los vivanderos, un buen hombre llamado Guillermo... no sé cuántos... que se ocupa no sólo de vigilar los burdeles, en las ciudades donde reside el rey, sino que también está a cargo de la justicia directa. Y tiene más trabajo en este cargo desde que Juan II ascendió al trono.

Con los caballerizos de los duques, los lacayos, los domésticos de todos estos señores y los piqueros incorporados en Gisors formaban un grupo de doscientos jinetes, muchos de ellos armados de lanza, un grupo demasiado nutrido para ir a cazar venados.

El rey se encaminó hacia Chaumont-en-Vexin, pero nadie lo vio atravesar ese burgo. Su tropa desapareció en el camino como por arte de magia. Había ordenado atravesar el campo para avanzar directamente hacia el norte, en dirección a Gournay-en-Bray, donde se demoró sólo el tiempo necesario para recoger al conde de Tancarville, uno de los pocos grandes señores de Normandía que permanece en sus feudos, porque está como perro y gato con los Harcourt. Un Tancarville estupefacto porque esperaba, rodeado de veinte caballeros de su tropa, al mariscal de Audrehem, pero de ningún modo al rey.

«¿Señor conde, mi hijo el delfín no os invitó mañana a Ruan?» «Sí, señor; pero la orden que recibí del señor mariscal, que venía a inspeccionar las fortalezas de esta región, me dispensó de alternar con ciertas personas cuyos rostros me habrían desagradado mucho.» «¡Pues bien! Tancarville, de todos modos iréis a Ruan, y yo os diré lo que allí haremos.»

Dicho esto, toda la cabalgata desvía hacia el sur, mientras cae la noche; es un trote corto, tres o cuatro leguas, pero que se suman a las dieciocho recorridas desde la mañana. Deciden dormir en un castillo muy alejado, en el límite del bosque de Lyons.

Los espías del rey de Navarra, si por allí los tenía, seguramente se vieron en dificultades para explicarle por dónde corría el rey de Francia, que avanzaba veloz por esos caminos irregulares, y para hacer qué. «Han visto al rey que salía de cacería... El rey está inspeccionando las fortalezas...»

El rey se levantó antes del amanecer, febril por la prisa y el ardor, y apremiaba a todos, y tan pronto montó su caballo se internó en línea recta en el bosque de Lyons. Quienes deseaban comer un pedazo de pan y una tajada de tocino debieron hacerlo con una sola mano, las riendas en el hueco del brazo, mientras con la otra sostenían la lanza y la montura trotaba.

El bosque de Lyons es denso y grande; tiene más de siete leguas, y sin embargo lo recorren en dos horas. El mariscal Audrehem opina que a ese paso sin duda llegarán demasiado temprano. Más valdría detenerse un momento, aunque sólo fuera para permitir que los caballos orinen. Sin hablar de que él mismo... El propio mariscal me lo contó. «Una necesidad tal, perdóneme Vuestra Eminencia, que me dolían los flancos. Pues bien, un mariscal de la hueste no puede aliviarse sin descender del caballo, como hacen los simples arqueros cuando la necesidad los apremia, mala suerte si mojan el cuero de la montura. De modo que digo al rey: "Señor, de nada sirve darse tanta prisa; no por eso el sol sale antes... Además, los caballos necesitan detenerse." Contesta: "Ésta es la carta que escribí al Papa para explicar mi justicia y salir al paso de los malos rumores que llegarán a sus oídos..." Durante muchísimo tiempo, muy Santo Padre, la mansedumbre y la buena voluntad que por bondad cristiana demostré con este perverso pariente, lo indujeron a cometer fechorías, y por su culpa el reino ha soportado perjuicios y desgracias. Preparaba un acto peor, que era privarme de la vida, y para impedir que él ejecute ese nuevo crimen...»

Y avanza sin ver nada, sin comprender que ya salió del bosque de Lyons, que desembocó en la llanura y que entró en otro bosque. Audrehem me dijo que nunca le vio una cara así; la mirada como enloquecida, el mentón pesado trémulo bajo la barba escasa.

De pronto, Tancarville adelanta su montura para alcanzar al rey, y le pregunta con mucha cortesía si ha decidido ir a Pont-de-l'Arche. «No —exclama el rey—, ¡voy a Ruan!» «Entonces, señor, temo que por este lado no llegaréis a vuestro destino. En la última bifurcación hubiera sido necesario desviarse hacia la derecha.» El rey obliga a su caballo napolitano a dar media vuelta, a galope recorre toda la columna, ordenando con gritos estridentes que lo sigan, lo que hacen no sin cierto desorden, pero siempre sin orinar, lo cual agrava el sufrimiento del mariscal...

¿Decidme, sobrino, no sentís nada, un cambio en los movimientos de la litera? Sí, yo siento algo.

Brunet, eh, Brunet... Uno de los costados se inclina... No me digáis «No, Monseñor», y mirad. Atrás. Y creo incluso que es atrás, a la derecha... Que detengan la marcha... ¿Bien? ¡Ah! ¿De modo que hay algo? Entonces, ¿tenía razón? Tengo los riñones más despiertos que vos los ojos.

Vamos, Archambaud, descendamos. Daremos unos pasos mientras cambian los caballos... El aire es fresco, pero no molesta. ¿Qué se ve desde aquí? ¿Lo sabéis, Brunet? Saint-Amand-en-Puisaye... De ese modo, Archambaud, el rey Juan llegó a Ruan la mañana del cinco de abril.

4

El banquete

Archambaud, no conocéis Ruan y, por lo tanto, tampoco el castillo de Bouvreuil. Ah, es un gran castillo con seis o siete torres dispuestas en círculo y un gran patio central. Lo construyeron hace un siglo y medio por orden del rey Felipe Augusto; estaba destinado a vigilar la ciudad y su puerto, y a dominar el curso más alto del Sena. Ruan es un lugar importante, uno de los puntos de salida para los que quieren ir a Inglaterra; por lo tanto, es también un obstáculo. El mar sube hasta el puente de piedra que une las dos partes del ducado de Normandía.

La ciudadela no está en el centro del castillo; es una de las torres, un poco más alta y gruesa que las restantes. En Périgord tenemos castillos semejantes, de aspecto habitualmente más fantástico.

Allí se había reunido la flor y nata de la caballería normanda, ataviada con la mayor riqueza posible. Habían llegado sesenta señores, y cada uno traía por lo menos un lacayo. Los trompeteros acababan de tocar sus instrumentos cuando un criado del señor Godefroy de Harcourt, sudoroso después de un prolongado galope, vino a advertir al conde Juan de que su tío lo llamaba con mucha prisa y le rogaba que saliese inmediatamente de Ruan. El mensaje era muy imperioso, como si el señor Godofredo se hubiese enterado de algo. Juan de Harcourt consideró que debía obedecer y trató de escabullirse. Ya estaba al pie de la escalera del baluarte, que llenaba casi totalmente con su persona, tan obeso era, cuando tropezó con Roberto de Lorris, que le cerró el paso con un aire muy afable. «Señor conde, ¿pensáis partir? ¡Pero si mi señor el delfín os espera a cenar! ¡Tenéis un lugar reservado a su izquierda!» Como no se atrevía a desairar al delfín, el corpulento de Harcourt se resignó a postergar su partida. Saldría después de la comida. Y volvió a subir la escalera, sin demasiado pesar. Pues la mesa del delfín tenía excelente reputación; todos sabían que allí se servían maravillas, y Juan de Harcourt no había cargado toda la grasa que entorpecía sus movimientos sólo porque se hubiese dedicado a comer matas de hierba.

Y en realidad, ¡qué festín! No en vano Nicolás Braque había ayudado al delfín a prepararlo. Los que asistieron, y consiguieron salir con vida, jamás lo olvidaron. Seis mesas distribuidas en la gran sala redonda. De los muros colgaban tapices verdes, de colores tan vivos que uno creía estar cenando en medio del bosque. Cerca de las ventanas, ramilletes de cirios para aumentar la luz que entraba por los ventanales y que parecía el sol que se filtra entre las ramas de los árboles. Detrás de cada convidado un atento servidor, en el caso de los grandes señores el suyo propio, y en los otros algún hombre de la casa del delfín. Se usaban cuchillos con mango de ébano, dorados y esmaltados con las armas de Francia, y especialmente reservados para la Cuaresma. Es costumbre de la corte utilizar los cuchillos con mango de marfil después de las fiestas de Pascua. Pues se respetaba la Cuaresma. Pasteles de pescado, guisos de pescado, carpas, sardinas, caballas, salmones y mariscos, platos de huevos, de aves de corral y otros animales de pluma. Habían vaciado los viveros y los corrales y aprovechado los ríos. Los pajes de la cocina, que formaban una cadena continua en la escalera, traían las fuentes de plata y bermellón donde los asadores, los cocineros y los reposteros habían dispuesto, arreglado y recubierto los platos preparados en las chimeneas de las torres de las cocinas. Seis hombres servían los vinos de Beaune, de Meursault, de Arbois y de Turena... ¡Ah! Archambaud, también a vos se os abre el apetito. Espero que nos den de comer bien dentro de un rato en Saint-Sauveur...

El delfín, en el centro de la mesa de honor, tenía a su derecha a Carlos de Navarra y a su izquierda a Juan de Harcourt. Vestía un traje de paño azul de Bruselas, y estaba tocado con un sombrero de la misma tela, adornado con perlas dispuestas en forma de hojarasca. Jamás os he descrito a mi señor el delfín... Es alto y tiene las espaldas anchas y magras, el rostro alargado, la nariz grande y un poco desviada en el centro, el labio superior delgado, el otro más carnoso, el mentón hundido.

Dicen que se parece bastante, hasta donde es posible saberlo, a su antepasado san Luis, que como él era muy alto y un poco encorvado. Esta constitución física, al lado de hombres muy vitales y robustos, aparece de tanto en tanto en la familia de Francia.

Los criados se acercaban con paso digno y presentaban una tras otra las fuentes, y el delfín indicaba la mesa a la cual debían llevar las viandas y de ese modo honraba a cada uno de sus invitados —el conde de Etampes, el señor de la Ferté, el alcalde de Ruan—, y con una sonrisa muy digna y cortés acompañaba el gesto de la mano, siempre la izquierda, pues creo haberos dicho que la derecha se le hincha, enrojece y le provoca sufrimientos; la utiliza lo menos posible. Apenas practica media hora el juego de pelota y su mano se hincha. Sí, una grave debilidad en un príncipe... No puede practicar la caza ni ir a la guerra. Su padre no disimula el desprecio que le inspira. Estoy seguro de que el pobre delfín envidiaba a todos esos señores reunidos allí, los señores de Clères, de Graville, del Bec Thomas, de Mainemares, de Braquemont, de Sainte-Beuve o de Houdetot; tantos caballeros, robustos, seguros de sí mismos, ruidosos, orgullosos de sus hazañas guerreras. Incluso debía envidiar al obeso de Harcourt, a quien su quintal de grasa no impedía dominar un caballo o ser un temible antagonista en los torneos; y sobre todo al señor de Biville, un hombre famoso a quien todos abordan tan pronto entra en un salón porque desean que relate su hazaña... Sí, el mismo... Ya lo veo, también vos habéis oído su nombre... Sí, de un solo golpe de espada dividió en dos a un turco ante los ojos del rey de Chipre. Cada vez que relata el episodio la talla del turco aumenta una pulgada. Llegará el día en que afirme haber partido también el caballo...

Pero volvamos al delfín Carlos. Este joven conoce las obligaciones de su cuna y su rango; sabe por qué Dios lo trajo a este mundo, el lugar que la providencia le asignó, el más alto en la jerarquía de los hombres, y sabe también que, a menos que muera antes que su padre, será rey. Sabe que tendrá que gobernar el reino; sabe que en su persona se concentrará el poder de Francia. Y si en su fuero interno sufre porque Dios no le dispensó, al mismo tiempo que la responsabilidad, la robustez que lo ayudaría a soportarla bien, comprende que debe compensar las insuficiencias de su cuerpo con una actitud discreta, la atención que dispensa a otros, el control de su rostro y sus palabras, el humor benévolo y la certidumbre que le impide olvidar jamás quién es y le aporta cierta majestad. Lo cual de ningún modo es cosa fácil, cuando uno tiene dieciocho años y apenas comienza a salirle la barba. Debo señalar que se le educó desde temprano. Tenía once años cuando su abuelo el rey Felipe VI consiguió finalmente comprar el delfinado a Humberto II de Viena. De ese modo compensaba un poco la derrota de Crécy y la pérdida de Calais. Como os dije el otro día, después de algunas negociaciones... ¡ah!, creía que... ¿Queréis que os relate los detalles?

El delfín Humberto estaba tan hinchado de orgullo como comido de deudas. Deseaba vender, pero continuar gobernando una parte de lo que cedía, y también que después sus estados conservasen la independencia. Primero intentó tratar con el conde de Provenza, rey de Sicilia, pero elevó demasiado el precio. Se volvió entonces hacia Francia, y me tocó la tarea de llevar a cabo las negociaciones. En el primer acuerdo cedió su corona, pero sólo después de su propia muerte... Había perdido a su hijo único... Parte al contado, ciento veinte mil florines, y parte en una pensión vitalicia. Después de este acuerdo hubiera podido vivir cómodamente. Pero en lugar de pagar sus deudas, despilfarró todo lo que había recibido porque fue a buscar gloria combatiendo a los turcos. Apremiado por sus acreedores, tuvo que vender lo que le quedaba, es decir, la renta vitalicia. Acabó por aceptar esta alternativa, por doscientos mil florines más y veinticuatro mil libras de renta; ello no le impidió mantener una actitud soberbia. Afortunadamente para nosotros, ya no tenía amigos.

Diré modestamente que yo concerté el acuerdo que permitió mantener a salvo el honor de Humberto y de sus súbditos. El título de delfín vienés no sería utilizado por el rey de Francia, sino por el mayor de los nietos de Felipe VI, y después por su hijo mayor. Así, los habitantes del delfinado, hasta ese momento independientes, podían conservar la ilusión de tener un príncipe que reinaba únicamente sobre ellos. Por eso el joven Carlos de Francia, después de ser investido en Lyon, tuvo que hacer, durante el invierno de 1349 y la primavera de 1350, una visita a sus nuevos estados. Cortejos, recepciones, fiestas. Os repito que tenía apenas once años. Pero con esa facilidad propia de los niños para adoptar la actitud propia de su papel se acostumbró a que en las ciudades lo recibieran con aclamaciones; a caminar entre testas inclinadas; a sentarse en un trono mientras los criados se apresuraban a deslizarle bajo los pies buen número de piezas de seda, de modo que aquéllos no colgasen en el vacío; a recibir el homenaje de los señores y a escuchar gravemente las quejas de las ciudades. Sorprendió por su dignidad, su afabilidad, el buen sentido de sus preguntas. La gente se enternecía con su seriedad; las lágrimas brotaban de los ojos de los viejos caballeros y de sus viejas esposas cuando aquel niño les aseguraba su amor y su amistad, elogiaba sus méritos y les decía que daba por descontada su fidelidad. La más mínima palabra de un príncipe es objeto de glosas infinitas, de modo que para quien la escucha cobra mayor importancia. Pero tratándose de un jovencito, de una miniatura de príncipe, ¡qué anécdotas conmovidas provocaba con la frase más sencilla! «A esa edad, es imposible fingir.» Y, sin embargo, fingía e incluso le complacía fingir, como les ocurre a todos los niños. Fingía interesarse en cada uno de los que se acercaban, e incluso si el interlocutor tenía un ojo apagado y una boca desdentada; fingía satisfacción por el regalo que le traían, aunque ya hubiese recibido cuatro iguales; fingía autoridad cuando un consejo municipal venía a quejarse por un problema de peaje o algún litigio comunal... «Si hubo injusticia, se respetarán vuestros derechos. Deseo que se realice con diligencia la investigación.» Había comprendido muy pronto que hablar en tono decidido producía un efecto considerable sin comprometerse a nada.

Aunque había estado varias semanas enfermo en Grenoble, aún no sabía que su salud sería tan precaria. Durante este viaje recibió la noticia de la muerte de su madre y de su abuela, y poco después sobrevino el nuevo matrimonio de su abuelo y de su padre: un golpe tras otro, hasta que le anunciaron que él mismo pronto desposaría a Juana de Borbón, que era su prima y que tenía la misma edad que él.

La ceremonia se celebró en Tain-l'Hermitage, a principios de abril, con gran pompa y con la presencia de muchos dignatarios de la Iglesia y la nobleza... De eso hace seis años.

Es un milagro que toda esta pompa no lo trastornase. En todo caso, ya había demostrado la inclinación, común a todos los príncipes de su familia, al gasto y el lujo. Auténticos manirrotos. Necesitan tener inmediatamente todo lo que les place. Quiero esto, quiero aquello. Comprar, poseer las cosas más bellas y más raras, las más extrañas y, sobre todo, las más caras: los animales salvajes, las joyas suntuosas, los libros iluminados, gastar y vivir en cámaras revestidas de seda y telas doradas de Chipre, adornar sus vestiduras con fortunas en piedras, deslumbrar. Para el delfín, como para todas las personas de su linaje, es el signo del poder y la prueba, ante sus propios ojos, de la majestad. Una actitud ingenua que les viene de su antepasado, el primer Carlos, hermano de Felipe el Hermoso y emperador titular de Constantinopla, ese gran fanfarrón que tanto se agitó y agitó a Europa, y que durante un tiempo incluso soñó con el Imperio alemán. Un derrochador como pocos. Todos lo llevan en la sangre. En esta familia, cuando encargan zapatos piden veinticuatro, cuarenta o cincuenta y cinco pares al mismo tiempo... para el rey, para el delfín, para mi señor de Orleans. Es cierto que esas estúpidas polainas no soportan el lodo; las largas puntas se deforman, los bordados se ensucian y se arruina en tres días lo que llevó un mes de trabajo a los mejores artesanos que emplea la tienda de Guillermo Loisel, en París. Lo sé porque allí encargo mis pantuflas; pero me bastan ocho pares anuales. Y mirad: ¿acaso no voy siempre bien calzado?

Como la corte marca el tono, los señores y los burgueses se arruinan comprando pasamanería, pieles, joyas y otros objetos que satisfacen la vanidad. Se rivaliza, y cada uno pretende ser más que el resto. Pensad que para adornar el sombrero que llevaba mi señor el delfín, ese día de Ruan que os estoy relatando, se había utilizado una hilera de perlas grandes y otra de perlas pequeñas,

¡encargadas a Belhommet Thurel por trescientos o trescientos veinte escudos!

¿Puede extrañarnos que los cofres estén vacíos cuando todos gastan más de lo que tienen?

¡Ah, ya viene mi litera! Han cambiado el tiro. Y bien, volvamos a nuestro asiento...

Sea como fuere, hay un hombre que aprovecha estas dificultades financieras y que hace muchos negocios gracias a la penuria de la caja real; es el señor Nicolás Braque, el primer mayordomo, que es también el tesorero y el gobernador de la moneda. Ha organizado una pequeña compañía de banca, o mejor sería decir una compañía de estafas, que compra, a veces por los dos tercios, otras por la mitad e incluso por el tercio de su valor las deudas del rey y de su parentela. El mecanismo es sencillo. Un proveedor de la corte está al borde de la ruina porque desde hace dos años o más no se le paga nada, y ya no sabe cómo pagar a sus artesanos o comprar sus mercancías. Va a ver al señor Braque y le presenta sus facturas. El señor Braque es un hombre majestuoso; un individuo apuesto, siempre vestido con severidad, que dice únicamente lo necesario. Es muy eficaz cuando se trata de bajarle los humos a la gente. Llega uno, furioso: «Esta vez tendrá que escucharme; le diré muchas cosas y no ahorraré palabras...» y, en un abrir y cerrar de ojos, se convierte en un individuo balbuceante y suplicante. El señor Braque deja caer sobre el visitante, como una ducha, algunas palabras frías y secas: «Vuestros precios son exagerados, como ocurre siempre con los trabajos destinados al rey... la clientela de la corte acrecienta vuestro prestigio y así podéis hacer grandes negocios... si el rey se ve en dificultades para pagar, es porque todo el dinero de su Tesoro se destina a los gastos de la guerra... podéis achacar la culpa a los burgueses, que, como el maestro Marcel, no quieren pagar impuestos... puesto que sufrís tanto proveyendo al rey, os retiraremos los encargos...»

Y cuando el quejoso comienza a mostrarse más humilde y aplacado, incluso temeroso, Braque le dice: «Si en verdad estáis en dificultades, trataré de ayudaros. Puedo hablar con ciertos financieros, mis amigos, que se harán cargo de la deuda. Intentaré, oídme bien, intentaré que las compren pagando las cuatro sextas partes del valor, y vos firmaréis un recibo por el total. La compañía se hará reembolsar cuando Dios quiera reabastecer el Tesoro... si eso llega un día. Pero no habléis del asunto, porque si lo hacéis, todos los habitantes del reino vendrán mañana con la misma petición. Os hago un gran favor.»

Después, apenas hay unos centavos en caja, Braque se apresura a decir al rey: «Señor, en defensa de vuestro honor y vuestro prestigio no deseaba prolongar esa lamentable deuda, sobre todo porque el acreedor estaba muy irritado y amenazaba provocar un escándalo. Por amor a vos he saldado esa deuda con mi propio dinero.» Y como él mismo se otorga prioridad, consigue que le reembolsen el total.

Por otra parte, Braque es quien ordena los gastos que se hacen en palacio, y así consigue que le hagan hermosos regalos por cada orden de compra. Este hombre tan honesto gana por los dos extremos.

El día del banquete se ocupaba menos de negociar el pago de los auxilios negados por los Estados de Normandía que de tratar con el alcalde de Ruan, el maestro Mustel, el descuento de los créditos de los mercaderes de esta ciudad. Pues continuaban impagadas algunas cuentas que databan del último viaje del rey, y otras incluso anteriores. En cuanto al delfín, desde que era teniente del rey en Normandía, e incluso antes de recibir el título de duque, pedía y pedía pero jamás saldaba ninguna de sus cuentas. Y el señor Braque se entregaba a su tráfico habitual y aseguraba al alcalde que por amistad a él y a la estima que tenía a las buenas gentes de Ruan, les arrebataría el tercio de sus ganancias. Más aún, pues les pagaría en francos, una moneda devaluada. ¿Quién la había devaluado? El propio Braque, que decidía las modificaciones... Reconozcamos que cuando los Estados se quejan de los grandes funcionarios reales, tienen motivo para hacerlo. Cuando pienso que el señor Enguerrando de Marigny fue ahorcado antaño porque se le reprochó, diez años después del hecho, haber devaluado una vez la moneda... ¡pero si era un santo comparado con los manipuladores actuales!

¿Qué encontramos en Ruan digno de mención, aparte de los servidores habituales y de Mitton *el Loco*, el enano del delfín, que correteaba entre las mesas, llevando también él un sombrero cuajado de perlas...? Yo os pregunto si regalar perlas a un enano es el modo de gastar los escudos que uno no tiene. El delfín ha ordenado que lo vistan con un lienzo rayado que le tejen especialmente en Gantes... Desapruebo este modo de tratar a los enanos. Se los obliga a representar el papel de bufón, se los golpea, se hace burla de ellos. Después de todo, son criaturas de Dios aunque puede afirmarse que Dios no los hizo muy bien. Razón de más para demostrarles un poco de caridad. Pero por lo que se ve, las familias consideran una bendición la llegada de un enano. «¡Ah! Es pequeño. Ojalá que no crezca más. Podemos venderlo a un duque o quizás al rey...»

No, creo que ya he mencionado a todos los invitados importantes, entre ellos a Friquet de Fricamps, Graville, Mainemares, sí, ya los he nombrado... y después, por supuesto, el más importante de todos, el rey de Navarra.

El delfín le dedicaba su entera atención. Por lo demás, no necesitaba esforzarse mucho ni ocuparse del obeso Harcourt. Éste conversaba únicamente con las fuentes, y era inútil dirigirle la palabra mientras tragaba montañas de comida.

Pero los dos Carlos, el de Normandía y el de Navarra, los dos cuñados, hablaban mucho. O más bien, hablaba el de Navarra. No se habían visto desde el fallido viaje a Alemania, y era muy propio del navarro tratar de recuperar el dominio que antes ejercía sobre su joven pariente, apelando al halago, a las promesas de sincera amistad, a los recuerdos alegres y a los relatos agradables.

Mientras su servidor Colin Doublel depositaba los platos frente al amo, el de Navarra, alegre y encantador, desbordaba entusiasmo y desenvoltura... «Es el festejo de nuestro reencuentro; te agradezco profundamente, Carlos, que me permitas demostrar lo unido que me siento a ti; desde el día en que nos separamos me aburro...» Y recordaba las alegres reuniones del invierno precedente y las amables burguesas que se jugaban a los dados, y para quién la rubia, y para quién la morena. «La Cassinel está embarazada y nadie duda que de ti...», y de allí pasaba a los reproches afectuosos... «¡Ah! ¿De modo que relataste a tu padre todos nuestros proyectos? De ese modo conseguiste el ducado de Normandía, y debo reconocer que jugaste bien tus cartas. Pero conmigo ahora podrás tener el reino entero...» Y al fin le decía, retomando la antigua táctica: «¡Confiesa que serías mejor rey que él!»

Y así averiguaba, sin aparentar siquiera que rozaba el tema, cuándo volverían a verse el delfín y el rey Juan, si se había fijado la fecha, si sería en Normandía... «Oí decir que fue a cazar por el lado de Gisors.»

Pero se encontró ante un delfín más reservado, más disimulado que antaño. Sí, afable, pero en guardia; respondía a tanto apremio sólo con sonrisas o inclinaciones de la cabeza.

De pronto, se oyó un tremendo estrépito de vajilla rota, que se impuso a la voz de los comensales. Mitton *el Loco*, que se ocupaba de imitar a los servidores cuando presentaban un mirlo, y que hacía piruetas sobre la fuente de plata más grande que había podido hallar, había dejado caer la fuente. Y abría la boca y señalaba la puerta.

Los buenos caballeros normandos, ya bastante embriagados, se divertían con lo que creían que era otra payasada. Pero muy pronto se les heló la sonrisa en los labios.

Pues en la puerta estaba el mariscal de Audrehem, armado de pies a cabeza, espada en mano, la punta hacia arriba, mientras clamaba con voz de trueno: «Que ninguno de vosotros mueva un dedo, si no quiere morir por esta espada.»

Ah, se ha detenido la litera. Sí... hemos llegado; no lo había advertido. Os contaré el resto después de la cena.

5

El arresto

Muchísimas gracias, señor abate, me siento obligado con vos... No, de nada, os aseguro que no necesito nada, sólo que traigan algunos leños para el fuego... mi sobrino me hará compañía; conversaré con él. En efecto, señor abate, buenas noches. Os agradezco las plegarias que elevaréis por el Muy Santo Padre y por mi humilde persona... sí, y agradezco a vuestra piadosa comunidad... el honor es mío. Sí, os bendigo; el Señor os tenga en Su Santo Seno...

¡Uf! Si se lo hubiese permitido, este abate habría conversado hasta medianoche. Seguramente nació el Día de San Charlatán...

Veamos, ¿dónde estábamos? No deseo obligaros a esperar... Ah, sí, el mariscal... la espada en alto...

Detrás del mariscal apareció una docena de arqueros que empujaron brutalmente contra las paredes a los criados y los lacayos; y después, Lalemant y Perrinet *el Búfalo*, y pisándoles los talones el propio rey Juan II, completamente armado, la cabeza protegida por el yelmo, los ojos echando chispas. Lo seguían de cerca Chaillouel y Crespi, dos sargentos de su guardia personal.

«Es una emboscada», dijo Carlos de Navarra.

Por la puerta continuaba entrando la escolta real, y de ella formaban parte algunos de los peores enemigos de Carlos de Navarra: los hermanos de Artois, Tancarville...

El rey caminó en línea recta hacia la mesa de honor.

Los señores normandos esbozaron un movimiento impreciso, una especie de reverencia. Con un gesto de las dos manos, el rey Juan les ordenó que permanecieran sentados.

Aferró a su yerno por el cuello de piel de la chaqueta, lo sacudió y lo arrancó del asiento, mientras gritaba desde el fondo de su yelmo: «¡Maldito traidor! Ni siquiera eres digno de sentarte al lado de mi hijo. Por el alma de mi padre, no volveré a comer ni a beber mientras tú vivas!»

Colin Doublel, el escudero de Carlos de Navarra, cuando vio maltratado a su amo tuvo un impulso absurdo y blandió un cuchillo de trinchar con el cual quiso herir al rey. Un gesto que abortó Perrinet *el Búfalo*, doblándole el brazo.

Por su parte el rey soltó al de Navarra, y momentáneamente desconcertado, miró con sorpresa a ese simple escudero que se había atrevido a levantar la mano contra él. «Detened a este muchacho y también a su amo», ordenó.

El séquito del rey había avanzado rápidamente, los hermanos Artois en primera fila, que ahora sujetaban a Carlos de Navarra como una nuez aferrada por los dos brazos de una pinza. Los hombres de armas habían ocupado totalmente la sala. Los tapices parecían erizados de picas. Los criados de la cocina parecían ansiosos de hundirse en los muros. El delfín se había puesto de pie y decía: «Señor, padre mío; señor, padre mío...»

Carlos de Navarra intentó explicarse, defenderse. «¡Mi señor, no comprendo! ¿Quién os ha informado tan mal contra mí? ¡Que Dios me ayude, pero lo cierto es que jamás he pensado en la traición, ni contra vos ni contra mi señor vuestro hijo! Si en el mundo hay un hombre que quiera acusarme, que lo haga frente a vuestros pares, y juro que refutaré sus dichos y lo confundiré.»

Incluso en una situación tan peligrosa tenía la voz

clara, y la palabra le venía fácilmente a la boca. En verdad parecía un individuo muy pequeño y muy frágil en medio de todos esos guerreros; pero pese al aprieto conservaba su dominio.

«Mi señor, soy rey, de un reino menor que el vuestro, sí, pero merezco que se me trate como rey.» «¡Eres conde de Evreux, eres mi vasallo y un felón!» «Soy vuestro buen primo, soy el esposo de vuestra señora hija y jamás he cometido ninguna fechoría. Es cierto que ordené matar a mi señor de España. Pero era mi adversario y me había ofendido. Ya hice penitencia por mi acto. Hemos concertado la paz y vos habéis concedido cartas de perdón a todos...» «A la cárcel, traidor, ya has mentido bastante. ¡Ve! Que te encierren, que los encierren a ambos —gritó el rey, señalando al de Navarra y a su escudero—. Y también a éste», agregó, señalando con el guante a Friquet de Fricamps, a quien acababa de reconocer y que, como todos sabían, había organizado el atentado de La Trucha que Huye.

Mientras los arqueros y los sargentos arrastraban a los tres hombres hacia una cámara vecina, el delfín se arrojó a los pies del rey. Aunque el terrible furor que veía en el rostro de su padre lo intimidaba, había conservado lucidez suficiente para advertir las consecuencias, ajenas a su propia voluntad, del episodio que ahora estaba presenciando.

«¡Ah!, señor, padre mío, por Dios, me deshonráis. ¿Qué se dirá de mí? Invité a cenar al rey de Navarra y a sus barones, y los tratáis así. Se dirá de mí que los traicioné. Por Dios os ruego que os calméis y cambiéis de actitud.» «¡Calmaos vos, Carlos! No sabéis lo que yo sé. Son perversos traidores y muy pronto descubriremos sus fechorías. No, no sabéis todo lo que yo sé.»

Entonces, nuestro Juan II se apoderó de la maza de un sargento y descargó sobre el duque de Harcourt un golpe formidable, que habría fracturado el hombro de otro individuo menos adiposo. «¡De pie, traidor! Vos también iréis a la cárcel. Tendréis que ser muy astuto para escapar de mis garras.»

Y como el obeso de Harcourt, aturdido, no se puso de pie con suficiente rapidez, el rey Juan lo aferró por la chaqueta blanca y la desgarró, de modo que la vestidura se rompió hasta la camisa.

Empujado por los arqueros, Juan de Harcourt pasó frente a su hermano menor Luis, y le dijo algo que los demás no oyeron, pero que era una frase dura, a lo cual el otro respondió con un gesto que podía significar lo que uno quisiera... No pude hacer nada; soy chambelán del rey; te lo buscaste, tanto peor para ti...

«Señor, padre mío —insistía el duque de Normandía—, hacéis mal en tratar así a estos hombres valerosos.»

Pero Juan II ya no lo oía. Cruzó algunas miradas con Nicolás Braque y Roberto de Lorris, que le indicaron en silencio a varios convidados. «¡Éste, a la prisión! Y aquél...», ordenó, mientras empujaba al señor de Graville y descargaba el puño sobre Maubué de Mainemares, dos caballeros que también habían participado en el asesinato de Carlos de España, pero que dos años atrás habían recibido sus respectivas cartas de perdón, firmadas por el propio rey. Como veis, era un odio duro y antiguo.

Mitton *el Loco*, subido a un banco de piedra, delante de una ventana, hacía signos a su amo, y le mostraba las fuentes depositadas sobre las mesas, y después señalaba al rey y agitaba los dedos frente a la boca... Comer...

«Padre, dijo el delfín, ¿queréis que os sirvan de comer?» La idea era feliz; evitó que la Normandía entera fuese a parar a los calabozos.

«¡Demonios, sí! De veras tengo apetito. ¿Sabéis, Carlos, que partí del extremo del bosque de Lyons, y que desde el alba corro para castigar a estos malvados? Ordenad que me sirvan.»

Y con un gesto de la mano pidió que le quitaran el yelmo. Aparecieron los cabellos aplastados, el rostro enrojecido; el sudor le empapaba la barba. Se sentó en el lugar de su hijo, y ya había olvidado su juramento de abstenerse de comer y de beber mientras su yerno aún estuviese con vida.

Mientras se apresuraban a traerle un cubierto, le servían vino, lo entretenían con una pasta de pescado bastante pasable, le presentaban un cisne que había permanecido intacto y aún estaba tibio, entre los prisioneros a quienes retiraban de la sala y los criados que corrían de nuevo hacia las cocinas hubo bastante movimiento en las habitaciones y las escaleras; los señores normandos aprovecharon para huir. Fue lo que hizo el señor de Clères, que también era uno de los asesinos del hermoso español, y que escapó por poco. El rey no se preocupó por detener a nadie, y los arqueros lo dejaron pasar. También la escolta tenía apetito y sed. Juan de Artois, Tancarville y los sargentos se acercaron a las fuentes. Esperaron un gesto del rey que los autorizara a reponer fuerzas. Como no hubo tal gesto, el mariscal de Audrehem arrancó una pata de capón que estaba sobre una mesa y se puso a comer, de pie. Luis de Orleans esbozó un gesto de humor. En verdad, su hermano demostraba escasa preocupación por quienes lo servían. Se instaló en el asiento que el de Navarra había ocupado un momento antes, y dijo: «Me siento obligado a haceros compañía, hermano.»

Entonces, con una especie de indiferente mansedumbre, el rey invitó a sentarse a sus parientes y a los barones. Todos aceptaron de inmediato y se acomodaron alrededor de los manteles manchados para consumir los restos de la comilona. Nadie se preocupó de cambiar las fuentes de plata. Cada uno atrapaba lo que tenía al alcance de la mano, el pote de leche antes que el pato confitado, la oca antes que la sopa de mariscos. Comieron los restos de las frituras frías. Los arqueros se atiborraban con pedazos de pan o bien corrían a las cocinas para conseguir algún bocado más sustancioso. Los sargentos vaciaban los vasos abandonados.

El rey, con las botas apoyadas sobre la mesa, parecía sumido en una ensoñación. Su cólera no se había apaciguado; incluso parecía que el alimento la había reavivado. Sin embargo, había debido tener motivos de satisfacción. ¡El buen rey representaba su papel de justiciero! Al fin acababa de conquistar una victoria; tenía una bella proeza que los escribientes podían anotar y que sería relatada durante la próxima reunión de la Orden de la Estrella. «De cómo mi señor el rey Juan abatió a los traidores apresados en el castillo de Bouvreuil...» De pronto, pareció asombrado de que ya no estuviesen allí los caballeros normandos, y comenzó a inquietarse. Desconfiaba de ellos. ¿No pretenderían organizar una rebelión, movilizar a la ciudad, liberar a los prisioneros? Este hombre tan hábil revelaba así su verdadero carácter. Al principio, impulsado por un furor que le venía de antiguo, se abalanzaba sin pensar en nada; después, descuidaba consolidar lo que había hecho; en tercer lugar, imaginaba cosas, siempre alejadas de la realidad pero que enraizaban tenazmente en su espíritu. Ahora, ya veía Ruan levantada en armas, como había ocurrido en Arras un mes antes. Ordenó que compareciese el alcalde. Pero el maestro Mustel no estaba allí. «Pero si lo he visto hace un momento», decía Nicolás Braque. Atraparon al alcalde en el patio del castillo. Compareció, el rostro pálido por la digestión interrumpida, ante el rey que continuaba engullendo. Recibió la orden de cerrar las puertas de la ciudad y proclamar en las calles que cada uno debía permanecer en su casa. Estaba prohibido circular; burgueses o campesinos, a todos afectaba el decreto, y sin ningún motivo. Era el estado de sitio, el toque de queda en pleno día. Un ejército enemigo que hubiese ocupado la ciudad no habría procedido de otro modo.

Mustel tuvo el coraje de mostrarse ultrajado. Los ruaneses no habían hecho nada que justificase tales medidas. «¡Sí! Os negáis a pagar los impuestos, y en eso atendéis a las exhortaciones de estos malvados a quienes acabo de confundir. Pero por san Dionisio, ya no volverán a exhortaros.»

Cuando vio retirarse al alcalde, el delfín debió de pensar entristecido que todos sus pacientes esfuerzos, realizados desde hacía varios meses, para conciliar a los normandos, habían quedado reducidos a la nada. Ahora todos, nobles y burgueses, se volverían contra él. En efecto, ¿quién creería que no era cómplice de la emboscada? A decir verdad, su padre le había asignado un papel bastante ingrato.

Después, el rey ordenó que mandasen buscar a Guillermo... Bien, Guillermo no sé cuántos... He olvidado el apellido, aunque antes lo sabía... En fin, su jefe de tropa. Y todos comprendieron que había decidido proceder sin más a la ejecución inmediata de los prisioneros.

«Los que no saben seguir las normas de la caballería, más vale que no conserven la vida», dijo el rey. «Muy cierto, primo Juan», aprobó Juan de Artois, ese monumento a la estupidez.

Archambaud, yo os pregunto: ¿es norma de la caballería desplegarse en orden de batalla para detener a personas desarmadas, y utilizar como cebo al propio hijo? Sin duda, el de Navarra cometió muchas fechorías; pero con su apariencia grandiosa, ¿el rey Juan tiene mucho más honor en el alma?

6

Los preparativos

Guillermo a la Cauche... ¡Ya lo encontré! El nombre que buscaba; el rey de los auxiliares... Extraño cargo éste, instituido por Felipe Augusto. Había organizado como guardia personal un cuerpo de sargentos, todos gigantes, a quienes se conocía como los *ribaldi regis*, los auxiliares del rey. Por inversión del genitivo, o quizá como juego de palabras, el jefe de esta guardia se convirtió en el *rex ribaldorum*. Manda a los sargentos como Perrinet *el Búfalo* y a los restantes; y todas las noches, a la hora de la cena, se ocupa de recorrer la residencia real para comprobar que salieron todos los que entraron en el patio pero que no deben dormir allí. Pero sobre todo, como creo haber dicho, se encarga de vigilar los lugares de mala fama de todas las ciudades donde se detiene el rey. Es decir, que en primer lugar reglamenta o inspecciona los burdeles de París, que no son pocos, por no hablar de las trotonas que trabajan por cuenta de esos burdeles en las calles que les están reservadas. Y también las casas de juego. En estos lugares de perdición es más fácil descubrir a los ladrones, los estafadores, los falsarios y los asesinos a sueldo, y también conocer los vicios de las personas, a veces muy encumbradas, que siempre ostentan una fachada absolutamente honorable.

En definitiva, el rey de los auxiliares se convirtió en jefe de una especie de policía muy particular. Tiene espías por doquier. Dirige y mantiene una red de soplones de taberna que le suministran informes y datos. Si se

155

quiere seguir a un viajero, explorar los bolsillos de su abrigo o saber con quién se reúne, apelamos a este hombre. No es un individuo amado, pero sí un hombre temido. Os hablé de él en previsión del día en que vayáis a la corte. Más vale no malquistarse con él. Gana mucho, pues su cargo le aporta considerables beneficios. Vigilar a las prostitutas e inspeccionar los burdeles es actividad que rinde buenas ganancias. Además de las ganancias en dinero y las ventajas en especies que obtiene de la casa del rey, percibe dos sueldos por semana pagados por todos los prostíbulos y todas las mujeres que están en ellos. Un hermoso impuesto, cuya recaudación es menos dificultosa que en el caso de las tasas. Asimismo, cobra cinco sueldos a las mujeres adúlteras... por lo menos a las conocidas. Pero al mismo tiempo se encarga de contratar a las mujeres galantes que la corte utiliza. Se le paga para mantener los ojos abiertos, pero también se le paga a menudo para tener la boca cerrada. Y además él se encarga, cuando el rey sale para hacer una incursión, de ejecutar sus sentencias o las del tribunal de los mariscales. Determina el reglamento de los suplicios, y en ese caso los despojos de los condenados le pertenecen, y se apodera de todo lo que llevan encima en el momento de su arresto. Como normalmente no son criminales de poca monta los que provocan la cólera real, sino los poderosos o los ricos, las vestiduras y las joyas que les arrebatan no son de ningún modo despreciables.

El día de Ruan obtuvo excelentes ganancias. ¡De golpe descabezar a un rey y a nobles señores! Desde Felipe Augusto el rey de auxiliares jamás había conocido tal fortuna. Una ocasión sin igual para hacerse apreciar por el soberano. De todos modos, tuvo que trabajar bastante. Un suplicio es un espectáculo... Abordó al alcalde y le pidió seis carretas, pues el rey había exigido una carreta por condenado. De ese modo el cortejo sería más largo. Los vehículos esperaban en el patio del palacio. Cada carreta con sus percherones de patas peludas y gruesas. Tuvo que encontrar a un verdugo... porque el verdugo de la ciudad no estaba, o no se encontraba disponible. El rey de los auxiliares sacó de la prisión a un criminal llamado Bétrouve, Pedro Bétrouve (como veis, recuerdo bien ese nombre, Dios sabe por qué), un hombre que tenía cuatro homicidios sobre la conciencia, lo cual parecía una buena preparación para el trabajo que se le confiaba, y que debía ejecutar a cambio de una carta de perdón entregada por el rey. Este Bétrouve fue un hombre afortunado. Si hubiese estado el verdugo en la ciudad...

También fue necesario encontrar un sacerdote; pero esto es más usual y no hubo mayor dificultad para elegirlo... El primer capuchino a quien hallaron en el convento más próximo.

Mientras se realizaban estos preparativos, el rey Juan celebraba consejo en la sala del banquete, desalojado a toda prisa...

Realmente, soportamos un tiempo bastante lluvioso. Seguirá así el día entero. Bien, tenemos buenas pieles, brasas en los braseros, grageas, vino con canela para fortalecernos contra la humedad; podemos soportar el viaje hasta Auxerre. Me alegro de volver a Auxerre; refrescaré mis recuerdos...

De modo que el rey celebraba consejo, y era prácticamente el único que hablaba. Su hermano de Orleans callaba, lo mismo que su hijo de Anjou. Audrehem se mostraba sombrío. El rey veía, por la expresión de los rostros de sus consejeros, que incluso los que más odiaban al rey de Navarra no aprobarían que lo decapitaran así, sin proceso y como de pasada. Aquello recordaba un poco la ejecución de Raúl de Brienne, el antiguo condestable, decidida también obedeciendo un impulso de cólera, por razones jamás aclaradas, y que había sido un mal comienzo para su reinado.

Solamente Roberto de Lorris, el primer chambelán,

parecía apoyar los deseos de venganza instantánea del soberano; pero ello respondía a una necesidad vulgar más que a la convicción. Había estado apartado de la corte varios meses porque, en opinión del rey, se había puesto demasiado de parte del navarro en el tratado de Mantes. Lorris necesitaba demostrar su fidelidad.

Nicolás Braque, que es hábil y sabe manejar al rey, trató de distraerlo hablando de Friquet de Fricamps. Creía que convenía que conservara de momento la vida para someterlo a un interrogatorio completo y severo. Nadie duda de que el gobernador de Caen, tratado convenientemente, puede revelar secretos muy interesantes. ¿Cómo podrían conocerse todas las ramificaciones de la conspiración si no se conservaba con vida a ninguno de los prisioneros?

—Sí, sería una actitud sensata —dijo el rey—, que se conserve la vida de Friquet.

Entonces, Audrehem abrió una de las ventanas y gritó al rey de los auxiliares, que estaba en el patio:

—¡Hacen falta sólo cinco carros! —Recalcó sus palabras con un gesto y con la mano abierta. Cinco. De modo que se devolvió al alcalde uno de los carros.

—Si es sensato conservar a Fricamps, lo será todavía más guardar a su amo —dijo entonces el delfín.

Pasada la primera conmoción, el delfín había recuperado su calma y su aire reflexivo. Su honor estaba comprometido en el asunto. Trataba por todos los medios de salvar a su cuñado. Juan II había pedido a Juan de Artois que repitiese, para conocimiento general, lo que sabía de la conspiración.

—Pero «mi primo Juan» se había mostrado menos seguro frente al consejo, que ante el rey y a solas. Cuchichear a la oreja una delación parece poco arriesgado. Repetirla en voz alta, frente a diez personas, ya es más difícil. Después de todo, se trataba sencillamente de un chisme. Una antigua servidora había visto... otro había oído...

Aunque en el fondo de su alma el duque de Normandía no podía dejar de conceder crédito a las acusaciones formuladas, las presunciones no le parecían muy firmes.

—Respecto del perverso yerno, creo que ya sabemos suficiente —dijo el rey.

—No, padre, no sabemos nada —respondió el delfín.

—Carlos, ¿cómo sois tan obtuso? —dijo el rey, encolerizado—. ¿No habéis oído que este perverso pariente, carente de fe y honor, esta bestia maligna, quería sangrarnos a ambos, a vos y a mí? Pues también a vos quería mataros. ¿Creéis que muerto yo, vos habríais sido un gran obstáculo para las empresas de vuestro buen hermano, que deseaban llevaros a Alemania en perjuicio de mi persona? Ansía nuestro lugar y nuestro trono, nada más y nada menos. ¿O bien continuáis tan seducido por su persona que os negáis a entender nada?

El delfín se mostró seguro y decidido:

—He oído perfectamente, padre; pero aquí no hay pruebas ni confesiones.

—¿Y qué pruebas queréis, Carlos? ¿La palabra de un primo fiel no os basta? ¿Esperáis yacer, empapado en vuestra propia sangre y atravesado como estuvo mi pobre Carlos de España para obtener la prueba?

El delfín se obstinó.

—Padre mío, hay presunciones muy graves, no lo niego; pero por el momento, nada más. Presunción no es delito.

—Presunción es delito para el rey, que está obligado a defenderse —dijo Juan II, el rostro enrojecido—. Carlos, no habláis como un rey, sino como un letrado de la universidad que se atrinchera tras sus gruesos libros.

Pero el joven Carlos no cedía.

—Si el deber real consiste en defenderse, más vale que los reyes no nos decapitemos unos a otros. Es vuestro yerno, sin duda felón, pero aun así vuestro yerno.

¿Quién respetará a las personas reales si los reyes se envían unos a otros al verdugo?

—Pues en ese caso, más le hubiera valido no comenzar él mismo —exclamó el rey.

Entonces intervino el mariscal de Audrehem para dar su opinión.

—Señor, esta vez el mundo dirá que vos habéis comenzado.

Archambaud, un condestable o un mariscal son personas de difícil manejo. Los instaláis en un cargo de autoridad y después, de pronto, lo usan para pelearse. Audrehem es un viejo guerrero (en realidad, no tan viejo; tiene menos años que yo), de todos modos, un hombre que mucho tiempo obedeció y calló y que presenció muchas tonterías sin poder decir una palabra. Ahora trató de recuperar el tiempo perdido.

—Si por lo menos hubiésemos atrapado a todos los zorros en la misma trampa —continuó—. Pero Felipe de Navarra está libre y se muestra tan encarnizado como el hermano. Si matamos al mayor, lo reemplazará el menor, que se alzará en armas con su partido y tratará igualmente con los ingleses, tanto más cuanto que es mejor caballero y tiene un espíritu más fogoso.

Luis de Orleans apoyó al delfín y al mariscal y explicó al rey que mientras tuviese en prisión a Carlos de Navarra, por eso mismo se impondría a los vasallos del prisionero.

—Conviene instruirle un prolongado proceso, destacar la sordidez de su alma, nadie os reprochará la sentencia. Cuando el padre de nuestro primo Juan cometió esos actos que todos conocemos, el rey nuestro padre se atuvo exclusivamente al juicio público y solemne. Y cuando nuestro gran tío Felipe el Hermoso descubrió la mala conducta de sus nueras, por rápida que fuese su sentencia se fundó en interrogatorios y fue dictada ante un público nutrido.

Nada de todo esto agradó al rey Juan, que se mostró irritado.

—¡Hermano, qué hermosos y qué provechosos ejemplos me ofrecéis! El gran juicio de Maubuisson deshonró y desconcertó a la familia real. En cuanto a Roberto de Artois, aunque ello desagrade a nuestro primo Juan, que sólo se le desterrase en lugar de arrestarlo y matarlo fue el origen de la guerra con Inglaterra.

Mi señor de Orleans, que no siente mucho afecto por su hermano mayor, y que se complace en contrariarlo, habría insistido entonces... me aseguran que dijo lo siguiente:

—Señor, hermano mío, ¿debo recordaros que Maubuisson no nos perjudicó demasiado? Sin Mubuisson, donde nuestro abuelo Valois, a quien Dios guarde, representó su papel, seguramente ahora nuestro primo de Navarra ocuparía el trono en lugar de ser vos mismo el rey. En cuanto a la guerra con Inglaterra, es posible que el conde Roberto la haya promovido, pero consagró a ella una sola lanza, la suya. Ahora bien, la guerra con Inglaterra dura ya más de dieciocho años...

Parece que el rey acusó la estocada. Se volvió hacia el delfín, lo miró con dureza:

—Es cierto, dieciocho años; exactamente vuestra edad, Carlos —dijo, como si le achacase la culpa de esa coincidencia.

—Habría sido más fácil expulsar del país a los ingleses si no nos hubiésemos batido siempre entre los franceses —apuntó Audrehem.

El rey guardó silencio un momento, en el rostro una expresión contrariada. Es necesario estar muy seguro de lo que uno piensa para defender una decisión cuando ninguno de los que os sirven la aprueba. En estas cosas puede juzgarse el carácter de los príncipes. Pero el rey Juan no es un hombre decidido; es un hombre obstinado.

Nicolás Braque, que en los consejos aprendió el arte de aprovechar los silencios, suministró al rey una vía de escape, que dejaba a salvo tanto su orgullo como su rencor.

—Señor, ¿no es demasiado compasivo permitirle morir de golpe? Hace más de dos años que mi señor de Navarra os hace sufrir. ¿Y le concederéis un castigo tan breve? Si lo mantenemos en prisión, arreglaremos las cosas de modo que se sienta morir todos los días. Además, apuesto a que sus partidarios no dejarán de organizar un intento de fuga. Cuando llegue el momento, podréis castigar a los que hoy esquivaron vuestra red. Y tendréis pretextos apropiados para descargar vuestra justicia sobre una rebelión tan evidente...

El rey aceptó este consejo y dijo que en efecto, su traidor yerno merecía expiar su culpa mucho más tiempo.

—Postergo esa ejecución. Ojalá no tenga que arrepentirme. Pero por ahora, que se apresure el castigo del resto. Hemos hablado bastante y perdido demasiado tiempo. —Al parecer temía que le indujesen a renunciar a otra cabeza.

Desde la ventana, Audrehem llamó de nuevo al rey de los auxiliares, y le mostró cuatro dedos. Y como no estaba seguro de que le hubiese entendido bien, envió a un arquero para decirle que se necesitaba una carreta menos.

—¡Deprisa! —repetía el rey—. Entregaremos a esos traidores.

Entregar... ¡Extraña palabra, que quizá sorprenda a los que no conocen bien a este extraño príncipe! Es su fórmula habitual, cuando ordena una ejecución. No dice: «Que entreguen a estos traidores al verdugo», lo que tendría sentido, sino «entregad a estos traidores». ¿Qué significa eso para él? ¿Entregarlos al verdugo? ¿Entregarlos a la muerte? ¿O se trata sencillamente de un error en el cual se obstina, porque dominado por la cólera su cabeza confusa ya no controla las palabras?

Archambaud, os cuento todo esto como si yo hubiera estado allí. Ocurre que escuché el correspondiente relato en julio, apenas tres meses después, cuando el recuerdo aún estaba fresco, y de labios de Audrehem, de mi señor de Orleans y del propio delfín, y también de Nicolás Braque. Por supuesto, cada uno recordaba sobre todo lo que él mismo había dicho. De ese modo, he reconstruido, y creo que con bastante exactitud y en detalle, el asunto completo. Acerca de esto escribí al Papa, a quien habían llegado versiones más breves y un tanto diferentes. En este tipo de cosas, los detalles son más interesantes de lo que se cree, porque arrojan luz sobre el carácter de las personas. Lorris y Braque son dos hombres muy hábiles en cuestiones de dinero, y deshonestos cuando se trata de conseguirlo; pero Lorris tiene un carácter bastante mediocre y en cambio Braque es un político sensato...

Continúa lloviendo... Brunet, ¿dónde estamos? Fontenoy... Ah, sí, ya recuerdo, era mi diócesis. Aquí se libró una batalla famosa, que tuvo graves consecuencias para Francia. Fontanetum, era su antiguo nombre. Hacia el año 840 u 841. Carlos y Luis el Germánico derrotaron al germano Lotario, y después firmaron el tratado de Verdún. Y desde entonces el reino de Francia permaneció separado del Imperio... Con esta lluvia no se ve nada. Por otra parte, no hay nada que ver. De tanto en tanto los campesinos que trabajan la tierra encuentran la empuñadura de una espada, un casco enmohecido y que ya tiene quinientos años... Continuemos, Brunet, continuemos.

7

El Campo del Perdón

El rey, de nuevo la cabeza cubierta por el yelmo, era el único que montaba con el mariscal, que a su vez se había vestido con un sencillo protector de malla. No era previsible que tuviera que afrontar peligros muy graves y, por lo tanto, no necesitaba vestir el atuendo propio de la batalla. Audrehem no es de esas personas que hacen gran ostentación guerrera cuando no corresponde. Si complacía al rey exhibir su yelmo real para asistir a cuatro decapitaciones, era asunto suyo.

El resto del grupo, del señor más grande al último arquero, iría a pie hasta el lugar del suplicio. El rey así lo había decidido, pues se trata de un hombre que pierde mucho tiempo organizando personalmente los detalles de los desfiles, deseoso de introducir novedades en las cosas menudas en lugar de dejar que todo se desarrolle de acuerdo con las costumbres.

No había más que tres carretas, porque las órdenes y las contraórdenes mal entendidas habían determinado que se devolviera una más de las debidas.

Muy cerca estaban Guillermo... no, no, no es Guillermo a la Cauche; estoy confundido, Guillermo a la Cauche es un ayuda de cámara; pero se trata de un nombre parecido... La Gauche, le Gauche, la Tanche, la Planche... ya ni siquiera sé si el nombre de pila es Guillermo; por otra parte, tiene poca importancia... De modo que cerca del rey estaban los auxiliares y el verdugo improvisado, blanco como un nabo por el tiempo que había permanecido en la celda; por lo que me dicen es un hombre menudo, y de ningún modo tal que pudiera creerse que era capaz de cuatro asesinatos; y el capuchino, que como hacen siempre los miembros de su orden manipulaba el cordel de cáñamo.

Descubiertos y las manos atadas a la espalda, los condenados salieron de la torre. El conde de Harcourt marchaba delante, con la chaqueta blanca desgarrada por el rey, de tal modo que podía vérsele la camisa también rota. Mostraba el hombro enorme, muy rosado, y el pecho adiposo. En un rincón del patio terminaban de afilar las hachas, utilizando una rueda.

Nadie miraba a los condenados, nadie se atrevía a mirarlos. Cada cual fijaba los ojos en un rincón del pavimento o del muro. Bajo el ojo vigilante del rey, ¿quién se habría atrevido a dirigir una mirada amistosa o siquiera compasiva a estos cuatro hombres destinados a morir? Incluso los que estaban al fondo del grupo reunido allí inclinaban la cabeza, no fuese que sus vecinos pudieran decir que habían leído en sus rostros... Muchos censuraban al rey. Pero de ahí a demostrarlo... Muchos de ellos conocían de antiguo al conde de Harcourt, habían cazado con él, participado en torneos, cenado en su mesa, que era copiosa. Ahora parecía que nadie lo recordaba; era más interesante contemplar los techos del castillo y las nubes de abril. Así, Juan de Harcourt volvió hacia todos los rincones sus párpados cargados de grasa y no encontró un rostro en el cual volcar su infortunio. Ni siquiera el de su hermano. ¡Sobre todo el de su hermano! Caramba, una vez ajusticiado el hermano obeso, ¿qué haría el rey con sus títulos y bienes?

Se obligó a subir al primer carro al hombre que todavía y durante un momento era el conde de Harcourt. Lo consiguió no sin dificultad. Un quintal y medio, y con las manos atadas. Tuvieron que venir cuatro sargentos para empujarlo y levantarlo. Había paja en el fondo del carro, donde también se había cargado el tajo.

Cuando Juan de Harcourt estuvo en el carro se volvió hacia el rey como si quisiera hablarle; el rey inmóvil en su silla, revestido de malla, coronado de acero y oro, el rey justiciero, que deseaba dar a entender a todos que las vidas del reino estaban sometidas a su decreto, y que el señor más rico de una provincia en un instante podía dejar de ser, si ésa era la voluntad del monarca. Y de Harcourt no dijo palabra.

El señor de Graville fue puesto en la segunda carreta y, en la tercera, reunieron a Maubué de Mainemares y a Colin Doublel, el escudero que había alzado su daga contra el rey, que parecía decir a los dos condenados: «Recuerda el día que asesinaste a mi señor de España; recuerda lo que ocurrió en el albergue de La Trucha que Huye.» Pues todos los presentes comprendían que, no en el caso de Harcourt, pero sí en los tres restantes, la venganza determinaba esa breve y torva justicia. Castigar a hombres a quienes se otorgó públicamente el perdón... Para proceder así, es necesario revelar nuevos agravios, y muy evidentes. Este episodio hubiera merecido la censura del Papa, una crítica muy severa, si el Papa no fuese tan débil...

En la torre, perversamente, se había obligado al rey de Navarra a acercarse a la ventana, para que no perdiese detalle del espectáculo.

Ese Guillermo, que no es la Cauche, se vuelve hacia el mariscal de Audrehem. El mariscal se vuelve hacia el rey... todo está a punto. El rey hace un gesto con la mano. Y el cortejo inicia la marcha.

Al frente, una escuadra de arqueros, con sombreros de hierro y perneras de cuero, el paso lento a causa del pesado equipo. Después, el mariscal, a caballo, evidentemente descontento. Más arqueros. Y después las tres carretas. Atrás, el rey de los auxiliares, el enflaquecido verdugo y el capuchino grasiento.

Y después el rey, erguido sobre los estribos, seguido por los sargentos de su guardia personal, y atrás una procesión de señores tocados con sombreros comunes de caza, manto de piel o cota de malla.

La ciudad parece silenciosa y vacía. Los ruaneses han obedecido prudentemente la orden de permanecer en sus casas. Pero las cabezas se agrupan detrás de los gruesos vidrios verdosos; las miradas se deslizan por el borde de las ventanas cuadriculadas de plomo. No pueden creer que el conde de Harcourt ocupe una de las carretas, el hombre a quien con tanta frecuencia vieron recorrer las calles de la ciudad; lo vieron esa misma mañana, con un soberbio cortejo. Sin embargo, por su obesidad se lo reconoce fácilmente... «Es él, te digo que es él.» Acerca del rey, cuyo yelmo casi sobrepasa la planta baja de las casas, no tienen la menor duda. Durante mucho tiempo lo tuvieron por duque... «Es él, es el rey...» Pero no los habría dominado un temor más intenso si bajo las aberturas del casco hubiesen visto una cabeza de muerto. Los ruaneses se sentían descontentos, aterrorizados pero descontentos. Pues el conde de Harcourt siempre los había defendido, y ellos lo amaban. Y ahora cuchicheaban: «No, no es verdadera justicia. Nos atacan a nosotros.»

Las carretas avanzaban a los tumbos. La paja se deslizaba bajo los pies de los condenados, que conservaban dificultosamente el equilibrio. Me han dicho que durante todo el trayecto Juan de Harcourt mantuvo la cabeza echada hacia atrás, y que los cabellos se le dividían sobre la nuca, que formaba gruesos pliegues. ¿Qué podía pensar un hombre como él mientras marchaba al suplicio y contemplaba un pedazo de cielo entre los aleros de las casas? Me pregunto siempre qué les pasa por la cabeza a los condenados a muerte, durante los últimos momentos... ¿Quizá se reprochaba no haber admirado bastante todas las cosas bellas que el buen Dios ofrece a nuestros ojos, cotidianamente? ¿O tal vez consideraba el absurdo de lo que nos impide aprovechar todos los beneficios del Creador? La víspera discutía los impuestos y las tasas... ¿O quizá pensaba que había actuado como un tonto? Pues su tío Godofredo lo había advertido, le había enviado un mensajero: «Partid de inmediato.» Godofredo de Harcourt se había olido enseguida la trampa. «Este banquete de Cuaresma huele a emboscada.» Si el mensajero hubiese llegado un instante antes, si Roberto de Lorris no hubiese estado allí, al pie de la escalera... si... si... Pero la culpa no era del destino, sino de él mismo. Habría bastado que se marchara sin despedirse del delfín, que no buscase malas razones para ceder a su glotonería. «Partiré después del banquete; será lo mismo...»

Ya lo veis, Archambaud, la gente a menudo sufre graves desgracias por minúsculas razones, por un error de juicio o de decisión en una circunstancia que parece sin importancia, en la cual sigue la inclinación de su naturaleza. Una pequeñez, una nadería, y sobreviene la catástrofe.

Ah, cómo habrán deseado entonces gozar de la posibilidad de corregir sus actos, de retroceder en el tiempo para volver a la bifurcación en la cual eligieron mal. Juan de Harcourt aparta a Roberto de Lorris, le grita: «Adiós, señor», monta a caballo, y todo es distinto. De nuevo ve a su tío, recupera su castillo, se reencuentra con su mujer y sus nueve hijos, y el resto de su vida se felicita de haber escapado al golpe del rey. A menos, a menos, si era su día fatal, que al alejarse no se rompiera la cabeza al chocar contra una rama en el bosque. ¡Quién puede conocer la voluntad de Dios! Y de todos modos, no debemos olvidar (precisamente lo que esta malvada justicia acabó por borrar), que Juan de Harcourt, en efecto, conspiraba contra la corona. Pues bien, no era el día del rey Juan, y Dios reservaba a Francia otras desgracias cuyo instrumento sería el propio rey.

El cortejo enfiló la cuesta que lleva al patíbulo, pero

se detuvo a medio camino, en una gran plaza rodeada de casas bajas donde todos los otoños se celebra la feria equina, conocida como el Campo del Perdón. Sí, ése es su nombre. Los hombres de armas formaron a derecha e izquierda del sendero que atraviesa la plaza, y entre las filas dejaron un espacio de tres lanzas.

El rey, siempre montado, estaba en el centro, a un tiro de piedra del tajo que los sargentos habían sacado de la primera carreta, y para el cual buscaban un lugar donde el suelo fuese liso.

El mariscal de Audrehem desmontó y entre el séquito real destacaban las cabezas de los dos hermanos de Artois. ¿Qué pensarían éstos? El mayor era quien asumía la principal responsabilidad de estas ejecuciones. O no pensaban nada... «Mi primo Juan, mi primo Juan...» El séquito se dispuso en semicírculo. Muchos miraron a Luis de Harcourt mientras bajaban a su hermano; no hizo un solo gesto.

Los preparativos se prolongaban, los preparativos de esta justicia improvisada en un lugar utilizado para la feria. Alrededor de la plaza, desde las ventanas, muchos ojos contemplaban la escena.

El delfín-duque, con la cabeza inclinada bajo el sombrero perlado, se agitaba en compañía de su joven tío de Orleans, avanzaba unos pasos, se daba la vuelta, volvía a caminar, como quien intenta combatir un malestar. Y de pronto, el obeso conde de Harcourt se dirige a él, y a Audrehem, y grita con todas sus fuerzas: «¡Ah!, señor duque, y vos gentil mariscal, por Dios, haced que hable al rey y así conseguiré disculparme, y le diré cosas que le serán de provecho, lo mismo que a su reino.»

Quienes lo oyeron sintieron el alma desgarrada por el acento de esa voz, un grito que era al mismo tiempo la última angustia y la postrera maldición.

Casi al instante, el duque y el mariscal se acercan al rey, que había oído a Juan de Harcourt tan bien como ellos. Casi tocan el caballo del monarca. «Señor, padre mío, por Dios, dejad que os hable.» «Sí, señor, permitid que os hable, y os aprovechará», insiste el mariscal.

¡Pero este Juan II es un copión! En el mundo de la caballería, copia a su abuelo Carlos de Valois, o al rey Arturo de las leyendas. Ha sabido que Felipe el Hermoso, una vez que había ordenado una ejecución, se mantenía inflexible. Entonces, copia; cree copiar al Rey de Hierro. Pero Felipe el Hermoso no se ponía un yelmo cuando no era necesario. Y no condenaba a tontas y a locas, ni basaba su justicia en la turbia cavilación de un sentimiento de odio.

«Entregad a estos traidores», repite Juan II desde el fondo del yelmo. Seguramente se siente grande, en verdad se siente todopoderoso. El reino y los siglos recordarán su rigor. En realidad, acaba de perder una buena ocasión para reflexionar.

«¡Sea! Ha llegado la hora de confesarnos», dice entonces el conde de Harcourt, y se vuelve hacia el sucio capuchino. Y el rey grita: «No, ¡no hay confesión para los traidores!»

Aquí no copia, sino que inventa. Juzga el delito de... bien, ¿qué delito? El delito de ser sospechoso, el delito de haber pronunciado palabras desagradables que fueron repetidas... digamos el delito de lesa majestad, parecido al de los herejes o los relapsos. Pues Juan II fue ungido, ¿verdad? *Tu es sacerdos in aeternum*... De modo que se cree Dios en persona, y determina el lugar de las almas después de la muerte. A mi juicio, también por esto el Santo Padre debió reprenderlo duramente. «Sólo ése, el escudero...», agrega, señalando a Colin Doublel.

¿Qué pasa por este cerebro perforado como un queso? ¿Por qué esa discriminación? ¿Por qué otorga la confesión al escudero agresor que alzó el cuchillo contra él? Todavía hoy los ayudantes, cuando comentan ese momento terrible, se preguntan la razón de esta originalidad del rey. ¿Deseaba demostrar que la gravedad de la falta responde a la jerarquía feudal, y que el escudero que ha pecado es menos culpable que el caballero? O se trata sencillamente de que el arma blandida que busca el pecho real lo ha llevado a olvidar que Doublel también fue uno de los asesinos de Carlos de España, con la colaboración de Mainemares y Graville. Mainemares, un hombre alto y delgado que tironea sus ataduras y pasea la mirada furiosa; y Graville, que no puede hacer el signo de la cruz, pero murmura plegarias ostensiblemente... Si Dios quiere oír su arrepentimiento, lo oirá sin intermediarios.

El capuchino, que comenzaba a preguntarse qué estaba haciendo allí, se apresura a aferrar el alma que le dejan y cuchichea su latín al oído de Colin Doublel.

El rey de los auxiliares empuja al conde de Harcourt hacia el tajo. «Arrodillaos, señor.»

El hombre obeso se desploma como un buey. Mueve las rodillas, seguramente porque hay guijarros que lo lastiman. El rey de los auxiliares pasa detrás del prisionero, le venda por sorpresa los ojos y lo priva de contemplar los nudos de la madera, la última cosa del mundo que tendrá ante sí.

Más bien hubiera debido vendarse al resto, para ahorrarles el espectáculo que seguiría.

El rey de los auxiliares (sí, es extraño que no recuerde su nombre; lo vi varias veces cerca del rey y recuerdo muy bien su rostro, el cuerpo alto y fuerte, la barba negra y espesa), el rey de los auxiliares aferra con las dos manos la cabeza del condenado, como si fuera una cosa, para disponerla bien, y separa los cabellos de modo que la nuca quede al descubierto.

El conde de Harcourt continúa moviendo las rodillas a causa de los guijarros... «¡Vamos, corta!», dice el rey de los auxiliares. Y ve, como todo el mundo, que el verdugo tiembla. No deja de balancear la gran hacha, de mover las manos sobre el mango, de buscar la distancia adecuada frente al tajo. Tenía miedo. Sí, se hubiera sentido más seguro con un puñal, en un rincón oscuro. Pero para este bandido, un hacha, y frente al rey y todos estos señores, y los soldados. Después de varios meses en prisión, sin duda no sentía sólidos los músculos, pese a que le habían servido una buena sopa y un jarro de vino para reponer fuerzas. Por otra parte, no le habían puesto una capucha, como se acostumbra a hacer, porque no la habían encontrado. De modo que en adelante todos sabrían que él había sido el verdugo. Criminal y verdugo. Una condición capaz de horrorizar a cualquiera. Y saberlo lo trastornaba, inquietaba a este Bétrouve que habría de conquistar su libertad ejecutando el mismo acto que lo había llevado a prisión. Veía la cabeza que tenía que cortar en el lugar donde hubiera debido poner la suya, poco después, si el rey no hubiese pasado por Ruan. Tal vez en este bandido había más caridad y más sentimiento de comunión, un lazo más firme con su prójimo que el que podía observarse en el rey.

«¡Corta!», tuvo que repetir el rey de los auxiliares. Bétrouve alzó el hacha, no recta sobre su propia cabeza como hace un verdugo, sino de costado, como un leñador que quiere abatir un árbol, y dejó que el hacha cayese por su propio peso. Cayó mal.

Hay verdugos que decapitan a un hombre de un solo golpe bien dado. ¡Pero éste no era así! El conde de Harcourt debía de haberse desvanecido, porque ya no movía las rodillas, pero no estaba muerto, pues la capa de grasa que le cubría la nuca había amortiguado el golpe del hacha.

Fue necesario reanudar la tarea. Peor aún. Esta vez el hierro penetró en un costado del cuello. La sangre brotó por una ancha herida que dejaba ver la grasa amarilla.

Bétrouve luchaba con su hacha, cuyo filo se había clavado en la madera del tajo, y que no podía volver a salir. El sudor le cubría el rostro.

El rey de los auxiliares se volvió hacia el monarca con aire de disculpa, como si quisiera decir: «No es mía la responsabilidad de lo que ocurre.»

Bétrouve está desconcertado: no oye lo que le dicen los sargentos, vuelve a descargar el hacha; y se diría que el hierro cae en un pote de manteca. ¡Una vez más, otra! La sangre cae por los costados del tajo, empapa el hierro, tiñe la casaca desgarrada del condenado. Los ayudantes se vuelven, el corazón conmovido. El delfín muestra una expresión de horror y cólera; cierra los puños y la mano derecha muestra un tinte violeta. Luis de Harcourt, el rostro ceniciento, con un esfuerzo de voluntad, se mantiene en primera fila, frente a la carnicería que hacen con su hermano. El mariscal mueve los pies para esquivar el arroyo de sangre que avanza hacia él.

Finalmente, al sexto golpe, la gruesa cabeza del conde de Harcourt se separó del tronco y, todavía envuelta en la faja negra, rodó al pie del tajo.

El rey no movió un músculo. A través de su ventana de acero contemplaba, sin mostrar indicios de incomodidad, desaliento ni malestar, esa sopa sangrienta entre los hombros enormes, exactamente frente a él, y esa cabeza separada del tronco, sucia de polvo, en medio de un charco de sangre. Si algo se dibujó en su rostro enmarcado por el metal, fue una sonrisa. Un arquero se desmayó con ruido de hierros. Sólo entonces el rey consintió en desviar la mirada. Ese afeminado no continuaría mucho tiempo en su guardia. Perrinet *el Búfalo* alzó al arquero aferrándolo por el cuello de la chaqueta, y mientras aún estaba en el aire descargó sobre su rostro una bofetada. Pero con su desmayo el afeminado había prestado un buen servicio. Todos reaccionaron; incluso se oyeron risas.

Se necesitaron nada menos que tres hombres para retirar el cuerpo del decapitado. «A lo seco, a lo seco», gritaba el rey de los auxiliares. No olvidemos que tenía derecho a apoderarse de las vestiduras. Ya era bastante que estuviesen desgarradas; si además las obtenía excesivamente manchadas, de nada le servirían. Ya tenía dos condenados menos de lo que había previsto...

Y ahora se dedicó a enseñar a su verdugo, agotado: «Levantas el hacha sobre tu cabeza, y no la miras, fijas los ojos en el lugar que debes golpear, en mitad del cuello. ¡Y paf!» Ordenó que echaran paja al pie del tajo, para secar el suelo, y que vendasen los ojos del señor de Graville, un buen normando bastante robusto. Lo obligó a arrodillarse, y le acomodó la cabeza: «¡Corta!» Ahora, de un solo golpe... milagro... Bétrouve le corta la cabeza, y la cabeza cae hacia delante mientras el cuerpo se desploma de lado, vertiendo una ola roja sobre el polvo. Y la gente parece aliviada. Poco falta para que feliciten a Bétrouve, que mira alrededor, estupefacto, con el aire de un hombre que se pregunta cómo pudo conseguirlo.

Llega el turno de Maubué de Mainemares, que mira desafiante al rey. «Todos saben, todos saben...», exclama. Pero como el barbudo ya está junto a él y le pone la banda, sus palabras se apagan y nadie sabe lo que quiso decir.

El mariscal de Audrehem se mueve de nuevo, porque la sangre avanza hacia sus botas... «¡Corta!»; un hachazo, y con este golpe bien asestado es suficiente.

Retiran el cuerpo de Mainemares y lo depositan al lado de los dos anteriores. Desatan las manos de los cadáveres para aferrar más fácilmente los cuatro miembros, elevarlos y llevárselos. Los arrojan al interior de la primera carreta, que los lleva al patíbulo, donde serán colgados. Allí los despojarán. El rey de los auxiliares ordena que recojan también las cabezas.

Bétrouve recupera el aliento, apoyado sobre el mango del hacha. Le duelen los riñones; está muy cansado. Poco falta para que lo compadezcan. Ah, no hay duda de que está ganándose la carta de perdón. Si hasta el fin de sus días tiene pesadillas y grita en sueños, no habrá nada de qué asombrarse.

Colin Doublel, el escudero valeroso, pese a que la confesión lo había absuelto, estaba nervioso. Hizo un movimiento para desprenderse de las manos que lo empujaban hacia el tajo; quería marchar solo. Pero la banda sobre los ojos está destinada justamente a evitar eso, los gestos desordenados de los condenados.

De todos modos, no pudieron impedir que Doublel alzara la cabeza en el peor momento, y que Bétrouve... en realidad, no fue suya la culpa... le abriese de través el cráneo. ¡Vamos, otro golpe! Y asunto terminado.

Sí, los ruaneses que miraban desde las ventanas del lugar tendrían mucho que contar; cosas que pronto se repetirían de burgo en burgo, hasta el último rincón del ducado. Y la gente vendría de todas partes a contemplar ese sitio que había bebido tanta sangre. Nadie hubiese creído que cuatro cuerpos humanos pudiesen contener tanta y que la mancha en el suelo fuera tan ancha.

El rey Juan miraba a su gente con un extraño sentimiento de satisfacción. Al parecer, el horror que inspiraba en ese momento, incluso a sus más fieles servidores, no le desagradaba; se sentía bastante orgulloso de sí mismo, miraba sobre todo a su hijo mayor... «Ya ves, muchacho, cuál es la conducta que cuadra a un rey...»

¿Quién se habría atrevido a decirle que cometía un error cediendo a su naturaleza vengativa? También en su caso este día era el momento de la bifurcación. El camino de la izquierda o el camino de la derecha. Había errado y tomado el mal camino, como el conde de Harcourt al pie de la escalera. Después de seis años de un reinado turbulento, colmado de dificultades y contrastes, ofrecía al reino, que estaba muy dispuesto a imitarlo, el ejemplo del odio y la violencia. Menos de seis meses después recorrería el camino de las auténticas desgracias, y Francia lo acompañaría.

Tercera parte

LA PRIMAVERA PERDIDA

1

El perro y el zorrito

¡Ah!, me siento verdaderamente satisfecho de haber visto de nuevo Auxerre. No creí que Dios me concedería esta gracia, ni que me complacería tanto. Ver nuevamente los lugares que fueron un episodio de nuestra juventud nos conmueve siempre. Ya conoceréis este sentimiento, Archambaud, cuando hayáis acumulado suficiente número de años. Y si llegáis a atravesar Auxerre, cuando tengáis la misma edad que yo, que Dios os conserve hasta entonces, diréis: «Estuve aquí con mi tío el cardenal, que había sido obispo en este lugar; fue su segunda diócesis, antes de recibir el capelo. Lo acompañé en el camino a Metz, adonde se dirigía para ver al emperador...»

Residí aquí tres años, tres años enteros. No, no vayáis a creer que añoro esa época y que cuando era obispo de Auxerre gozaba de la vida más que hoy. Si he de confesaros la verdad, incluso me sentía impaciente por salir de aquí. Ansiaba acercarme a Aviñón, pese a que bien sabía que era demasiado joven; en definitiva, sentía que Dios me había dado el carácter y los recursos espirituales que podían ser útiles en la corte pontificia. Para cultivar la paciencia, profundicé aún más en el estudio de la astrología, y precisamente mi perfección en esta ciencia decidió a mi bienhechor Juan XXII, que me otorgó el capelo, cuando yo apenas tenía treinta años. Pero ya os conté eso. ¡Ah, sobrino! Cuando estáis con un hombre que ha vivido mucho, hay que acostumbrarse a oír varias veces las mismas cosas. No se trata de que al envejecer se nos reblandezca la cabeza; pero está colmada de recuerdos, que despiertan en toda clase de circunstancias. La juventud colma de imaginación el futuro; la vejez reconstruye con la memoria el tiempo que pasó. Se igualan las cosas. No, no tengo pesares. Cuando comparo lo que era y lo que soy, veo muchos motivos para alabar al Señor, y algunos para alabarme a mí mismo, con absoluta y modesta honestidad. En realidad, es un tiempo que corrió llevado por la mano de Dios y que no existirá cuando yo haya dejado de recordarlo. Salvo en la Resurrección, donde todos volveremos a reunirnos. Pero eso sobrepasa mi entendimiento. Creo en la Resurrección, enseño a creer en ella, pero no intento imaginarla, y afirmo que son muy orgullosos los que dudan de la Resurrección (sí, sí, son muchos más de los que pensáis), porque enfermaron de tanto querer imaginarla. El hombre se asemeja a un ciego que niega la luz porque no la ve. ¡La luz es un hondo misterio para el ciego!

Vaya..., el domingo podría abordar ese tema durante la predicación en Sens. Pues deberé pronunciar la homilía. Soy archidiácono de la catedral. Por esa razón me veo obligado a desviarme. Hubiéramos recorrido menos trayecto yendo directamente a Troyes, pero tengo que inspeccionar el capítulo de Sens.

Lo cual no quita que me agradaría prolongar un poco mi estancia en Auxerre. Estos dos días pasaron demasiado rápidos: Saint-Etienne, Saint-Germain, Saint-Eusèbe, tantas bellas iglesias donde he celebrado misa, matrimonios y comuniones. Sabéis que Auxerre, la antigua Autissidurum, es una de las primeras ciudades cristianas del reino. Ya era sede episcopal doscientos años antes de Clodoveo, quien por otra parte la asoló casi tanto como Atila, y que celebró allí un concilio antes del año 600. Mientras encabecé esa diócesis, mi principal preocupación fue pagar las deudas que había dejado mi predecesor, el obispo Pedro. Y nada podía reclamarle; ¡acababan de nombrarlo cardenal! Sí, sí, es una buena sede, la antecámara de la curia... Mis beneficios y también la fortuna de nuestra familia me ayudaron a tapar los agujeros. Mis sucesores encontraron la situación más saneada. Y el que la ocupa hoy nos acompaña ahora. Es muy buen prelado, este nuevo Monseñor de Auxerre. Pero he ordenado a Monseñor de Bourges que vuelva... a Bourges. Continuaba tirándome de la sotana con el fin de que le concediese un tercer notario. Oh, lo resolví muy pronto. Dije: «Monseñor, si necesitáis tantos escritos, es que vuestros asuntos episcopales están muy embrollados. Os exhorto a regresar inmediatamente para poner manos a la obra. Con mi bendición.» Prescindiremos de su cargo en Metz. El obispo de Auxerre lo reemplazará ventajosamente. Por otra parte, ya advertí del asunto al delfín. El mensajero que despaché ayer debería regresar mañana, a lo sumo pasado mañana. De modo que antes de salir de Sens recibiremos noticias de París. El delfín no cede; a pesar de todas las presiones y las maniobras que se ejercen sobre él, mantiene en prisión al rey de Navarra...

¿Qué hicieron nuestros buenos franceses después del episodio de Ruan? Ante todo, el rey permaneció unos días en el lugar, alojado en la torre de Bouvreuil, mientras su hijo se alojaba en otro sector del castillo y el de Navarra continuaba prisionero en un tercero. El monarca consideraba que tenía que resolver varios asuntos. En primer lugar, someter a Fricamps al interrogatorio. «Vamos a freír a Friquet.» Creo que el juego de palabras fue descubierto por Milton *el Loco*. No fue necesario calentar mucho el fuego, ni usar las grandes tenazas. Apenas Perrinet *el Búfalo* y cuatro sargentos lo llevaron a una caverna y le mostraron algunas herramientas, el gobernador de Caen demostró su mejor voluntad. Habló, habló y habló, y volcó su saco para sacudir hasta la miga más pequeña. Al menos eso parecía. Pero, ¿cómo podía dudarse de que hubiera dicho todo cuando le castañeteaban tanto los dientes y mostraba tanto celo por la verdad?

Y de hecho, ¿qué confesó? ¿Los nombres de los participantes en el asesinato de Carlos de España? Eran conocidos desde hacía mucho tiempo, y el gobernador de Caen no agregó ningún culpable a los que ya habían recibido, después del tratado de Mantes, sus respectivas cartas de perdón. Pero su relato le llevó una mañana entera. ¿Las negociaciones secretas realizadas en Flandes y en Aviñón, entre Carlos de Navarra y el duque de Lancaster? En Europa no había una sola corte que las ignorase, y todos sabían también que el propio Fricamps había participado en el asunto, de modo que ello poco agregaba a lo ya sabido. ¿La ayuda de guerra que los reyes de Inglaterra se habían prometido mutuamente? Incluso los más obtusos no habían podido dejar de advertir el hecho, el verano precedente, cuando vieron desembarcar, casi al mismo tiempo, a Carlos el Malo en Cotentin y al príncipe de Gales en Bordelais. Cierto, estaba el tratado secreto en virtud del cual Carlos de Navarra reconocía como rey de Francia al rey Eduardo, al mismo tiempo que se dividían el reino. Fricamps confesó que se había redactado dicho acuerdo, y su declaración vino a confirmar las acusaciones formuladas por Juan de Artois. Pero no se había firmado el tratado; estaba únicamente en los preliminares. Cuando se le comunicó esa parte de la declaración de Friquet, Juan exclamó: «¡El traidor, el traidor! ¿Veis como yo tenía razón?»

El delfín observó: «Padre, este proyecto era anterior al tratado de Valognes, firmado con vos por Carlos, tratado que dice todo lo contrario. Por lo tanto, Carlos traicionó al rey de Inglaterra más que a vos mismo.»

Y como el rey Juan aulló que su yerno traicionaba a todos, tuvo que oír esta respuesta: «Ciertamente, padre, y comienzo a convencerme de ello. Pero haríais mal papel acusándolo de haber traicionado precisamente en beneficio vuestro.»

Acerca del viaje a Alemania que Carlos de Navarra y el delfín habían realizado, Friquet de Fricamps no ahorró detalles. Los nombres de los conjurados, el lugar donde debían reunirse y quién había ido a decir qué cosa a quién, y lo que cada uno debía hacer. Pero el delfín ya había hablado de todo esto a su padre.

¿Una nueva conspiración maquinada por mi señor de Navarra con el propósito de apoderarse del rey de Francia y matarlo? Ah, no, Friquet no había oído ni una palabra ni percibido el más mínimo indicio de eso. Sí, el conde de Harcourt... El sospechoso no arriesgaba nada acusando a un muerto; es cosa sabida en el ámbito de la justicia. En los últimos meses, el conde de Harcourt había tenido palabras muy ásperas y había dicho cosas amenazadoras; pero sólo él y por propia cuenta.

Repito, ¿cómo no creer a un hombre que se mostraba tan complaciente con quienes lo interrogaban, que hablaba seis horas seguidas, sin dar a los secretarios el tiempo necesario para limpiar sus plumas? Este Friquet es un zorro astuto, educado en la escuela de su amo, capaz de disimular su propio papel en una inundación de palabras y mostrándose charlatán para ocultar mejor lo que deseaba callar. De todas maneras, si se querían aprovechar sus declaraciones en el curso de un proceso, habría que reanudar el interrogatorio en París, frente a una comisión investigadora debidamente constituida, pues ésta no respondía a esas exigencias. En resumen, se había tirado una gran red para recoger muy pocos peces.

Entretanto, el rey Juan se ocupaba de embargar las propiedades y los bienes de los felones, y ordenaba a su vizconde de Ruan, Tomás Coupeverge, que confiscase las posesiones de los de Harcourt, al mismo tiempo que enviaba al mariscal de Audrehem a ocupar Evreux. Pero por doquier Coupeverge cayó sobre ocupantes mal dispuestos, y el embargo conservó un carácter nominal. Hubiera tenido que dejar una guarnición en cada castillo; pero no había llevado consigo suficiente número de hombres armados. En cambio, el obeso cuerpo decapitado de Juan de Harcourt no permaneció mucho tiempo expuesto en el patíbulo de Ruan. La segunda noche fue descolgado en secreto por buenos normandos que le dieron cristiana sepultura, al mismo tiempo que juraban su oposición al rey.

Con respecto a la ciudad de Evreux, fue necesario sitiarla. Pero no era el único feudo de los Evreux-Navarra. De Valognes a Meulan, de Longueville a Conches, de Pontoise a Coutances había actitudes amenazadoras en los burgos y, a lo largo de los caminos, los bosques se poblaban de sordos rumores.

El rey Juan no se sentía seguro en Ruan. Había llegado con una tropa lo bastante numerosa para asaltar un banquete pero no para sofocar una revuelta. Evitaba salir del castillo. Sus más fieles servidores, entre ellos el propio Juan de Artois, le aconsejaban alejarse. Su presencia provocaba cólera.

Un rey que llega a temer a su pueblo es un lamentable señor, y su reino corre peligro de acabarse bruscamente.

De modo que Juan II decidió volver a París; pero quiso que el delfín lo acompañase. «Carlos, no os sostendréis si estalla el tumulto en vuestro ducado.» Temía sobre todo que su hijo se mostrase demasiado conciliador con el partido navarro.

El delfín aceptó, y sólo puso como condición que deseaba viajar por agua. «Padre, me he acostumbrado a ir de Ruan a París navegando por el Sena. Si procediese de otro modo, podría creerse que huyo. Además, si nos alejamos lentamente, las novedades nos llegarán con mayor facilidad, y si ellas justificasen mi regreso, podría hacerlo con más comodidad.»

Así, el rey sube a la gran embarcación que el duque de Normandía ordenó construir para uso propio, pues como ya os dije no le agrada cabalgar. Es un gran barco de fondo plano, completamente decorado, adornado y dorado, que enarbola los estandartes de Francia, de Normandía y el Delfinado, y que avanza a vela y a remo. El castillo está arreglado como una auténtica residencia, con una hermosa cámara amueblada con tapices y cofres. El delfín gusta de charlar allí con sus consejeros, jugar al ajedrez o a las damas, o contemplar la campiña francesa, que es muy bella, a ambos lados de este gran río. Pero al rey le fastidiaba avanzar tan lentamente. Qué idea tonta seguir todas las curvas del Sena, que triplica la distancia, cuando hay caminos en línea recta. No podía soportar ese espacio restringido, que medía mientras dictaba una carta, una sola, siempre la misma, corregida y reconstruida sin cesar. Y a cada momento pedía que la embarcación se acercase a tierra, que le trajeran el caballo, que lo seguía con la escolta a lo largo de las diferentes aldeas, para ir a visitar sin motivo ni razón un castillo entrevisto entre los álamos. «Y que la carta esté copiada a mi regreso.» Su carta al Papa, en la cual deseaba explicar las causas y las razones del arresto del rey de Navarra. ¿El reino afrontaba otros problemas? Nadie lo habría creído. En todo caso, ninguno que exigiese los cuidados del monarca. La mediocre recaudación de los impuestos, la necesidad de devaluar nuevamente la moneda, el impuesto sobre los lienzos que provocaba la cólera de los comerciantes, la reparación de las fortalezas amenazadas por los ingleses; el rey Juan descartaba estas preocupaciones. ¿Acaso no tenía un canciller, un gobernador de la moneda, un mayordomo de la residencia real, maestros encargados de las recaudaciones y presidentes del Parlamento para atender esas cuestiones? Que se ocupara de ello Nicolás Braque, que había regresado a París, o Simón de Bucy o Roberto de Lorris. Y en efecto, estos hombres se atareaban, engrosando su fortuna gracias a la desvalorización de la moneda, enterrando el peligroso proceso seguido a un pariente, favoreciendo a un amigo, descontentando definitivamente a tal o cual compañía comercial, a tal ciudad o tal diócesis, que jamás perdonarían el hecho al rey.

Un soberano que a veces finge ocuparse de todo, e incluso de los más pequeños detalles de la ceremonia, y otras veces no se ocupa de nada, aunque se trate de problemas graves, no es el hombre que conduce a su pueblo hacia los más altos destinos.

La nave del delfín estaba amarrada en Pont-de-l'Arche, por segundo día, cuando el rey vio llegar al preboste de los comerciantes de París, el maestro Esteban Marcel, a la cabeza de una compañía de cincuenta a cien lanzas, con la bandera azul y roja de la ciudad. Estos burgueses estaban mejor equipados que muchos caballeros.

El rey no bajó del barco ni invitó a subir a bordo al preboste. Se hablaron del puente a la orilla, igualmente sorprendidos ambos de encontrarse uno frente al otro. Era evidente que el preboste no esperaba encontrar allí al rey, y que el rey se preguntaba qué estaba haciendo el preboste en Normandía con tal acompañamiento. Seguramente era otra de las intrigas navarras. ¿Quizás un intento de liberar a Carlos el Malo? Parecía una reacción demasiado rápida, apenas una semana después del arresto. En fin, era posible. ¿O bien el preboste formaba parte de la conspiración denunciada por Juan de Artois? La maquinación cobraba visos de verosimilitud.

«Señor, hemos venido a saludaros», se limitó a decir el preboste. En lugar de inducirlo a hablar un poco, el rey respondió inmediatamente en tono amenazador que se había visto obligado a detener al rey de Navarra, contra quien formulaba graves acusaciones, y que todo se revelaría muy claramente en la carta que se proponía enviar al Papa. El rey Juan dijo también que a su regreso a París esperaba comprobar que en la ciudad reinaban el orden, la calma y el espíritu de trabajo. «Y ahora, señor preboste, podéis regresar.»

Mucho camino para pocas palabras. Esteban Marcel se alejó, la barba negra bien cuidada apoyada en el pecho. Y tan pronto vio alejarse entre los árboles la bandera de París, el rey ordenó a su secretario que modificase nuevamente la carta dirigida al Papa... Caramba, a propósito... ¿Brunet? ¡Brunet! Brunet, llama a Francesco Calvo... sí, por favor... Y en esa carta dictó algo como: «Lo que es más, Muy Santo Padre, tengo pruebas confirmadas de que mi señor el rey de Navarra intentó levantar contra mí a los mercaderes de París, y conversó con su preboste, que sin que nadie se lo ordenara vino al país normando, acompañado por gran número de hombres de armas, tantos que era imposible contarlos, con el fin de ayudar a los malvados del partido navarro a ejecutar sus felonías, apoderándose de mi persona y de la persona del delfín, mi hijo mayor...»

Los soldados de Marcel, por otra parte, aumentarían de hora en hora en la mente del rey Juan y pronto alcanzaron la cifra de quinientas lanzas.

Y después decidió alejarse inmediatamente de ese amarradero. Ordenó que sacasen a Carlos de Navarra y a Fricamps del castillo de Pont-de-l'Arche y ordenó a los marineros que enfilasen hacia Les Andelys. En efecto, el rey de Navarra seguía a caballo, de etapa en etapa, rodeado por una nutrida escolta de sargentos que lo vigilaban estrechamente y que tenían órdenes de apuñalarlo si trataba de huir o si afrontaban un intento de liberarlo. Debían estar siempre a la vista de la embarcación. Por la noche lo encerraban en la torre más cercana. Lo habían encarcelado en Elbeuf, y también en Pont-de-l'Arche. Pensaban encerrarlo en Château-Gaillard... Sí, en Château-Gaillard, donde su abuela de Borgoña había acabado tan tempranamente sus días... más o menos a la misma edad.

¿Cómo soportaba todo esto mi señor de Navarra? A decir verdad bastante mal. No cabe duda de que ahora se conforma mejor con su condición de cautivo, desde que sabe que el rey de Francia es prisionero del rey de Inglaterra, y que por eso mismo no tiene que temer por su vida. Pero los primeros tiempos...

¡Ah!, aquí llega Francesco Calvo. Recordadme si en el Evangelio del domingo próximo está la palabra «luz», u otra cualquiera que evoque la idea... sí, el segundo domingo de Adviento. Sería extraño que no la halláramos... o en la epístola... sí, la epístola del domingo pasado... *Abiciamus ergo opera tenebrarum, et induamur arma lucis*... Rechacemos pues las obras de las tinieblas y empuñemos las armas de la luz... Pero eso fue el domingo último. Tampoco vos la recordáis. Bien, me la diréis inmediatamente; os lo agradezco...

Un zorrito cayó en la trampa, enloqueció en la jaula, los ojos ardientes, el hocico húmedo, el cuerpo enflaquecido, gimiendo sin descanso. Así estaba nuestro señor de Navarra. Pero es necesario aclarar que se hacía todo lo posible para atemorizarlo.

Nicolás Braque había conseguido que se postergase la ejecución diciendo que era necesario que el rey de Navarra se sintiese morir todos los días, y la recomendación no había caído en saco roto.

Por una parte, el rey Juan había ordenado que lo encerraran precisamente en la celda en que había muerto Margarita de Borgoña, y que se lo hicieran saber. «La calentura de esa abuela trotona es lo que originó esta mala raza; es el retoño de una retoña de prostituta, que piense que terminará como ella...» Además, durante los días que estuvo allí le comunicaron muchas veces, e incluso de noche, que su ejecución era inminente.

Carlos de Navarra veía entrar en su triste cámara al rey de los auxiliares, o bien al Búfalo, o a otro sargento, que le decía: «Preparaos, monseñor. El rey ordenó que construyesen vuestro cadalso en el patio del castillo. Pronto vendremos a buscaros.» Un momento después aparecía el sargento Lalemant y encontraba a Carlos de Navarra con la espalda pegada al muro, jadeante, los ojos enloquecidos.

—El rey ha decidido postergarlo; no os ejecutarán antes de la mañana.

Entonces, Carlos de Navarra recuperaba el aliento y se desplomaba en el jergón. Pasaban algunas horas y volvía Perrinet *el Búfalo*.

—Mi señor, el rey no os hará decapitar. No... Quiere que os ahorquen. Es necesario levantar una horca.

Y después, cuando ya había llegado la hora de los rezos vespertinos, era el turno del gobernador del castillo, Gualterio de Riveau.

—¿Venís a buscarme, señor gobernador?

—No, mi señor, vengo a traeros vuestra cena.

—¿Han levantado la horca?

—¿Qué horca? No, mi señor, no se levantó ninguna horca.

—¿Tampoco el cadalso?

—No, mi señor, no he visto nada parecido.

Seis veces Carlos de Navarra había sido decapitado, otras tantas colgado o descuartizado por cuatro caballos. Lo peor quizá fue que una noche dejaron en su cámara un gran saco de cáñamo, y le dijeron que durante la noche lo encerrarían en el saco para arrojarlo al Sena. A la mañana siguiente, el rey de los auxiliares fue a recuperar el saco, lo examinó, vio que el rey de Navarra le había practicado un agujero y se alejó sonriendo.

El rey Juan pedía constantemente noticias del prisionero. De ese modo podía demostrar paciencia mientras corregía la carta al Papa. ¿El rey de Navarra comía? No, apenas probaba las comidas que le llevaban, y su cubierto a menudo volvía a bajar como había subido. Sin duda, temía que lo envenenasen. «Entonces, ¿adelgaza?

Excelente, excelente. Haced que sus platos sean amargos y malolientes, para que piense que deseamos intoxicarlo.» ¿Dormía? Mal. De día a veces lo encontraban tumbado sobre la mesa, la cabeza entre los brazos, y se sobresaltaba como quien despierta bruscamente. Por la noche, se le oía caminar sin descanso, describiendo círculos en la cámara redonda, «como un zorrito, señor, como un zorrito». Sin duda, temía que lo estrangulasen, exactamente como habían hecho con su abuela, en ese mismo lugar. Algunas mañanas se notaba que había llorado. «Bien, bien —decía el rey—. ¿Os habla?» ¡Ciertamente, hablaba! Trataba de dialogar con quienes entraban en la habitación. Y se esforzaba por explorar el punto débil de cada uno. Al rey de los auxiliares le prometía una montaña de oro si lo ayudaba a escapar, o por lo menos consentía en pasar cartas fuera de la cárcel. Al sargento Perrinet le prometía llevarlo consigo y nombrarlo rey de los auxiliares en Evreux o en Navarra, pues había observado que *el Búfalo* tenía celos del otro. Cuando hablaba con el gobernador de la fortaleza, que era un soldado fiel, alegaba inocencia e injusticia. «No sé qué me reprochan, pues juro por Dios que no he tenido malos pensamientos contra el rey, mi querido padre, ni hice nada que lo perjudique. La perfidia me ha calumniado. Han querido perderme en su ánimo; pero soporto todos los sufrimientos que desee infligirme, pues bien sé que todo esto no viene de él. Podría hablarle de muchas cosas que contribuirían a su salvaguarda, podría prestarle muchos servicios que no le prestaré si ordena que yo perezca. Habladle, señor gobernador, decidle que le sería muy ventajoso escucharme. Y si Dios quiere que yo recupere mi fortuna, podéis estar seguro de que me ocuparé de la vuestra, pues veo que me compadecéis tanto como os preocupáis del verdadero bien de vuestro amo.»

Por supuesto, de todo esto se informaba al rey, y éste ladraba: «¡Ved al traidor!», como si no fuese el deber de un prisionero tratar de despertar la compasión de sus carceleros, o de sobornarlos. Es incluso posible que los sargentos exagerasen un poco las ofertas del rey de Navarra, con el fin de destacar su propio valor. El rey Juan les arrojaba una bolsa de oro en recompensa por su fidelidad. «Esta noche fingiréis que ordené que calienten un poco su cámara, y encenderéis paja y madera húmedas, atascando la chimenea, para que se ahume bien.»

Sí, el pequeño rey de Navarra era un zorrito caído en la trampa. Pero el rey de Francia era como un perrazo furioso que describe círculos alrededor de la jaula, un mastín peludo, el lomo erizado, un perro que aúlla y gruñe y muestra los dientes y raspa el piso sin poder alcanzar la presa a través de los barrotes.

Y esta situación se prolongó hasta el veinte de abril, día en que aparecieron en Les Andelys dos caballeros normandos, escoltados bastante dignamente, y que exhibían en sus pendones las armas de Navarra y de Evreux. Entregaron al rey Juan una carta de Felipe de Navarra; la misiva estaba fechada en Conches. Una carta bastante dura. Felipe se mostraba muy irritado por los agravios y lesiones provocados a su señor y hermano mayor: «A quien habéis encarcelado sin ley, derecho ni razón. Pero sabed que no debéis pensar en su herencia ni en la nuestra, y por eso llevarlo a morir cruelmente, porque jamás obtendréis ni siquiera una pulgada. Desde este momento os desafiamos, a vos y a vuestro poder, y os haremos una guerra mortal, tan grande como podamos.» Si éstas no son exactamente las palabras, en todo caso es el sentido de la carta. La situación estaba definida con absoluta dureza, y era evidente el desafío. Y la carta era todavía más dura porque iba dirigida «a Juan de Valois, que se dice rey de Francia».

Los dos caballeros saludaron y, sin decir más palabras, volvieron grupas y se marcharon por donde habían venido.

Por supuesto, el rey no contestó la carta. Por su tono, no podía acusar recibo. Pero se había declarado la guerra, y uno de sus más grandes vasallos ya no reconocía como soberano legítimo al rey Juan. Lo cual significaba que no tardaría en reconocer al inglés.

Cabía suponer que una ofensa tan grave enfurecería al rey Juan. Sorprendió a todos echándose a reír. Una risa un tanto forzada. Su padre también había reído, y con más ganas, veinte años antes, cuando el obispo Burghersh, canciller de Inglaterra, le había traído el desafío del joven Eduardo III.

El rey Juan ordenó que enviasen inmediatamente la carta al Papa; así, tal como estaba. Después de tantas reformas y rectificaciones, ya no tenía mucho sentido, y no demostraba nada. Al mismo tiempo, ordenó sacar de la fortaleza a su yerno. «Voy a encerrarlo en el Louvre.» Y mientras el delfín remontaba el Sena en la gran barcaza dorada, el propio Juan tomó el camino y al galope fue a París. Donde no hizo nada que importase mucho, mientras el clan Navarra desplegaba una intensa actividad.

¡Ah! No había advertido vuestra presencia, don Francesco. De modo que la habéis encontrado... En el Evangelio... Jesús les respondió... ¿qué? Id a decir a Juan lo que habéis oído y lo que habéis visto. Hablad más alto, Calvo. Con este ruido de cascos... Los ciegos ven, los cojos caminan... Sí, sí, comprendo. San Mateo. *Caeci vident, claudi ambulant, surdi audiunt, mortui resurgunt, et caetera*... Los ciegos ven. No es mucho, pero me bastará. Se trata de un punto de partida para mi homilía. Ya sabéis cómo trabajo.

2

La nación inglesa

Archambaud, os decía hace un momento que el partido navarro se mostraba muy activo. Al día siguiente del banquete de Ruan partieron mensajeros en diferentes direcciones. Ante todo, uno destinado a la tía y la hermana, las señoras Juana y Blanca; el castillo de las reinas comenzó a agitarse como una fábrica de tejidos. Y otro destinado al cuñado, Febo.

Es necesario que os hable de él; es un príncipe muy original, pero de ningún modo despreciable. Y como nuestro Périgord después de todo está menos distante de Béarn que de París, no estaría mal que un día... ya volveremos a hablar de eso. Y después Felipe de Evreux, que había asumido el control de la situación y reemplazaba a su hermano, envió a Navarra la orden de reunir tropas y de enviarlas por mar cuanto antes. Mientras Godofredo de Harcourt organizaba a los hombres de su partido en Normandía. Sobre todo, Felipe envió a Inglaterra a los señores de Morbecque y de Brévand, que habían participado en las negociaciones realizadas antaño, con el encargo de que ahora solicitasen ayuda.

El rey Eduardo los recibió fríamente. «Me agrada que haya lealtad en los acuerdos, y que la conducta responda a lo que la boca dice. Si no hay confianza entre los reyes que se unen, es imposible coronar una empresa. El año pasado abrí mis puertas a los vasallos de mi señor de Navarra; equipé tropas, a las órdenes del duque de Lancaster, que apoyaron a las de Navarra. Habíamos avanzado mucho en la preparación de un tratado que ambos firmaríamos; debíamos concertar una alianza perpetua, y comprometernos a no hacer jamás las paces, ni otorgar treguas ni firmar acuerdos el uno sin el otro. Y de pronto mi señor de Navarra desembarca en Cotentin, acepta tratar con el rey Juan, le jura afecto y le rinde homenaje. Si ahora está encarcelado, si su suegro lo detiene por traición, la culpa no es mía. Y antes de socorrerlo desearía saber si mis parientes de Evreux vienen a mí sólo cuando están en dificultades, para volverse hacia otros apenas los he ayudado a salir del aprieto.»

De todos modos, adoptó medidas; llamó al duque de Lancaster y ordenó iniciar los preparativos de una nueva expedición, al mismo tiempo que impartía instrucciones al príncipe de Gales, que estaba en Burdeos. Y como había sabido por los enviados navarros que Juan II lo incluía en las acusaciones formuladas contra su yerno, dirigió cartas al Santo Padre, al emperador y a diferentes príncipes cristianos en las que negaba toda connivencia con Carlos de Navarra y, por otra parte, criticaba enérgicamente a Juan II por su falta de palabra y sus actos que, «en honor de la caballería», el propio rey inglés hubiera preferido no ver jamás en otro rey.

Redactar su carta al Papa le había llevado menos tiempo que al rey Juan, y tenía otro sesgo, podéis creerlo.

El rey Eduardo y yo no nos apreciamos; él me cree siempre demasiado favorable a los intereses de Francia, y yo lo creo muy poco respetuoso con la primacía de la Iglesia. Cada vez que nos hemos visto, terminamos chocando. Desearía tener un Papa inglés o, mejor aún, ningún Papa. Pero reconozco que para su nación es un príncipe excelente, hábil, prudente cuando es necesario, audaz cuando puede serlo. Inglaterra le debe mucho. Y además, aunque cuenta sólo cuarenta y cuatro años, goza del respeto que rodea a un rey anciano cuando ha sido buen rey. La edad de los soberanos no se mide por la fecha de nacimiento, sino por la duración de su reinado.

En este sentido, el rey Eduardo parece un viejo rey entre todos los príncipes de Occidente. El papa Inocencio es Sumo Pontífice desde hace apenas cuatro años. El emperador Carlos, elegido hace diez años, ha sido coronado hace apenas dos. Juan de Valois acaba de celebrar (en cautividad, lo cual es triste celebración) el sexto aniversario de su consagración. Por su parte, Eduardo III ocupa el trono desde hace veintinueve años, que pronto serán treinta.

Es un hombre alto, de gran prestancia, bastante corpulento. Tiene largos cabellos rubios, la barba sedosa y cuidada, los ojos azules un poco saltones; un auténtico Capeto. Se parece mucho a Felipe el Hermoso, su abuelo, de quien tiene más de una cualidad. Lástima que la sangre de nuestros reyes haya aportado un producto tan excelente a Inglaterra y uno tan lamentable a Francia. Con la edad, parece cada vez más inclinado al silencio, a semejanza de su abuelo. ¡Qué queréis! Hace treinta años que ve a los hombres inclinarse ante él. Por el modo de andar, por la mirada, por el tono, sabe lo que esperan de él, lo que le pedirán, qué ambiciones los animan y cuánto valen para el Estado. Formula con pocas palabras sus órdenes. Como él mismo dice: «Cuantas menos palabras uno pronuncia, menos serán repetidas y menos serán falseadas.»

Sabe que goza de mucha fama en Europa. La batalla de la Esclusa, el sitio de Calais, la victoria de Crécy... Desde hace más de un siglo, es el primero que ha derrotado a Francia, o mejor dicho a su rival francés, pues según dice inició esta guerra sólo para convalidar sus derechos a la corona de san Luis. Pero también para apoderarse de prósperas provincias. No pasa año sin que desembarque tropas en el continente —unas veces en Boulogne, otras en Bretaña—, o sin que ordene, como en estos dos últimos veranos, una incursión a partir del ducado de Guyena.

Antaño encabezaba personalmente a sus ejércitos, y así conquistó una excelente reputación de guerrero. Ahora, ya no acompaña a sus tropas. Las mandan eficaces capitanes que se han formado en diferentes campañas; pero creo que debe su éxito sobre todo al hecho de que mantiene un ejército permanente formado sobre todo por infantería, y que como está siempre disponible en definitiva no cuesta más que esas huestes a las cuales se convoca con grandes gastos, que luego se disuelven y es necesario reconvocar, que jamás se reúnen a tiempo, que utilizan un equipo irregular, y cuyas partes no armonizan cuando es necesario maniobrar en el campo de batalla.

Es muy hermoso decir: «La patria está en peligro. El rey nos llama. ¡Todos deben acudir!» ¿Con qué? ¿Con estacas? Llegará el momento en que todos los reyes imitarán al de Inglaterra, y encomendarán la tarea de la guerra a los hombres del oficio, bien pagados, que van adonde se los manda sin murmurar ni discutir.

A decir verdad, Archambaud, no es necesario que un reino sea muy extenso ni esté muy poblado para que sea poderoso. Es necesario sólo que lo habite un pueblo capaz de demostrar orgullo y realizar esfuerzos, y que esté dirigido mucho tiempo por un jefe inteligente, que sepa proponerle cosas ambiciosas.

En un país que contaba apenas con seis millones de almas, incluida Gales, antes de la gran peste, y con sólo cuatro millones después de la epidemia, Eduardo III ha construido una nación próspera y temida, que habla de igual a igual con Francia y el Imperio. El comercio de las lanas, el tráfico marítimo, la posesión de Irlanda, una inteligente explotación de la fértil Aquitania, el poder real por doquier ejercido y por doquier obedecido, un ejército siempre dispuesto y siempre activo; por todo esto Inglaterra es tan fuerte, y también rica.

El rey mismo posee enormes bienes; dicen que sería imposible calcular su fortuna, pero yo sé muy bien que la calcula, de lo contrario no la tendría. Comenzó hace treinta años, cuando su herencia estaba formada por un Tesoro vacío y deudas en Europa entera. Hoy vienen a pedirle prestado. Reconstruyó Windsor; embelleció Westminster (sí, o Westmoutiers, si queréis; a fuerza de ir allí, he terminado por pronunciar la lengua inglesa, pues cosa curiosa, a medida que insisten en conquistar Francia, incluso en la corte los ingleses hablan cada vez más la lengua sajona y cada vez menos la francesa). En cada una de sus residencias el rey Eduardo acumula maravillas. Compra mucho a los mercaderes lombardos y a los navegantes chipriotas, no sólo especias orientales, sino también toda clase de objetos trabajados que aportan modelos a sus industrias.

A propósito de especias, tendré que hablaros de la pimienta. Es una excelente inversión. La pimienta no se altera; su valor comercial aumenta constantemente estos últimos años, y todo indica que así continuará. Tengo diez mil florines de pimienta en un depósito de Montpellier; acepté esta pimienta como pago de la mitad de la deuda de un comerciante del lugar, un tal Pedro de Rambert, que no podía pagar a sus proveedores de Chipre. Como soy canónigo de Nicosia (sin haber ido jamás allí, lamentablemente sin haber ido jamás, pero esa isla tiene reputación de ser muy bella), pude arreglar el asunto. Pero volvamos a nuestro señor Eduardo.

En su residencia, hablar de la mesa real no es palabra vana, y quien se sienta a ella por primera vez piensa que se le corta el aliento por la profusión de oro que allí se ve. Un ciervo de oro, casi tan grande como uno auténtico, decora el centro. Los cubiertos, los platos, los cuchillos, los saleros, todo es de oro. Los servidores de la cocina traen con cada servicio metal suficiente para acuñar la moneda de un condado entero. «Si por ventura lo necesitáramos, podríamos vender todo esto», dice el rey. Momentos difíciles... ¿qué Tesoro no los afronta? Eduardo siempre obtuvo crédito, porque todos saben que posee grandes riquezas. El propio Eduardo se presenta ante sus súbditos soberbiamente ataviado, cubierto de pieles preciosas y vestidos bordados, reluciente de joyas y calzado con sandalias doradas.

En este despliegue de esplendores no se olvida a Dios. La única capilla de Westminster está atendida por catorce vicarios, a quienes se añaden los del coro y todos los servidores de la sacristía. Para oponerse al Papa, de quien afirma que está sometido a los franceses, multiplica los empleos eclesiásticos y los otorga únicamente a ingleses, sin repartir los beneficios con la Santa Sede, un tema en relación con el cual siempre hemos chocado.

Una vez que ha dado lo suyo a Dios, la familia. Eduardo III tiene diez hijos vivos. El mayor, príncipe de Gales y duque de Aquitania, es quien sabéis; tiene veintiséis años. El más joven, conde de Buckingham, acaba de separarse del seno de su nodriza.

El rey Eduardo entrega mansiones imponentes a todos sus hijos, y concierta buenos matrimonios para sus hijas, con lo cual promueve sus propios planes.

Creo que el rey Eduardo hubiera considerado muy tediosa la vida si la providencia no lo hubiese destinado a la tarea para la cual es más capaz: gobernar. Sí, habría demostrado poco interés en perdurar, en envejecer y ver la aproximación de la muerte si no se hubiese visto obligado a arbitrar las pasiones ajenas y a designar a otros metas que lo ayuden a olvidar. Pues los hombres no creen que la vida sea honrosa y merezca ser vivida si no pueden consagrar sus actos y sus pensamientos a una gran empresa con la cual confundir su propio destino.

Es precisamente lo que le inspiró cuando fundó, en Calais, su Orden de la Jarretera, una orden que próspera y de la cual la Estrella de Juan II no es más que una copia pomposa y en realidad lamentable.

El rey Eduardo responde a esta voluntad de grandeza cuando persigue el proyecto, no confesado pero visible, de una Europa inglesa. No quiero decir que intente poner a Occidente bajo su control directo, ni que quiera conquistar todos los reinos y someterlos a servidumbre. No, pienso más bien en una libre unión de reyes o de gobiernos en la cual él tendría predominio y mando, y con la cual no sólo impondría la paz en el seno de esta entente, sino, lo que es más, ya no necesitaría temer nada del Imperio, aunque no lo incluyese. Tampoco debería nada a la Santa Sede; sospecho que alimenta secretamente esa intención... Ya consiguió separar Flandes de Francia; interviene en los asuntos españoles; despliega antenas hacia el Mediterráneo. ¡Ah!, podéis imaginar que si tuviese Francia haría muchas cosas, y podría mucho sobre esa base. Por lo demás, su idea no es del todo nueva. Su abuelo, el rey Felipe el Hermoso, ya había concebido un plan de paz perpetua destinado a unir Europa.

Eduardo se complace en hablar francés con los franceses, inglés con los ingleses. Puede dirigirse a los flamencos en su propia lengua, lo cual los halaga y ha valido al monarca muchos éxitos con esa gente. Con el resto, habla en latín.

Me diréis: si es un rey tan dotado y capaz, a quien sonríe la fortuna, ¿por qué no concertar un acuerdo con él y apoyar sus pretensiones en Francia? ¿Por qué hacer tanto para mantener en el trono a este inútil arrogante, nacido con tan mala estrella, el hombre que la Providencia nos regaló, sin duda para poner a prueba a este infortunado reino?

Ah, sobrino, es que ese hermoso acuerdo que se concertará entre los reinos de Poniente, sin duda lo deseamos, pero lo deseamos francés; quiero decir, con dirección y preeminencia francesas. Estamos convencidos de que Inglaterra se alejaría muy pronto, si fuese demasiado poderosa, de las leyes de la Iglesia. Francia es el reino designado por Dios. Y el rey Juan no durará eternamente.

Pero, Archambaud, sin duda también comprendéis por qué el rey Eduardo apoya con tanta firmeza a este Carlos el Malo que lo ha engañado muchas veces. Ocurre que la pequeña Navarra y el gran condado de Evreux son peones, no sólo en la disputa de Eduardo con Francia, sino en su juego de unión de reinos, el plan que él rumia constantemente. ¡Por supuesto, es conveniente que los reyes también sueñen un poco!

Poco después de la embajada de los caballeros Morbecque y Brévand, mi señor Felipe de Evreux-Navarra, conde de Longueville, viajó en persona a Inglaterra.

Rubio, alto, de carácter orgulloso, Felipe de Navarra es tan leal como su hermano mezquino; de modo que, por fidelidad a este hermano, acepta, pero con el corazón convencido, todas las villanías. No tiene tanto talento con la palabra como su hermano mayor, pero seduce con la calidez de su alma. Agradó mucho a la reina Felipa, que dijo que se parecía en todo a su esposo cuando éste tenía la misma edad. No es asombroso; son primos muy cercanos.

¡La buena reina Felipa! Ha sido una señorita redonda y rosada que prometía engordar, como les ocurre a menudo a las mujeres del Hainaut. Cumplió su promesa.

El rey la amó mucho; pero con el correr de los años él tuvo otros arrebatos del corazón, escasos pero violentos. Tuvo a la condesa de Salisbury, y ahora tiene a la señora Alice Perrère o Perrières, una dama de la reina. Para calmar su despecho, Felipa come y engorda cada vez más.

¿La reina Isabel? Sí, aún vive; por lo menos, vivía el mes pasado. En Castle Rising, un castillo grande y triste donde su hijo la encerró después de ordenar la ejecución de su amante, lord Mortimer, hace veintiocho años. Si hubiera gozado de libertad, le habría causado excesivas preocupaciones. La Loba de Francia... La visita una vez por año, para Navidad. Ella es quien tiene derecho sobre Francia. Pero también es ella quien provocó la crisis dinástica cuando denunció el adulterio de Margarita de Borgoña, y la que suministró buenos motivos para apartar de la sucesión a los descendientes de Luis el Obstinado. Reconoceréis que es irónico ver, cuarenta años después, al nieto de Margarita de Borgoña y al hijo de Isabel unidos en una alianza. ¡Ah, es suficiente vivir para verlo todo!

Y así tenemos a Eduardo y a Felipe de Navarra, en Windsor, reanudando los trabajos de este tratado interrumpido, cuya primera piedra fue puesta durante las conversaciones de Aviñón. Es un tratado secreto. En los borradores iniciales, los nombres de los príncipes contratantes no figuraban. El rey de Inglaterra aparece como el Mayor y el rey de Navarra como el Menor. ¡Como si esto bastara para disimular, y como si el sesgo de los párrafos no demostrase claramente de quién se trata! Son las precauciones de las cancillerías, que no engañan en absoluto a nadie. Cuando uno quiere que un secreto esté bien guardado, conviene no escribirlo; eso es todo.

El Menor reconocía al Mayor como legítimo rey de Francia. Siempre lo mismo; es el principio y el eje de las cosas; es la clave de la bóveda del acuerdo. El Mayor reconoce al Menor el ducado de Normandía, los condados de Champaña y de Brie, el vizcondado de Chartres y todo el Languedoc, con Tolosa, Béziers y Montpellier. Parece que Eduardo no cedió en lo referente al asunto de Angoumois... Seguramente opina que está demasiado cerca de Guyena. Si este tratado entra en vigor, Dios no lo quiera, no permitiría que Navarra meta cuña entre Aquitania y el Poitou. En compensación, habría concedido Bigorre, algo que a Febo, si está enterado, no debe gustarle demasiado. Como veis, sumando todas estas regiones tenemos un pedazo importante de Francia, un pedazo muy grande. Y es sorprendente que un hombre que pretende reinar sobre una nación entera entregue tanto a un solo vasallo. Pero, por una parte, esta especie de virreinato que Eduardo otorga a Carlos de Navarra responde bien a su idea favorita, la de un nuevo imperio y, por otra, cuanto más extensas son las posesiones del príncipe que lo reconoce como rey, más se ensancha el asiento territorial de su propia legitimidad. En lugar de verse obligado a conquistar las naciones una tras otra, puede afirmar que todas estas provincias lo reconocen simultáneamente.

En cuanto al resto, la división de los gastos de la guerra, el compromiso de abstenerse de pactar treguas por separado, son cláusulas acostumbradas y copiadas del proyecto precedente. Pero la alianza recibe la denominación de «alianza perpetua».

Olvidé relatar que se desarrolló una escena cómica entre Eduardo y Felipe de Navarra, porque éste reclamaba que se incluyese en el tratado el pago de cien mil escudos, jamás entregados, que figuraban en el contrato de matrimonio entre Carlos de Navarra y Juana de Valois.

El rey Eduardo se mostró extrañado.

—¿Por qué debo pagar las deudas del rey Juan?

—Es natural. Lo reemplazáis en el trono; por lo tanto, lo reemplazáis también en el cumplimiento de sus obligaciones.

Al joven Felipe no le falta aplomo. Es necesario tener su edad para atreverse a decir estas cosas.

Eduardo III se echó a reír, pese a que normalmente no lo hace en este género de situaciones.

—Sea. Pero cuando haya sido consagrado en Reims. No antes de la consagración.

Felipe de Navarra regresó a Normandía el tiempo

necesario para pasar al pergamino lo convenido, discutir las condiciones artículo por artículo, pasar notas de una orilla a otra de la Mancha («El Mayor... el Menor»). Eso sumado a los problemas de la guerra determinó que el tratado, siempre secreto, siempre conocido, por lo menos por quienes tenían interés en conocerlo, fuese firmado sólo a principios de septiembre, en el castillo de Clarendon, hace apenas tres meses, poco antes de la batalla de Poitiers. ¿Firmado por quiénes? Por Felipe de Navarra, que con ese propósito realizó otro viaje a Inglaterra.

Archambaud, ahora comprendéis por qué el delfín, que como os dije antes se había opuesto vigorosamente al arresto del rey de Navarra, lo mantiene obstinadamente en prisión, en momentos en que, dado su carácter de gobernante del reino, muy bien podría liberarlo, como lo inducen a hacer muchas personas. Mientras el tratado ostente una sola firma, la de Felipe de Navarra, se lo puede considerar nulo. En cuanto Carlos lo ratifique, todo cambiará.

A estas horas el rey de Navarra, prisionero en Picardía del rey de Francia, aún no sabe (seguramente es el único mantenido en la ignorancia), no sabe que han reconocido como rey de Francia al de Inglaterra, aunque es un reconocimiento sin valor porque no puede firmarlo.

Y todo esto constituye una hermosa trama de embrollos, en la que ni siquiera una gata reconocería sus gatitos. ¡Y ahora trataremos de desatar los nudos en Metz! Estoy seguro de que dentro de cuarenta años nadie entenderá absolutamente nada de este asunto. Quizás excepto vos, o vuestro hijo, porque habéis oído mi relato.

3

El Papa y el mundo

¿No os había dicho que tendríamos noticias en Sens? Y buenas noticias. El delfín dejó allí a sus Estados Generales inquietos y estrepitosos, esa asamblea en la cual Marcel reclama la destitución del Gran Consejo, y el obispo Le Coq, al mismo tiempo que ruega por la liberación de Carlos el Malo, olvida su propio discurso y empieza a hablar de deponer al rey Juan... Sí, sí, sobrino mío, a eso hemos llegado; fue necesario que la persona que estaba al lado del obispo le aplastase el pie para que reaccionara y dijese que los Estados Generales no podían deponer a un rey, pero que el Papa, a petición de los Tres Estados... Bien, el delfín adoptó una decisión y ayer lunes partió también para Metz. Con dos mil jinetes. Alegó que los mensajes recibidos del emperador lo obligaban a acudir a su dieta, por el bien del reino. Sí... y sobre todo mi mensaje. Me escuchó. Así, los Estados Generales están suspendidos en el vacío, y se dispersarán sin haber podido llegar a ninguna conclusión. Si la ciudad se mostrase demasiado turbulenta, él podría llegar con sus tropas. La mantiene amenazada...

Otra buena noticia: el Capocci no viene a Metz. Rehúsa encontrarse conmigo. Feliz rechazo. Adopta una postura contraria a la del Santo Padre y yo me desembarazo de él. Envío al arzobispo de Sens a escoltar al delfín, que acompaña ya al arzobispo-canciller, Pedro de La Foret; de modo que habrá dos hombres sensatos que lo aconsejarán. Por mi parte, tengo a doce prelados en mi séquito. Es suficiente. Ningún legado tuvo tantos jamás. Y nada de Capocci. Realmente, no entiendo por qué el Santo Padre se obstina en la idea de agregarme a este hombre, y rehúsa llamarlo. En primer lugar, sin él, yo habría partido antes... de veras, fue una primavera perdida.

Desde que conocimos el asunto de Ruan, recibimos en Aviñón las cartas del rey Juan y el rey Eduardo, y supimos después que el duque de Lancaster equipaba una nueva expedición, mientras que la hueste de Francia había sido convocada para el uno de junio, adiviné que todo tomaba mal sesgo. Dije al Santo Padre que era necesario enviar un legado, y él aceptó mi propuesta. El Santo Padre gemía al contemplar el estado de la cristiandad. Yo estaba dispuesto a partir esa misma semana. Se necesitaron tres semanas para redactar las instrucciones. Yo le decía: «Pero ¿qué instrucciones, *sanctissimus Pater*? No hay más que copiar las que habéis recibido de vuestro predecesor, el venerado Clemente VI, para una misión muy parecida, hace diez años. Eran excelentes. Mis instrucciones consisten en hacer todo lo posible para impedir la reanudación general de la guerra.»

Quizás en el fondo de sí mismo, sin tener conciencia de ello, pues ciertamente es incapaz de un pensamiento malintencionado, no deseaba muy intensamente que yo triunfase donde él había fracasado otrora, antes de Crécy. Por lo demás, lo confesó. «Eduardo III me desairó perversamente, y temo que os ocurra lo mismo. Eduardo III es un hombre muy decidido; no es fácil desviarlo de su meta. Además, cree que todos los cardenales franceses han tomado partido contra él. Enviaré con vos a vuestro *venerabilis frater* Capocci.» Ésa fue su idea.

¡*Venerabilis frater*! Cada Papa debe cometer por lo menos un error durante su pontificado, porque de lo contrario sería el buen Dios en persona. Pues bien, el error de Clemente VI es haber dado el capelo a Capocci.

«Y además —me dijo Inocencio—, si alguno de vosotros llegase a enfermar... Nuestro Señor no lo quiera... el otro podría continuar la misión.» Como siempre se siente enfermo, nuestro pobre Santo Padre quiere que todos también estén en esa situación, y así se muestra dispuesto a otorgar la extremaunción apenas uno estornuda. Archambaud, ¿me habías visto enfermo desde que iniciamos nuestro viaje? Pero a este Capocci el traqueteo del camino le destroza los riñones; tiene que detenerse cada dos leguas para orinar. Un día sufre de fiebre, otro tiene flujo del vientre. Quería conseguir los servicios de un médico, el maestro Vigier, que como sabéis no está abrumado de trabajo, o por lo menos no lo está por mí. Para mí, es buen médico el hombre que todas las mañanas me palpa, me ausculta, me mira el ojo y la lengua, examina mi orina, no me impone excesivas privaciones ni me sangra más de una vez por mes, y que me mantiene con buena salud... Y después, ¿los preparativos de Capocci? Es de la clase de personas que intrigan e insisten para que se les encargue una misión, y apenas la obtuvieron formulan nuevas exigencias. Un secretario papal no era suficiente, necesitaba dos. Cabe preguntar con qué propósito, pues todas las cartas destinadas a la Curia, antes de separarnos, yo las dictaba y las corregía. En definitiva, todo esto determinó que partiésemos al tiempo del solsticio, el veintiuno de junio. Demasiado tarde. Es imposible impedir la guerra cuando los ejércitos comenzaron a marchar. Se los detiene en la cabeza de los reyes, cuando la decisión aún vacila. Os lo repito, Archambaud, una primavera perdida.

La víspera de la partida, el Santo Padre me recibió a solas. Tal vez se arrepentía un poco de haberme castigado con este inútil compañero. Fui a verlo a Villeneuve, donde reside, pues se niega a vivir en el gran palacio construido por sus predecesores. Para su gusto es excesivamente lujoso, hay demasiada pompa, un personal muy numeroso, e Inocencio ha querido satisfacer al pueblo, que reprocha al papado una vida excesivamente fastuosa. ¡La opinión pública! Unos cuantos escribas, para quienes el mundo se resume en un escrito, algunos predicadores enviados por el diablo a la Iglesia con el fin de provocar la discordia. Con éstos bastaría una buena excomunión, una medida severa; con aquéllos una prebenda, o un beneficio, acompañados de ciertas honras, pues la envidia es a menudo la razón de sus protestas; lo que quieren corregir, en el mundo, es el lugar demasiado estrecho que, a sus propios ojos, ellos mismos tienen. Ved el caso de Petrarca, de quien me habéis oído hablar, el otro día, con Monseñor de Auxerre. Es un hombre de mal carácter, pero de saber y valor considerables, hay que reconocerlo, y a quien se escucha mucho de ambos lados de los Alpes. Era amigo de Dante Alighieri, que lo llevó a Aviñón, y ha cumplido muchas misiones entre los príncipes. Este hombre ha escrito que Aviñón era la cloaca de las cloacas, que allí prosperaban todos los vicios, que los aventureros hacían su agosto, que acudían a comprar a los cardenales, que el Papa vendía las diócesis y las abadías, que los prelados tenían amantes y sus amantes tenían rufianes... en fin, la nueva Babilonia.

Acerca de mi propia persona, dijo cosas muy perversas. Como es persona a quien había que tener en cuenta, lo he visto y escuchado, y eso le valió considerables satisfacciones; resolví alguno de sus asuntos (decían que se entregaba a las artes negras, la magia y otras cosas), ordené que le otorgasen algunos beneficios de los cuales se le había privado; mantuve correspondencia con él y le pedí que me copiase en cada una de sus cartas algunos versos o frases de los grandes poetas antiguos, un tema que él domina muy bien, para agregar a mis sermones, pues en ese punto ciertamente no destaco, tengo un estilo de legista; e incluso le propuse para el cargo de secretario papal, y sólo de él dependía que la cosa llegase a buen fin. Pues bien, ahora no habla tan mal de la corte de Aviñón, y de mí dice maravillas. Soy un astro en el cielo de la Iglesia y un poder detrás del trono papal; igualo o sobrepaso en saber a todos los juristas contemporáneos; la naturaleza me bendijo y el estudio me refinó, y cabe reconocer en mí esa capacidad para abarcar todas las cosas del universo, la cualidad que Julio César atribuía a Plinio el Viejo. Sí, sobrino, ¡nada menos que eso! A decir verdad, no he empobrecido mi casa ni reducido el número de domésticos, lo que antes provocaban sus diatribas. Mi amigo Petrarca ha regresado a Italia. Hay algo en su carácter que le impide afincarse en un lugar, lo que también le sucedía a su amigo Dante, a quien imita en muchas cosas. Se ha inventado un amor desmedido por cierta dama que jamás fue su amante, y que ha muerto. Por ese lado, muestra cierta tendencia a lo sublime. Quiero mucho a este hombre perverso. Me hace falta. Si hubiese permanecido en Aviñón, seguramente ahora estaría sentado en vuestro lugar, pues lo habría incorporado a mi séquito...

Pero ¿obedecer a la supuesta opinión pública, como nuestro buen Inocencio? Es demostrar debilidad conferir poder a la crítica y descontentar a muchos que os apoyaban sin obtener a cambio el apoyo de ningún descontento.

De modo que, para ofrecer una imagen de humildad, nuestro Santo Padre fue a alojarse en su palacete cardenalicio, en Villeneuve, del otro lado del Ródano. Pero incluso con un personal reducido, la casa es demasiado pequeña. Entonces, fue necesario ampliarla para albergar al personal indispensable. La secretaría funciona mal por falta de espacio; los empleados cambian constantemente de habitación de acuerdo a los trabajos que deben ejecutar; las bulas se escriben en lugares cubiertos de polvo. Y como muchas oficinas permanecieron en Aviñón, es necesario atravesar constantemente el río, soportando el viento intenso que a menudo sopla, y que en invierno nos hiela hasta los huesos. Todos los asuntos se retrasan... Además, como fue elegido en lugar de Juan Birel, el general de los cartujos, que gozaba de una reputación de santidad perfecta, me pregunto si, después de todo, acerté al rechazarlo; no hubiera sido una elección peor que ésta... Nuestro Santo Padre hizo votos de fundar un monasterio. Están construyéndolo ahora entre la residencia pontificia y una nueva estructura defensiva, el fuerte Saint-André, también en construcción, aunque allí son los funcionarios del rey quienes se ocupan de los trabajos. De modo que por el momento dirige a la cristiandad en medio de andamios y obras inconclusas.

El Santo Padre me recibió en su capilla, de la cual nunca sale, un pequeño ábside pentagonal anexo a la gran cámara de audiencias... porque quiera o no necesita una sala de audiencias; eso parece entenderlo bastante bien. Es un lugar que ha sido decorado por un imaginero venido de Viterbo, Matteo Giova-no-sé-cuántos, Giovanotto, Giovanelli, Giovanetti... Azul claro; más convendría a un convento de monjas; no me agrada; no hay bastante rojo ni bastante dorado; los colores vivos no cuestan más que los otros. ¡Y el ruido! Sobrino, se diría que es el lugar más sereno de todo el palacio, y por eso el Santo Padre se refugia allí. Las sierras cortan la piedra, los martillos golpean, las palancas crujen, las carretas ruedan, los obreros discuten y pelean... Tratar asuntos graves con ese estrépito es un purgatorio. ¡Es natural que al Santo Padre le duela la cabeza! «Ya lo veis, mi venerable hermano —me dice—, gasto mucho dinero y me tomo muchas molestias para construir alrededor de mí la apariencia de la pobreza. Y por otra parte, necesito mantener el gran palacio que está enfrente. No puedo permitir que se derrumbe.» En verdad, Aubert me conmueve cuando se burla de sí mismo, con tristeza, y para complacerme parece reconocer sus errores.

Estaba sentado en un feo sillón, que yo no hubiese querido ni siquiera en mi primer obispado; como de costumbre, se mantuvo encorvado a lo largo de la conversación. Una gran nariz, ganchuda, como prolongación de la frente, la nariz de aletas anchas, las grandes cejas muy enarcadas, las orejas grandes cuyos lóbulos asoman bajo el bonete blanco, las comisuras de la boca curvadas y la barba ondulada. Tiene un cuerpo grande, y uno se asombra de que su salud sea tan frágil. Un escultor trabaja para fijar su imagen, destinada al sarcófago. Es que no quiere una estatua de pie: ostentación... Pero de todos modos acepta que hará falta una imagen en su tumba. Ese día necesitaba quejarse. Continuó diciendo: «Hermano mío, cada Papa debe vivir a su manera la pasión de Nuestro Señor Jesucristo. La mía consiste en el fracaso de todas mis empresas. Desde que la voluntad de Dios me elevó a la cima de la Iglesia, siento que vivo con las manos atadas. ¿Qué realicé, qué logré durante estos tres años y medio?»

Ciertamente, fue la voluntad de Dios; pero reconozcamos que decidió expresarse hasta cierto punto a través de mi modesta persona. Y eso me permite tomarme ciertas libertades con el Santo Padre. Sin embargo, hay cosas que no puedo decirle. Por ejemplo, no puedo decirle que los hombres que ejercen una autoridad suprema no deben tratar de modificar demasiado el mundo para justificar su elevación. En los grandes humildes hay una forma astuta de orgullo que es a menudo la causa de sus fracasos.

Conozco bien los proyectos del papa Inocencio, sus elevadas iniciativas. Son tres y están relacionadas entre sí. La más ambiciosa: reunir a las Iglesias latina y griega, por supuesto bajo la autoridad de la católica; recomponer la unidad de Oriente y Occidente, la unidad del mundo cristiano. Es el sueño de todos los Papas desde hace mil años. Y con Clemente VI yo había impulsado mucho las cosas, que alcanzaron su nivel más elevado; en todo caso, era una situación mejor que la actual. Inocencio tomó por su cuenta el proyecto y lo hizo como si se le acabara de ocurrir la idea, nacida de una enunciación del Espíritu Santo. No discutamos eso.

Para llegar a eso, la segunda iniciativa, previa a la primera: reinstalar el papado en Roma, porque la autoridad del Papa sobre los cristianos de Oriente podría ser aceptada solamente si se la manifiesta desde el trono de san Pedro. Constantinopla, ahora muy decaída, podría sin deshonra inclinarse ante Roma, pero no ante Aviñón. Como sabéis, mi opinión en eso es completamente distinta. El razonamiento sería muy justo, con la condición de que el propio Papa no demostrase que en Roma es todavía más débil que en Provenza.

Ahora bien, para regresar a Roma ante todo era necesario, tras el proyecto, reconciliarse con el emperador. Se dio prioridad a esta iniciativa. Veamos por lo tanto en qué punto está la realización de tan hermosos proyectos... Hubo prisa, contra mi consejo, por coronar al emperador Carlos, elegido hacía ocho años, y sobre quien ejercíamos cierta influencia mientras mantuviésemos suspendida la ceremonia de su consagración. Ahora, ya nada podemos con él. Nos lo agradeció con su Bula de Oro, y tuvimos que tragarla. Perdimos nuestra autoridad no sólo sobre la elección del Imperio, sino incluso sobre las finanzas de la Iglesia de éste. No se trata de una reconciliación sino de una capitulación. Después, el emperador generosamente nos dejó las manos libres en Italia, es decir, nos hizo la gracia de permitir que las metiéramos en un nido de avispas. El Santo Padre envió a Italia al cardenal Álvarez de Albornoz que es más capitán que cardenal, para preparar el retorno a Roma. Albornoz ha comenzado uniéndose a Cola di Rienzi, que en una época dominó Roma. Nacido en una taberna del Trastevere, este tal Rienzi era uno de esos hombres del pueblo con rostro de César, de ésos que de tanto en tanto aparecen allí y cautivan a los romanos recordándoles que sus antepasados fueron dueños del universo entero. Por otra parte, pasaba por hijo del emperador, pues decíase bastardo de Enrique VII de Luxemburgo; pero era el único que aceptaba su propia versión. Había elegido el título de tribuno, vestía toga púrpura y se había instalado en el Capitolio, entre las ruinas del templo de Júpiter. Mi amigo Petrarca lo describió como el restaurador de las antiguas grandezas de Italia. Podía ser un peón en nuestro tablero, pero había que usarlo con criterio, no convertirlo en el eje de todo nuestro juego. Fue asesinado hace dos años por los Colonna, porque Albornoz tardó en auxiliarlo. Ahora, hay que rehacerlo todo, y jamás estuvimos tan lejos de volver a Roma, donde la anarquía es peor que antaño; debemos soñar siempre con Roma, para no regresar jamás. En cuanto a Constantinopla... ¡Oh! En palabras hemos progresado mucho. El emperador Paleólogo está dispuesto a reconocernos; ha asumido un compromiso solemne; llegaría al extremo de arrodillarse ante nosotros si pudiera salir de su estrecho imperio. Impone una sola condición: que le enviemos un ejército para librarse de sus enemigos. En la situación en que ahora está aceptaría reconocer a un cura de campaña, a cambio de quinientos caballeros y mil infantes.

¿También vos os asombráis? Si la unidad de los cristianos, si la reunión de las Iglesias sólo de esto depende, ¿no podemos despachar al mar griego ese pequeño ejército? Pues no, mi buen Archambaud, no podemos. Porque no tenemos con qué equiparlo ni con qué pagarlo. Porque nuestra hermosa política ha producido sus efectos; porque para desarmar a nuestros detractores hemos decidido reformarnos y retornar a la pureza de los orígenes de la Iglesia. ¿Qué orígenes? ¡Ha de ser muy audaz quien afirme que los conoce realmente! ¿Qué pureza? ¡Tan pronto hubo doce apóstoles, entre ellos se contaba un traidor!

Y comenzamos a suprimir las mandas y los beneficios que no armonizan con la salvación de las almas («un pastor, no un mercenario debe cuidar de las ovejas»), y ordenamos que se alejen de los divinos misterios a quienes amasan riquezas («seamos como los pobres»), y prohibamos todos los tributos que vienen de las prostitutas y los juegos de dados (sí, hemos llegado a esos detalles). Ah, los juegos de dados fomentan la blasfemia; nada de dinero impuro; no nos ensuciemos con el pecado, y así éste, que ahora es más barato, crece y se multiplica.

El resultado de todas estas reformas es que las cajas están vacías, pues el dinero puro se desliza formando muy pequeños arroyuelos; los descontentos se han multiplicado, y siempre hay iluminados que predican que el Papa es hereje.

«Mi venerable hermano, decid todo lo que pensáis; no me ocultéis nada, aunque tengáis reproches que formularme.»

¿Puedo decirle que si leyera con un poco más de atención lo que el Creador escribe para nosotros en el cielo vería que los astros forman conjunciones negativas y lamentables cuadrángulos sobre casi todos los tronos, incluso el suyo, sobre el cual está sentado precisamente porque la configuración es nefasta, pues si fuera buena sin duda sería yo quien lo ocupase? ¿Puedo decirle que cuando uno se encuentra en tan lamentable situación cósmica, no es momento de intentar la renovación total de la casa, sino la ocasión de mantenerla lo mejor posible, tal como nos fue legada, y que no basta llegar de la aldea de Pompadour en Limousin, con aires de campesino sencillo, para ser escuchado por los reyes y reparar las injusticias del mundo? La desgracia de nuestro tiempo quiere que los más grandes tronos estén ocupados por hombres que no poseen la grandeza exigida por el cargo. ¡Ah, los sucesores no tendrán tarea fácil!

Ese día, la víspera de la partida, el Santo Padre agregó: «¿Seré por lo tanto el Papa que hubiera podido concertar la unidad de los cristianos y que fracasó? Oí decir que el rey de Inglaterra reúne en Southampton cincuenta barcos para pasar cerca de cuatrocientos caballeros y arqueros y más de mil caballos destinados al continente.» Por supuesto, lo sabe; yo ordené que le informaran de ello. «Es la mitad de lo que yo necesitaría para satisfacer al emperador Paleólogo. No podríais, con la ayuda de nuestro hermano el cardenal Capocci, a quien como bien sé no apreciáis mucho, y a quien no amo tanto como a vos... —Almíbar, almíbar para adormecerme— pero que no es visto con malos ojos por el rey Eduardo, no podríais convencer a este monarca de modo que, en lugar de utilizar esta expedición contra Francia... Sí, ya veo lo que pensáis. También el rey Juan ha convocado a su hueste; pero él se muestra accesible a los sentimientos del honor caballeresco y cristiano. Tenéis poder sobre él. Si los dos reyes renunciaran a combatirse para despachar ambos parte de sus fuerzas hacia Constantinopla, de modo que ésta pudiese unirse con la única Iglesia, ¿cuánta gloria no conquistarían por ello? Mi venerable hermano, tratad de que así lo entiendan; demostradles que en lugar de ensangrentar sus reinos y de acrecentar los sufrimientos de sus pueblos cristianos, serán dignos piadosos y santos.»

Respondí:

—Muy Santo Padre, lo que deseáis sería la cosa más fácil del mundo si se cumplen dos condiciones: en el caso del rey Eduardo, que se le reconozca como rey de Francia y se lo consagre en Reims; en el caso del rey Juan, que el rey Eduardo renuncie a sus pretensiones y le rinda homenaje. Cumplidas esas dos cosas, no hay más obstáculos.

—Hermano mío; os burláis; no tenéis fe.

—Tengo fe, Santo Padre, pero no me creo capaz de iluminar la noche con el sol. Dicho esto, creo con toda mi fe que si Dios quiere un milagro, podrá obtenerlo sin nuestra ayuda.

Permanecimos un momento sin hablar, porque en un patio vecino descargaban una carreta de canto rodado, y un equipo de carpinteros había comenzado a disputar con los carreteros. El Papa inclinó su gran nariz, sus grandes aletas nasales, su gran barba. Finalmente dijo: «Por lo menos, tratad de que firmen una nueva tregua. Decidles que les prohíbo reanudar las hostilidades. Si un prelado o un clérigo se opone a vuestros esfuerzos pacíficos, lo privaréis de todos sus beneficios eclesiásticos. Y recordad que si los dos reyes persisten en su intención de hacer la guerra, podréis llegar a la excomunión; todo esto está escrito en vuestras instrucciones. La excomunión y la interdicción.»

Después de este recordatorio de mis poderes, mucho necesitaba la bendición que me dio. En efecto, ¿creéis, Archambaud, en el estado en que se encuentra Europa, que puedo excomulgar a los reyes de Francia y de Inglaterra? Eduardo se apresuraría a liberar a su Iglesia de toda obediencia a la Santa Sede, y Juan enviaría a su condestable para sitiar Aviñón. ¿Y qué creéis que haría Inocencio? Os lo diré. Me destrozaría, y suspendería las excomuniones. Todo eso no eran más que palabras.

A la mañana siguiente partimos.

Tres días antes, el dieciocho de julio, las tropas del duque de Lancaster habían desembarcado en La Haya.

CUARTA PARTE

EL VERANO DE LOS DESASTRES

1

La incursión normanda

No es posible que la desgracia sea permanente. Ah, Archambaud, ya habéis observado que se trata de una de mis frases favoritas... Pues bien, cuando soportamos derrotas y dificultades, cuando el desastre nos agobia, siempre viene a gratificarnos y reconfortarnos un súbito golpe de suerte. Sólo necesitamos saber apreciarlo. Dios espera únicamente nuestra gratitud para probar su verdadera mansedumbre.

Sabéis que después de este verano calamitoso para Francia, y muy decepcionante, lo confieso, para mi embajada, el tiempo nos favorece, este hermoso tiempo que preside nuestro viaje. En verdad, es una señal favorable del cielo.

Después de las lluvias que soportamos en Berry, temía encontrar la intemperie, la borrasca y el frío a medida que avanzamos hacia el norte. Por eso pensaba refugiarme en mi litera, envolverme en pieles y mantenerme con vino caliente. Pero ocurre todo lo contrario; el aire se ha suavizado, el sol brilla y este diciembre es como una primavera. Esto ocurre a veces en Provenza; pero yo no esperaba tanta luz como la que ahora ilumina la campiña; esta tibieza que hace sudar a los caballos y que nos recibe apenas hemos entrado en Champaña.

Os aseguro que casi hacía menos calor el día que llegué a Breteuil, en Normandía, a principios de julio, para ver al rey.

Pues habiendo partido de Aviñón el veintiuno de junio, ya estábamos allí a doce de julio... Bien, ya lo recordáis; ya os lo dije... y el Capocci estaba enfermo, en efecto, por los trajines a los cuales yo lo había obligado.

¿Qué hacía en Breteuil el rey Juan? El sitio, el sitio del castillo, al cabo de una corta incursión normanda de la cual lo menos que puede decirse es que no representó un gran triunfo para él.

El duque de Lancaster desembarcó en Cotentin el dieciocho de junio. Recordad las fechas; en este caso son importantes... ¿Los astros? Ah, no, no he estudiado especialmente los astros correspondientes a ese día. Lo que deseaba decir es que en la guerra el tiempo y la rapidez cuentan tanto como el número de tropas, y a veces más.

Tres días después se reúne en la abadía de Montebourg con los destacamentos del continente, el que Roberto Knolles, un buen capitán, trae de Bretaña, y el que reunió Felipe de Navarra. ¿Qué tienen estos tres hombres? Felipe de Navarra y Godofredo de Harcourt no traen más de un centenar de caballeros. Knolles aporta el contingente más nutrido: trescientos hombres de armas, quinientos arqueros, por otra parte no todos ingleses; hay bretones que vienen con Juan de Montfort, pretendiente al ducado, contra el conde de Blois, que es hombre de los Valois. Por su parte, Lancaster tiene apenas ciento cincuenta caballeros y doscientos arqueros; pero dispone de un importante contingente de caballos.

Cuando el rey Juan II supo el número de hombres de la fuerza enemiga, rió tanto que se le sacudió el cuerpo entero, del vientre a los cabellos. ¿Pensaban asustarlo con tan lamentable ejército? Si eso era todo lo que su primo de Inglaterra podía reunir, no había motivo para inquietarse mucho. «Ya lo veis, Carlos, hijo mío; ya veis, Audrehem, que no era peligroso encarcelar a mi yerno; sí, tenía razón cuando me burlaba de los desafíos de estos pequeños Navarra, pues ahora sólo han podido obtener muy medrados aliados.»

Y se envanecía porque, desde principios de mes, había convocado a la hueste en Chartres. «Me mostré previsor, ¿no creéis, Audrehem? ¿Qué decís, Carlos, hijo mío? Ya veis que bastaba convocar a los primeros reclutas, y no a la totalidad de los hombres. Que estos buenos ingleses corran y se metan en el país. Caeremos sobre ellos y los arrojaremos a la boca del Sena.»

Según me dicen, pocas veces se le había visto tan feliz, y creo en lo que me dijeron. Pues este vencido perpetuo gusta de la guerra, por lo menos en sueños. Iniciar la marcha, impartir órdenes montado a caballo, ser obedecido... pues en la guerra la gente obedece... por lo menos al comienzo; dejar a cargo de Nicolás Braque, de Lorris, de Bucy y del resto los problemas financieros o de gobierno; vivir entre hombres, sin mujeres alrededor; marchar, marchar sin descanso; comer sin desmontar, a grandes bocados, o bien al costado de camino, bajo un árbol ya cargado de pequeños frutos verdes; recibir los informes de los exploradores; pronunciar palabras grandiosas que todos repetirán: «Si el enemigo tiene sed, beberá su sangre»; apoyar la mano sobre el hombro de un caballero que enrojece de felicidad: «¡Nunca te fatigas, Boucicaut, tu excelente espada se mueve inquieta, noble Coucy!»

Y sin embargo, ¿ha conquistado una sola victoria? Jamás. A los veintidós años, designado por su padre jefe de campaña en Hainaut... ¡Ah, qué hermoso título: jefe de campaña! Pues bien, consiguió que los ingleses lo castigasen duramente. A los veinticinco años, con un título aún más hermoso, casi se diría que los inventa, señor de la conquista, costó muy caro a las poblaciones del Languedoc y, después de cuatro meses de sitio, no consiguió apoderarse de Aiguillon, en la confluencia del Lot y el Garona. Pero quien lo oye creerá que todos sus combates fueron proezas, por lamentable que haya sido el desenlace. Jamás un hombre ha adquirido tanta experiencia en la derrota.

Esta vez consiguió prolongar su placer.

Mientras él marchaba a Saint-Denis para enarbolar la oriflama y, sin prisas, se trasladaba a Chartres, el duque de Lancaster pasaba al sur de Caen, cruzaba el Dives e iba a dormir en Lisieux. El recuerdo de la incursión de Eduardo III, diez años antes, y sobre todo del saqueo de Caen, no se había borrado. Centenares de burgueses muertos en las calles, cuarenta mil piezas de lienzo confiscadas, todos los objetos preciosos llevados del otro lado de la Mancha y el incendio de la ciudad evitado por poco. En efecto, la población normanda no había olvidado, y ahora se apresuraba a dar paso a los arqueros ingleses. Sobre todo porque Felipe de Evreux-Navarra y el señor Godofredo de Harcourt decían a todos que estos ingleses eran amigos. La mantequilla, la leche y los quesos abundaban, y la sidra burbujeaba; en esos fértiles prados, los caballos no carecían de forraje. Después de todo, alimentar una noche a mil ingleses costaba menos que pagar al rey, el año entero, su tasa, el gravamen por la casa y el impuesto de ocho denarios por cada libra de mercancía.

En Chartres, Juan II comprobó que su hueste era menos numerosa y estaba menos preparada de lo que él había creído. Contaba con un ejército de cuarenta mil hombres. Apenas se había reunido un tercio. Pero ¿no era suficiente, no era incluso demasiado en vista del adversario al que debía afrontar? «Eh, no pagaré a los que no se presentaron; mejor para mí. Pero quiero que se les advierta.»

En el tiempo que necesitó para instalarse en su tienda flordelisada y de enviar reprimendas («cuando el rey quiere, el caballero debe») por su parte, el duque de Lancaster estaba en Pont-Audemer, un feudo del rey de Navarra. Liberó el castillo, sitiado vanamente desde hacía varias semanas por una partida francesa, y reforzó un tanto la guarnición navarra, a la cual dejó provisiones para un año; después, enfiló hacia el sur y fue a saquear la abadía de Bec-Hellouin.

En el tiempo que el condestable, el duque de Atenas, necesitó para imponer un poco de orden en la mesnada de Chartres (pues los que se habían presentado esperaban desde hacía tres semanas y comenzaban a impacientarse) y, sobre todo, en el tiempo necesario para suavizar la discordia entre los dos mariscales, Audrehem y Juan de Clermont, que se odiaban sinceramente, Lancaster ya estaba bajo los muros del castillo de Conches, de donde desalojó a quienes lo ocupaban en nombre del rey. Después, lo incendió. De modo que los recuerdos de Roberto de Artois, y los más recientes de Carlos el Malo, se convirtieron en humo. Ese castillo no está marcado por la felicidad. Luego, Lancaster se dirigió hacia Breteuil. Excepto Evreux, todos los lugares que el rey había querido ocupar porque pertenecían al feudo de su yerno fueron retomados uno tras otro.

«Aplastaremos en Breteuil a estos malvados», dijo envalentonado Juan II cuando su ejército al fin pudo marchar. De Chartres a Breteuil hay diecisiete leguas. El rey quiso que las recorrieran en una sola etapa. Parece que, a partir de mediodía, el ejército francés comenzó a perder rezagados. Cuando los hombres llegaron, malhumorados, a Breteuil, Lancaster ya no estaba allí. Había tomado la ciudadela, aprisionado a la guarnición francesa e instalado en su lugar una tropa sólida mandada por un buen jefe navarro, Sancho López, a quien también dejó vituallas para un año.

Rápido para consolarse, el rey Juan exclamó: «Los destrozaremos en Verneuil, ¿no es así, hijo mío?» El delfín no se atrevió a decir lo que me confió después, a saber, que le parecía absurdo perseguir a mil hombres con casi quince mil. No deseaba parecer menos entusiasta que sus hermanos menores, que imitaban a su padre y fingían mucho ardor combativo, incluido el más joven, Felipe, que tiene apenas catorce años.

Verneuil, a orillas del Avre, es una de las puertas de

Normandía. La expedición inglesa había pasado por ahí la víspera, como un torrente desbordado. Los habitantes vieron llegar al ejército francés como un río crecido.

El señor de Lancaster sabía lo que lo amenazaba, y se cuidó mucho de avanzar hacia París. Con el gran botín que había recogido en el camino, y un buen número de prisioneros, retomó prudentemente el camino del oeste. «Hacia Laigle, hacia Laigle, fueron a Laigle», indicaron los villanos. Cuando oyó esto, el rey Juan creyó que Dios lo favorecía. Ya veréis por qué. Ah, habéis comprendido... A causa de La Trucha que Huye, el asesinato de Carlos de España. El rey se dirigió al lugar donde se había perpetrado el crimen para ejecutar el castigo. No permitió que su ejército durmiese más de cuatro horas. En Laigle encontraría a los ingleses y los navarros, y al fin llegaría la hora de su venganza.

De modo que el nueve de julio, detenido frente al umbral de La Trucha que Huye, le costó un poco doblar la rodilla enfundada en hierro. ¡Extraño espectáculo para el ejército, un rey rezando y llorando a la puerta de un albergue! Veía al fin las lanzas de Lancaster, a dos leguas de Laigle, en el límite del bosque de Tuboeuf. Todo esto, sobrino, acababa de ocurrir cuando me lo contaron, tres días después.

—Asegurad los yelmos, formad en orden batalla —gritó el rey.

Y entonces, por esta vez de acuerdo, el condestable y los dos mariscales se opusieron.

—Señor —declaró bruscamente Audrehem—, me habréis visto siempre dispuesto a serviros.

—Y a mí también —dijo Clermont—. Pero sería una locura entrar ahora mismo en batalla. No es posible exigir un solo paso más a las tropas. Hace cuatro días que no les dais respiro, y hoy mismo nos habéis obligado a marchar con más prisa que nunca. Los hombres no tienen aliento, miradlos; los arqueros tienen los pies ensangrentados, y si no pudiesen apoyarse en la pica caerían al suelo.

—¡Ah! ¡Siempre la misma gentuza que demora la marcha! —exclamó irritado Juan II.

—Los que cabalgan no están mejor —replicó Audrehem—. Muchas monturas están llagadas a causa de la carga que llevan, y otras cojean, y no ha sido posible reparar las herraduras. Los hombres de armadura, con semejante marcha, en vista del calor que hizo, tienen el culo sangrante. No esperéis nada de vuestra tropa mientras no haya descansado.

—Además, señor —insistió Clermont—, ved en qué territorio atacaremos. Frente a nosotros hay un bosque denso, y allí se ha retirado el señor de Lancaster. Le será fácil retirar a sus hombres y, en cambio, nuestros arqueros dispararán a la maleza y nuestras lanzas cargarán contra los troncos de los árboles.

El rey Juan tuvo un acceso de cólera y maldijo a los hombres y las circunstancias que se oponían a su voluntad. Después, adoptó una de esas decisiones sorprendentes, de las que mueven a sus cortesanos a llamarlo el Bueno, porque así consiguen que otros repitan el halago.

Envió a sus dos principales escuderos, Pluyan du Val y Juan de Corquilleray, a decir al duque de Lancaster que lo desafiaba y lo invitaba a presentar batalla. Lancaster estaba en un claro, los arqueros formados delante, mientras varios exploradores observaban al ejército francés y vigilaban las vías de retirada. El duque de ojos azules vio acercarse, escoltados por algunos hombres de armas, a los dos escuderos reales que sostenían un pendón con la flor de lis al extremo de la lanza, y que tocaban una corneta como heraldos de torneo. Rodeado por Felipe de Navarra, Juan de Montfort y Godofredo de Harcourt, escuchó el siguiente discurso, pronunciado por Pluyan du Val.

El rey de Francia llegaba a la cabeza de un ejército

inmenso, y en cambio el duque tenía un pequeño grupo de guerreros. De modo que el monarca francés proponía a dicho duque un enfrentamiento al día siguiente, con el mismo número de caballeros por ambas partes, cien, o cincuenta, o incluso treinta, en un lugar que se determinaría de acuerdo con las reglas del honor.

Lancaster recibió cortésmente la propuesta del rey «que decía serlo de Francia» pero que no por eso dejaba de ser un reputado caballero. Afirmó que estudiaría la propuesta con sus aliados, a quienes designó con la mano, pues era demasiado seria para resolverla solo. Los dos escuderos creyeron que de estas palabras podían deducir que Lancaster respondería a la mañana siguiente.

Fundándose en estas seguridades, el rey Juan ordenó que levantasen su tienda y se acostó a dormir. Y la noche de los franceses fue la de un ejército con muchos ronquidos.

A la mañana siguiente, el bosque de Tuboeuf estaba vacío. Había rastros del paso de una tropa, pero los ingleses y los navarros habían desaparecido. Lancaster había replegado prudentemente a su gente en dirección a Argentan.

El rey Juan II manifestó su desprecio por estos enemigos desprovistos de lealtad, buenos únicamente para el pillaje cuando nadie los enfrentaba, individuos que se eclipsaban apenas se les plantaba cara. «Llevamos la Estrella en el corazón, y en cambio la Jarretera es símbolo de cobardía. Eso es lo que nos distingue. Éstos son los caballeros de la fuga.»

Pero ¿se le ocurrió perseguirlos? Los mariscales propusieron enviar a las compañías más frescas por el camino que había seguido Lancaster; los sorprendió que Juan II rechazara la idea. Se hubiera dicho que creía ganada la batalla apenas el adversario se abstenía de aceptar el desafío.

Por lo tanto, se decidió regresar a Chartres para disolver allí a la hueste. De pasada, recuperarían Breteuil.

Audrehem le advirtió que la guarnición dejada en Breteuil por Lancaster era numerosa, estaba bien mandada y bien atrincherada.

—Señor, conozco ese lugar; no es fácil ocuparlo.

—Entonces, ¿por qué los nuestros se dejaron desalojar? —dijo el rey Juan—. Yo mismo mandaré el sitio.

Y allí, sobrino mío, vi al rey, en compañía de Capocci, el doce de julio.

El sitio de Breteuil

El rey Juan nos recibió ataviado con su atuendo de guerra, como si pensara desencadenar un ataque media hora después. Nos besó el anillo, nos pidió noticias del Santo Padre, y sin escuchar la respuesta un tanto larga y florida iniciada por Nicola Capocci, me dijo: «Monseñor de Périgord, llegáis a tiempo para asistir a un hermoso sitio. Sé cuánto valor hay en vuestra familia, y que sus miembros son expertos en las artes de la guerra. Vuestros parientes siempre han prestado digno servicio al reino, y si no fuerais príncipe de la Iglesia, sin duda seríais mariscal de mi hueste. Estoy seguro de que aquí os sentiréis complacido.»

Este modo de dirigirse sólo a mí, y para cumplimentarme acerca de mis parientes, desagradó a Capocci, que no es hombre de muy alta cuna, y que creyó oportuno comentar que no habíamos ido allí para maravillarnos con las proezas guerreras, sino para hablar de la paz cristiana.

Comprendí inmediatamente que las cosas no andarían bien entre mi colega y el rey de Francia, sobre todo cuando éste vio a mi sobrino Roberto de Durazzo, por quien sintió súbita atracción; lo interrogó acerca de la corte de Nápoles, y de su tía, la reina Juana. Debo decir que mi Roberto era un joven muy bello, de cuerpo soberbio, el rostro rosado, los cabellos sedosos... una unión de la gracia y de la fuerza. Y vi en los ojos del rey esa chispa que normalmente se manifiesta en la mirada de los hombres cuando pasa una hermosa mujer. «¿Dónde os alojaréis?», preguntó el monarca. Respondí que nos acomodaríamos en una abadía próxima.

Lo observé atentamente y lo encontré bastante envejecido; más grueso, más pesado, el mentón más redondo bajo la barba rala, de un amarillo poco grato. Y había adquirido la costumbre de mover la cabeza, como si le molestase el cuello o el hombro a causa de algún filo de su camisa de acero.

Quiso mostrarnos el campamento, en el cual nuestra llegada había provocado cierto grado de curiosidad. «Aquí está su Santa Eminencia, Monseñor de Périgord, que vino a visitarnos», decía a sus hombres, como si hubiéramos acudido para traerle los auxilios del cielo. Yo distribuía bendiciones. La nariz de Capocci se alargaba cada vez más.

El rey deseaba presentarme al jefe de su artillería y parecía que concedía a ese hombre más importancia que a sus mariscales, o incluso a su condestable. «¿Dónde está el arcipreste? ¿Vieron al arcipreste? Borbón, llamad al arcipreste...», y yo me preguntaba cuál era el significado de ese título de arcipreste aplicado al capitán que mandaba las máquinas, las minas y la artillería que utilizaba pólvora.

Extraña figura la del hombre que se nos acercó, encaramado sobre largas piernas arqueadas, protegidas por perneras y láminas de acero; tenía el aire de caminar sobre zancos. Su cintura, muy apretada por la chaqueta de cuero, le confería un perfil de avispa. Manos grandes con las uñas negras, apartadas del cuerpo a causa de las abrazaderas de metal que le protegían los miembros superiores. Una cara hundida, magra, con los pómulos salientes, los ojos almendrados y la expresión astuta de quien siempre está dispuesto a fingir lo que no siente. Y coronando la cabeza, un sombrero de Montauban con bordes anchos, de hierro, que avanzaba en punta sobre la nariz, con dos ranuras para mirar cuando bajaba la cabeza.

—¿Dónde estabas, arcipreste? Te buscábamos —dijo el rey, y agregó, para iluminarme—: Arnaud de Cervole, señor de Vélines.

—Arcipreste, para serviros... Monseñor cardenal... —agregó el otro en un tono burlón que no me agradó en lo más mínimo.

Y de pronto, me asalta el recuerdo... Vélines es parte de nuestro dominio, Archambaud... por supuesto, cerca de Sainte-Foy-la-Grande, en los límites de Périgord y Guyena. En efecto, ese hombre había sido arcipreste, un arcipreste sin latín ni tonsura, pero arcipreste al fin. ¿Y de dónde? De Vélines, claro, su pequeño feudo, cuya parroquia se había atribuido, de modo que recibía simultáneamente la renta señorial y la renta eclesiástica. Le bastaba con pagar a un auténtico clérigo, que le salía barato, para que dijera misa... hasta que el papa Inocencio le quitó el beneficio, como hizo con todas las restantes mandas de este mismo carácter, al comienzo del pontificado. «Un pastor debe cuidar de las ovejas...», lo que os contaba el otro día. ¡Así desapareció el cargo de arcipreste de Vélines! Yo había tenido que ocuparme de este asunto, así como de cien más del mismo tipo, y sabía que ese hombre no sentía la más mínima simpatía por la corte de Aviñón. Tuve que reconocer que, por una vez, el Santo Padre había tenido perfecta razón. Y adiviné que este Cervole tampoco trataría de facilitarme las cosas.

—El arcipreste hizo para mí un excelente trabajo en Evreux, y así recuperamos la ciudad —me dijo el rey para destacar la importancia de su artillero.

—Señor, incluso es la única que habéis logrado conquistar al navarro —respondió Cervole con notable aplomo.

—Haremos otro tanto en Breteuil. Quiero un hermoso sitio, como el de Aiguillon.

—Con la salvedad de que jamás habéis conseguido ocupar Aiguillon, señor.

Me dije que aquel hombre gozaba de mucho favor, dado que hablaba con tanta franqueza.

—Es que, por desgracia, no me dieron tiempo —dijo con tristeza el rey.

Había que ser el arcipreste (yo mismo comencé a llamarlo arcipreste, pues todo el mundo lo conocía por ese nombre), había pues que ser ese hombre para mover el sombrero de hierro y murmurar frente al soberano: «El tiempo, el tiempo... seis meses.»

Y tenía que ser el rey Juan quien se obstinase en creer que el sitio de Aiguillon, realizado el año mismo que su padre se hacía aplastar en Crécy, constituía un modelo del arte militar. Una empresa ruinosa e interminable. Ordenó construir un puente para acercarse a la fortaleza, en un lugar tan bien elegido que los sitiados lo destruyeron seis veces. Máquinas complejas, transportadas desde Tolosa con grandes gastos, y suma lentitud... para obtener un resultado completamente nulo.

Pues bien, en ese episodio el rey Juan basaba su gloria, y ese antecedente justificaba su experiencia. En realidad, porque se trata de un hombre que siempre ansía satisfacer su rencor contra el destino, a diez años de distancia quería vengarse de Aiguillon, y demostrar que sus métodos eran los apropiados; deseaba dejar en la memoria de las naciones el recuerdo de un gran sitio.

Por esa razón, en lugar de perseguir a un enemigo al que hubiera podido derrotar sin mucha dificultad, acababa de levantar su tienda delante de Breteuil. De todos modos, mientras hablaba con el arcipreste, un hombre muy versado en el nuevo estilo de destrucciones mediante la pólvora, hubiera podido creerse que había decidido minar las murallas del castillo, como se había hecho en Evreux. Pero no. Lo que reclamaba a su maestro de ingenieros era la construcción de artefactos de ataque que permitieran pasar sobre los muros. Y los mariscales y los capitanes escuchaban, en actitud muy respetuosa, las órdenes del rey, y se apresuraban a ejecutarlas. Mientras un hombre manda, aunque sea el peor imbécil, hay gente dispuesta a creer que hace bien.

Con respecto al arcipreste... Me pareció que se burlaba de todos. El rey reclamaba rampas, andamios y estructuras; pues bien, había que construirlas, y él reclamaría el consiguiente pago. Si con estos aparatos antiguos, estas máquinas que se utilizaban antes de la aparición de las armas de fuego no se obtenía el resultado que el rey quería, sólo él tendría la culpa. Y el arcipreste no concedería a nadie el privilegio de decírselo; ejercía sobre el rey Juan esa influencia que a veces tienen los hombres vulgares sobre los príncipes, y no se privaba de aprovecharlo, por supuesto después de que el tesorero le pagara su soldada y la de sus compañeros.

El pequeño pueblo normando se transformó en una inmensa cantera. Se excavaban trincheras alrededor del castillo. La tierra retirada de los fosos servía para levantar plataformas y planos de ataque. Por doquier se oía el ruido de las palas y las carretas, el chirriar de los serruchos, el chasquido de los látigos y los juramentos. Me parecía estar otra vez en Villeneuve.

Las hachas resonaban en los bosques vecinos. Algunos aldeanos que vivían cerca ganaban lo suyo vendiendo bebida. Otros tuvieron la desagradable sorpresa de ver a seis soldados que de pronto demolían la granja para llevarse las vigas. «¡Servicio real!» Era fácil decirlo. Y las picas atacaban los muros de adobe y las cuerdas arrancaban la madera de los tabiques, y muy pronto todo se derrumbaba con gran estrépito. «El rey habría podido ir a instalarse en otro sitio, en lugar de enviarnos a estos malhechores que nos quitan el techo que tenemos sobre la cabeza», decían los patanes. Comenzaban a descubrir que el rey de Navarra era mejor amo, y que incluso la presencia de los ingleses era menos gravosa que la del rey de Francia.

De modo que permanecí en Breteuil parte de julio, para fastidio de Capocci, que habría preferido residir en París (¡también yo lo hubiera preferido!), y que despachaba a Aviñón misivas cargadas de acritud, en las cuales daba a entender malignamente que me agradaba más contemplar el desarrollo de la guerra que promover la paz. Y yo os pregunto, ¿cómo podía promover la paz si no era hablando al rey, y dónde podía hablarle, si no en el sitio donde concentraba su atención entera?

Dedicaba todo el día a inspeccionar los trabajos en compañía del arcipreste, usaba su tiempo para comprobar un ángulo de ataque, preocuparse por un baluarte y, sobre todo, seguir los progresos de la torre de madera, un artefacto extraordinario con ruedas que podía sostener a muchos arqueros con su armamento de ballestas y dardos incendiarios, una máquina como no se había visto desde los tiempos antiguos. No bastaba construir los diferentes pisos; también había que encontrar suficientes pieles de buey para revestir el enorme andamio y, después, construir un camino sólido y llano para empujar el artefacto. Pero cuando la torre estuviese terminada, se verían cosas realmente extraordinarias.

El rey me invitaba con frecuencia a cenar, y así podíamos conversar.

—¿La paz? —me decía—. Pero si es mi más vivo deseo. Ved, pienso disolver la hueste y conservar conmigo solamente los hombres necesarios para mantener este sitio. Tan pronto me apodere de Breteuil, firmaré la paz para complacer al Santo Padre. Que mis enemigos me presenten sus propuestas.

—Señor, sería necesario saber qué propuestas estaríais dispuesto a considerar.

—Las que no perjudiquen mi honor.

¡Ah, no era tarea fácil! Por desgracia, tuve que explicarle, porque estaba mejor informado que él, que el príncipe de Gales reunía tropas en Libourne y La Réole para iniciar una nueva incursión.

—¿Y me habláis de paz, Monseñor de Périgord?

—Precisamente, señor, con el propósito de evitar nuevas desgracias.

—Esta vez no permitiré que el príncipe de Inglaterra se pasee por el Languedoc como hizo el año pasado. Convocaré nuevamente a la hueste el uno de agosto, en Chartres.

Me asombró que despidiese a sus soldados para reconvocarlos al cabo de una semana. Conversé discretamente con el duque de Atenas, y con Audrehem, pues todos venían a verme y confiaban en mí. No, el rey se obstinaba, por un prurito de economía que no le cuadraba bien, a despedir a los soldados, a quienes había llamado el mes precedente, para reconvocarlos con la movilización general. Juan de Artois u otra inteligencia luminosa seguramente le había dicho que así se ahorraría varios días de soldada. Pero eso significaba un mes de retraso respecto del príncipe de Gales. Ah, sí, tenía que hacer la paz, y cuanto más esperase menos podría negociarla de acuerdo a su conveniencia.

Llegué a conocer mejor al arcipreste, y admito que ese buen hombre me divertía. Périgord, el país de donde ambos veníamos, lo acercaba a mí; vino a pedirme que se le devolviese su parroquia. ¡En qué términos!

—Vuestro Inocencio...

—El Santo Padre, amigo mío, el Santo Padre —lo corregí.

—Bien, el Santo Padre, si así lo queréis, suprimió mi manda para promover el buen orden de la Iglesia. Ah, es lo que me dijo el obispo. ¿Y qué? ¿Cree que no había orden en Vélines antes de que él dictara su decreto? Monseñor cardenal, ¿creéis que yo no me ocupaba del cuidado de las almas? Trabajo le hubiese costado encontrar un agonizante que muriese sin los sacramentos. Apenas se insinuaba una enfermedad, yo enviaba al tonsurado. Los sacramentos se pagan. A las personas a quienes yo impartía justicia, las multas. Después, la confesión, y el impuesto de la penitencia. Lo mismo con las adúlteras. Sé muy bien cómo arreglan estas cosas los buenos cristianos.

—La Iglesia perdió un arcipreste —le dije—, pero el rey ganó un buen caballero. —Pues el año anterior Juan II lo había armado caballero.

Este Cervole no es del todo malo. Cuando habla de la campiña de nuestra Dordogne lo hace con sorprendente ternura. El agua verde del ancho río en la cual se reflejan las casas al atardecer, entre los álamos y los fresnos; las praderas cubiertas de pasto en primavera; el calor seco de los veranos que hace madurar el centeno; las noches, con su olor de menta; las uvas de septiembre, y los racimos tibios que mordíamos cuando éramos niños... Si todos los hombres de Francia amasen su tierra tanto como la ama este hombre, el reino estaría mejor defendido.

Acabé por comprender las razones, el favor que se le dispensaba. En primer lugar, se había incorporado a las fuerzas del rey durante la incursión de Saintonge, en 1351, con un grupo que, en efecto, era pequeño, pero que había permitido a Juan II creer que llegaría a ser un rey victorioso. El arcipreste le había aportado su tropa, veinte caballeros y sesenta infantes. ¿Cómo había podido reunirlos en Vélines? Sea como fuere, con esta tropa formaba una compañía. Unos mil escudos de oro, pagados por el tesorero del Ejército, por el servicio de un año... Así, el rey podía decir: «Hace mucho que somos camaradas, ¿verdad, arcipreste?»

Después, había servido a las órdenes de Carlos de España, y perversamente lo mencionaba a menudo en presencia del rey. Precisamente a las órdenes de Carlos de España, durante la campaña de 1353, había expulsado a los ingleses de su propio castillo de Vélines y de las tierras próximas: Montcarret, Montaigne, Montravel... Los ingleses ocupaban Libourne, donde mantenían una nutrida guarnición de arqueros. Pero Arnaldo de Cervole ocupaba Sainte-Foy, y no estaba dispuesto a permitir que se la arrebataran... «Estoy contra el Papa porque me quitó mi cargo de arcipreste; estoy contra el inglés porque saqueó mi castillo; estoy contra el navarro porque mató a mi condestable. Ah, ojalá hubiese estado en Laigle, cerca de él, para defenderlo.» Sus palabras eran un bálsamo para los oídos del rey.

Y finalmente, el arcipreste conoce bien los nuevos artefactos de fuego. Los ama y los manipula, y se divierte con ellos. Según me dijo, nada le agrada tanto como encender una mecha, después de realizar misteriosos preparativos, y ver que una torre del castillo se abre como una flor, como un ramillete, lanzando al aire a hombres y piedras, picas y tejas. Por esa razón goza, si no de estima, por lo menos de cierto respeto; pues muchos de los más audaces caballeros no desean acercarse a estas armas del diablo, que él maneja como quien juega. Cada vez que aparece un nuevo método bélico, hay quienes, como este arcipreste, asimilan inmediatamente la novedad y se crean una reputación de maestría en el uso del arma moderna. Mientras los ayudantes, cubriéndose los oídos, corren a refugiarse, e incluso los barones y los mariscales retroceden prudentemente, Cervole, con una expresión divertida en los ojos, mira rodar los barriles de pólvora, imparte órdenes claras, se sienta en las minas, se mete en los fosos arrastrándose con la ayuda de los brazos y las piernas, enciende tranquilamente la mecha, se toma su tiempo para ocupar un ángulo muerto o acurrucarse detrás de una trinchera mientras estalla el trueno, la tierra tiembla y los muros se abren.

Tareas como éstas exigen buenos equipos de hombres. Cervole tiene el suyo; brutos hábiles, aficionados a la masacre, amantes de todo cuanto implica aterrorizar, quebrar y destruir. Les paga bien; pues el riesgo vale el salario. Y siempre se lo ve acompañado por dos lugartenientes a quienes se creería elegidos por sus nombres: Gastón del Desfile y Bernardo del Orgullo. Entre nosotros, diré que al rey Juan más le hubiera valido utilizar a estos tres artilleros. Bretuil habría caído en una semana; pero no, quería tener su torre móvil.

Mientras se construía la gran torre, don Sancho López, sus navarros y sus ingleses, encerrados en el castillo, no parecían muy atemorizados. Los guardias se relevaban a horas fijas en los caminos de ronda. Los sitiados, bien provistos de víveres, tenían un aire saludable. De tanto en tanto enviaban una andanada de flechas sobre las trincheras; pero lo hacían con parsimonia, para no gastar inútilmente sus municiones. Estos tiros, disparados a veces cuando el rey pasaba, le aportaban la ilusión de una gran hazaña. «¿Lo habéis visto? Una andanada de flechas saludó su paso, y nuestro señor no se dejó impresionar, ¡ah!, qué buen rey.» Y permitían que el arcipreste, Orgullo y Desfile, le gritaran: «¡Cuidaos, señor, os disparan!», mientras lo protegían con sus cuerpos contra los dardos que venían a caer en la hierba, a los pies del grupo.

El arcipreste no olía bien. Pero hay que reconocer que todo el mundo hedía, que todo el campamento hedía, y que Breteuil estaba sitiada sobre todo por el olor. La brisa traía el olor de los excrementos, pues todos estos hombres que peleaban, empujaban carretas, aserraban y clavaban, aliviaban su vientre a pocos pasos del lugar donde trabajaban. Nadie se lavaba, y el propio rey, siempre con su coraza...

Mientras me echaba encima todos los perfumes y las esencias que tenía al alcance de la mano, dispuse de tiempo para observar atentamente las debilidades del rey

Juan. Y llegué a la conclusión de que tanta inconsciencia era cosa de maravilla.

Tenía allí a dos cardenales enviados por el Santo Padre para intentar una paz general; recibía a los correos de todos los príncipes de Europa, que censuraban su conducta hacia el rey de Navarra y le aconsejaban liberarlo; sabía que por doquier los impuestos se recaudaban mal, y que no sólo en Normandía, no sólo en París, sino en el reino entero la gente estaba descontenta y dispuesta a la rebelión; sobre todo, sabía que se preparaban contra él dos ejércitos ingleses, el de Lancaster en Cotentin, que recibía refuerzos, y el de Aquitania. Pero a sus ojos lo único importante era el asedio a una pequeña plaza normanda, y nada podía distraerlo de ello. Obstinarse en el detalle sin percibir el conjunto es un grave defecto de carácter en un príncipe.

Durante un mes entero Juan II fue una sola vez a París, por cuatro días, y para cometer allí la tontería que ya os explicaré. Y el único decreto que no dejó a cargo de sus consejeros fue el que mandó proclamar en los burgos y las aldeas, a seis leguas alrededor de Breteuil, ordenando que todos los carpinteros, albañiles, herreros, mineros, leñadores y otros artesanos acudiesen al campamento, de día o de noche, llevando los instrumentos y los útiles necesarios para sus oficios, con el propósito de trabajar en los artefactos destinados al sitio.

La visión de su gran torre móvil, su ingenio de ataque, como él la llamaba, lo colmaba de satisfacción. Tres pisos; cada plataforma tan espaciosa que soportaba a doscientos hombres. Un total de seiscientos soldados reunidos en esta máquina extraordinaria que sería utilizada cuando hubiesen traído suficiente cantidad de ramas y troncos, piedras y tierra para formar el camino sobre el cual rodaría con sus cuatro enormes ruedas.

El rey Juan estaba tan orgulloso de su máquina que había invitado a varias personas para que vieran cómo se armaba y accionaba. Con ese propósito llegaron el bastardo de Castilla, Enrique de Trastámara, así como el conde de Douglas.

«El señor Eduardo tiene a su navarro, pero yo tengo a mi escocés», decía alegremente el rey. Con la diferencia de que Felipe de Navarra aportaba a los ingleses la mitad de Normandía, y en cambio mi señor de Douglas no aportaba al rey de Francia más que su valerosa espada.

Todavía me parece oír las palabras del rey: «Ved, mis señores: este artefacto puede llevarse hasta el lugar que uno desee de la muralla, y dominándola, permitirá que los atacantes arrojen a la plaza toda suerte de objetos y proyectiles, atacando a la misma altura en que están los caminos de ronda. Los cueros clavados alrededor tienen el propósito de amortiguar el efecto de las flechas.» ¡Y pensar que yo me obstinaba en hablarle de las condiciones de paz!

El español y el escocés no eran los únicos que contemplaban la enorme torre de madera. Los hombres de Monseñor Sancho López la miraban también, con prudencia, pues el arcipreste había instalado otras máquinas que regaban copiosamente a la guarnición con balas de piedra y dardos impulsados por la pólvora. Podía decirse que el castillo estaba como desgreñado. Pero los hombres de López no parecían muy asustados. Practicaban orificios a media altura de sus propias murallas. El rey decía: «Para escapar mejor.»

Finalmente, llegó el gran día. Yo me mantenía un poco apartado, sobre un pequeño promontorio, pues la cosa me interesaba. La Santa Sede tiene tropas, y ciudades que debemos defender. Aparece el rey Juan II, tocado con su yelmo coronado con flores doradas. Con su espada llameante da la orden de ataque y suenan las trompetas. En la cima de la torre recubierta de cuero flota la bandera flordelisada y abajo flamean las banderas de las tropas que ocupan los tres pisos. ¡Esta torre es un ramillete de estandartes! Y ahora se mueve. Grupos de hombres y caballos la arrastran y la empujan, y el arcipreste dirige el esfuerzo con grandes gritos. Me dicen que se usaron alrededor de mil quinientos kilos de cuerdas de cáñamo. El artefacto avanza, muy lentamente, con crujidos de la madera y algunas oscilaciones, pero avanza. Quien lo ve, balanceándose un poco y erizado de banderas, diría que es un navío que se lanza al abordaje. Y en efecto, practica el abordaje con un gran tumulto. Ya se combate en las almenas, a la altura de la tercera plataforma. Las espadas se cruzan, las flechas parten en apretados grupos. El ejército que rodea al castillo, todos con la vista fija en el borde superior de la muralla, contiene el aliento. Allí arriba se realizan notables proezas. El rey, la visera del yelmo levantada, asiste soberbio a este combate en el aire.

Y de pronto, un terrible estrépito sobresalta a las tropas, y una bocanada de humo envuelve los estandartes en la cima de la torre.

Mi señor de Lancaster había dejado bocas de artillería a don Sancho López y éste se había cuidado mucho de utilizarlas hasta ahora. Y de pronto, por los orificios practicados en la muralla, estos cañones tiran a bocajarro sobre la torre móvil; desgarran los cueros que la cubren; siegan hileras enteras de hombres apostados en las plataformas y destrozan los travesaños de madera.

Las ballestas y las catapultas del arcipreste entran en acción, pero no pueden impedir que los cañones disparen una segunda salva, y después una tercera. No son sólo balas de hierro, sino también sustancias inflamadas, una especie de fuego griego que se abate sobre la torre. Los hombres caen entre alaridos o se arrojan por las escaleras, o incluso se lanzan al vacío horriblemente quemados. Las llamas comienzan a brotar del techo de la hermosa máquina. Y después, con estrépito infernal, el piso más alto se derrumba, y las maderas llameantes aplastan a los ocupantes... Archambaud, jamás vi tan terrible clamor de sufrimiento, y sin embargo, no estaba muy cerca. Los arqueros se veían atrapados en una maraña de vigas incandescentes. Con los pechos aplastados, se les incendiaban las piernas y los brazos. Las pieles de buey que se quemaban difundían un olor atroz. La torre comenzó a inclinarse, cada vez más, y cuando ya todos creían que se derrumbaba, se detuvo, inclinada, envuelta en llamas. Se le arrojó agua, como se pudo, otros trataron de retirar los cuerpos aplastados y quemados, mientras los defensores del castillo bailaban de alegría sobre las murallas, y gritaban: «¡San Jorge, lealtad! ¡Navarra, lealtad!»

Frente al desastre, el rey Juan pareció buscar a un culpable a su alrededor, aunque en realidad él era el único. Pero el arcipreste estaba allí, tocado con su sombrero de hierro, y la terrible cólera dispuesta a explotar permaneció guardada bajo el yelmo real. Pues Cervole era sin duda el único hombre del ejército que no hubiera vacilado en decir al rey: «Ved vuestra estupidez, señor. Os había aconsejado poner minas, en lugar de construir estos grandes andamios que hace más de cincuenta años que no se usan. Ya no estamos en tiempos de los templarios, y esto es Breteuil, no Jerusalén.»

El rey se limitó a preguntar: «¿Será posible reparar esta torre?» «No, señor.» «Entonces, derribad lo que resta de ella. Servirá para llenar los fosos.»

Esa tarde me pareció oportuno abordar seriamente el problema del tratado de paz. En general, las derrotas consiguen que los reyes se muestren más razonables. El horror que acabábamos de presenciar me permitía apelar a sus sentimientos cristianos. Y si su ardor caballeresco ansiaba realizar proezas, el Papa ofrecía al rey Juan y a los príncipes europeos hechos más meritorios y gloriosos por el lado de Constantinopla. Me desairó, lo que satisfizo mucho a Capocci.

«Dos incursiones inglesas amenazan mi reino, y no puedo postergar los preparativos para enfrentarlas. Por el momento es lo único que me preocupa. Si os place, volveremos a hablar de eso en Chartres.»

Los peligros que no le preocupaban la víspera, de pronto le parecían muy urgentes.

¿Y Breteuil? ¿Qué se haría con Breteuil? Preparar otro ataque exigiría un mes a los sitiadores. Por su parte, los sitiados no habían gastado sus víveres ni sus municiones, pero habían soportado una dura prueba. Tenían heridos y las torres habían sido alcanzadas por los proyectiles. Alguien habló de negociar y de ofrecer una rendición honorable a la guarnición. El rey se volvió hacia mí. «¿Y bien, Monseñor cardenal?»

Me tocó el turno de demostrar altivez. Se había desplazado de Aviñón para obtener una paz general, no para entrometerme en la conquista de una fortaleza cualquiera. Comprendió su error y consiguió ofrecer lo que creyó una respuesta amable: «Si el cardenal nada puede hacer; quizás el arcipreste pueda satisfacernos.»

Y a la mañana siguiente, mientras la torre de madera continuaba humeando y los zapadores habían reanudado su trabajo, pero esta vez para enterrar a los muertos, nuestro señor de Vélines, revestido con sus perneras de acero y precedido de ruidosas trompas, fue a conferenciar con don Sancho López. Se pasearon largo rato frente al puente levadizo del castillo, observados por los soldados de los dos campos.

Ambos eran hombres del oficio y no podían engañarse.

—Mi señor, ¿si os hubiera atacado con minas de pólvora puestas junto a las murallas?

—¡Ah, mi señor, creo que nos habríais derrotado!

—¿Cuánto podréis resistir?

—Menos de lo que desearíamos, pero más de lo que

esperáis. Tenemos suficiente cantidad de agua, vituallas, flechas y balas de cañón.

Una hora después el arcipreste regresó donde estaba el rey.

—Don Sancho López acepta entregar el castillo, si le permitís partir libremente y le dais dinero. Así se haga, y acabemos de una vez.

Dos días después los hombres de la guarnición, las cabezas altas y las bolsas llenas, salían para ir a reunirse con mi señor de Lancaster. El rey Juan tendría que pagar los gastos de la reparación de Breteuil. Así concluía este sitio que él había deseado que fuese memorable. Y pese a todo, tuvo el descaro de afirmar ante nosotros que sin su torre de ataque la plaza no se habría rendido tan rápidamente.

3

El homenaje de Febo

¿Veis cómo se aleja Troyes? Hermosa ciudad, ¿verdad, sobrino? Sobre todo en una mañana tan luminosa. ¡Ah!, qué fortuna para una ciudad haber sido la cuna de un Papa. Pues las hermosas residencias y los palacios que habéis visto alrededor del municipio y la iglesia de San Urbano, una joya del arte nuevo, con su abundancia de vitrales, así como muchos otros edificios cuyo diseño habéis admirado, todo eso se debe al hecho de que Urbano IV, que ocupó el trono de san Pedro hace casi un siglo, y sólo durante tres años, vio la luz en Troyes, en una tienda que estaba en el mismo lugar donde ahora se levanta su iglesia. Por eso la ciudad conquistó gloria e incluso cierta prosperidad. ¡Ah!, si la misma suerte hubiese recaído sobre nuestro querido Périgueux... bien, no deseo hablar más de eso, pues creeréis que no tengo otra idea en la cabeza.

Ahora conozco la ruta del delfín. Nos sigue. Mañana estará en Troyes. Pero llegará a Metz por Saint-Dizier y Saint-Mihiel, y en cambio nosotros pasaremos por Châlons y Verdún. Ante todo, porque tengo cosas que hacer en Verdún, soy canónigo de la catedral, y además, porque no deseo que crean que me uno al delfín. En vista de nuestra estrecha relación, podemos enviarnos mensajeros que llegan a destino en una jornada, o poco menos; además, nuestros enlaces son más fáciles y rápidos con Aviñón.

¿Cómo? ¿Qué había prometido contaros y ya olvidé? Ah... ¿lo que hizo en París el rey Juan, durante los cuatro días que no estuvo en el sitio de Breteuil?

Tenía que recibir el homenaje de Gastón Febo. Un éxito, un triunfo para el rey Juan, o más bien para el canciller Pierre de La Fôret, que con paciencia y habilidad había preparado la cosa. Pues Febo es cuñado del rey de Navarra, y sus dominios están muy cerca, en el umbral de los Pirineos. Ahora bien, este homenaje se retrasaba desde el principio del reinado. Conseguirlo en momentos en que Carlos de Navarra estaba en prisión, podía cambiar el curso de las cosas y variar el juicio de varias cortes europeas.

Por supuesto, ya conoceréis la reputación de Febo... ¡oh!, no sólo era gran cazador sino también gran guerrero, lector y constructor y por añadidura un gran seductor. Yo diría que es un gran príncipe, cuya desgracia es tener apenas un pequeño Estado. Aseguran que es el hombre más apuesto de nuestro tiempo, y me adhiero de buena gana a dicha opinión. Es muy alto y tiene fuerza suficiente para batirse con los osos... Exactamente, sobrino, con un oso, ¡y lo ha hecho! Tiene las piernas bien formadas, la cadera delgada, los hombros anchos, el rostro luminoso, los dientes muy blancos y la sonrisa fácil. Y, sobre todo, esa cabellera de oro con matices cobrizos, ese penacho radiante, ondulado, redondeado hasta la base del cuello, esa corona natural y flamígera, que lo movió a tomar como emblema el sol, y que le valió el sobrenombre de Febo, término que por otra parte escribe así, tal cual, porque sin duda lo eligió antes de saber un poco de griego. Jamás lleva sombrero, y va siempre con la cabeza descubierta, como los antiguos romanos, una costumbre muy original en nuestro tiempo.

Antaño residí en su casa. Pues ha actuado con tal destreza que todas las figuras importantes del mundo cristiano pasan por su pequeña corte de Orthez, y así ha logrado que se convierta en una gran corte. Cuando estuve allí, vi a un conde palatino, a un prelado del rey Eduardo, a un primer chambelán del rey de Castilla, por no hablar de varios médicos prestigiosos, un célebre imaginero y grandes doctores en leyes. Y a todos se les dispensaba un trato espléndido.

Por lo que sé, únicamente el rey Lúsignan de Chipre tiene una corte tan brillante e influyente en un territorio tan reducido; pero dispone de más medios, gracias a los beneficios del comercio.

Febo tiene un modo rápido y amable de mostraros lo que posee: «Aquí están mis perros de caza... mis caballos... mi amante... mis bastardos... madame de Foix está muy bien, Dios sea loado. La veréis esta tarde.»

Por la tarde, en la larga galería que ordenó abrir sobre el flanco de su castillo, y desde donde se domina un horizonte montañoso, la corte entera se reúne y pasea, durante largo rato, todos con soberbios atavíos, mientras una sombra azul cae sobre el Béarn. De tanto en tanto se abren inmensas chimeneas llameantes, y entre las chimeneas el muro está pintado al fresco con escenas de caza, el trabajo de artesanos venidos de Italia. El invitado que no trajo todas sus joyas y sus mejores prendas, porque creyó que se dirigía a pasar un tiempo en un pequeño castillo montañés hace muy mal papel. Os lo advierto, por si un día os invitan a ese lugar... Madame Inés de Foix, que es navarra, hermana de la reina Blanca, y casi tan hermosa como ella, luce un vestido recamado de oro y perlas. Habla poco, o más bien se adivina que teme hablar. Escucha a los que cantan *Aqueres mountanes*, una pieza compuesta por su esposo, la misma que los bearneses se complacen en aprender de memoria.

Febo va de un grupo a otro, saluda primero a éste y después a aquél, recibe a un señor, cumplimenta a un poeta, se entretiene con un embajador, de pasada se informa de las cosas del mundo, sugiere un consejo, a media voz imparte una orden y gobierna conversando. Hasta que doce grandes antorchas sostenidas por criados de librea vienen a reclamarlo para cenar con todos sus invitados. A veces no se sienta a la mesa antes de medianoche.

Una tarde lo sorprendí, apoyado contra un arco de la galería abierta, suspirando frente al arroyo plateado y su horizonte de montañas azules: «Demasiado pequeño, demasiado pequeño... Monseñor, se diría que la Providencia se complace perversamente, cuando tira los dados, en darnos lo que no cuadra a nuestro carácter.»

Acabábamos de hablar de Francia, del rey de Francia, y comprendí lo que me daba a entender. A menudo un gran hombre tiene que gobernar un pequeño territorio y el amplio reino corresponde al hombre débil. Y agregó: «Pero por pequeño que sea mi Béarn, creo que sólo a mí me pertenece.»

Sus cartas son extraordinarias. No omite ninguno de sus títulos. «Nos, Gastón III, conde de Foix, vizconde de Béarn, vizconde de Lautrec, de Marsan y de Castillon... —y qué más... ah, sí—: señor de Montesquieu y de Montpezart... —y después, oíd esto—: vicario de Andorra y de Capir...» Y firma: «Febo», exactamente como en los castillos y los monumentos que construye o embellece, donde aparece grabado en grandes letras: «Febo lo hizo.»

Sin duda, el personaje incurre en ciertas exageraciones, pero es necesario recordar que tiene sólo veinticinco años. Dada su edad, es muy hábil. También ha demostrado su coraje; fue uno de los más valerosos en Crécy. Tenía quince años. Ah, omití decirlo, y quizá no lo sabéis: es sobrino nieto de Roberto de Artois. Su abuelo desposó a Juana de Artois, la hermana de Roberto, la cual, inmediatamente después de quedar viuda, demostró tanto apetito por los hombres, llevó una vida tan escandalosa, provocó tantos embrollos (y podría provocar todavía muchos más... sí, sí, aún vive; tiene poco más de sesenta años y goza de excelente salud), que su nieto, nuestro Febo, se vio obligado a encerrarla en una torre del castillo de Foix, donde se la vigila de cerca. ¡Oh, es espesa la sangre de los Artois!

Y éste es el hombre de quien La Fôret, el arzobispo canciller, consigue que rinda homenaje, precisamente cuando todo parece contrariar la suerte del rey Juan. No, no os engañéis. Febo ha meditado bien su decisión, y procede así sólo para proteger la independencia de su pequeño Béarn. Aquitania limita con Navarra y el propio Febo tiene fronteras comunes con los dos países, de modo que la alianza de estos vecinos, ahora evidente, no le augura nada bueno; es una grave amenaza a sus breves fronteras. Le agradaría protegerse por el lado del Languedoc, donde ha sostenido muchas disputas con el conde de Armagnac, gobernador del rey. Entonces, aproximémonos a Francia, acabemos con este desacuerdo, y en vista de este propósito rindamos el homenaje al que estamos obligados por nuestro condado de Foix. Por supuesto, Febo solicitará la liberación de su cuñado de Navarra, eso está acordado, pero será una cuestión de forma, exclusivamente de forma, como si ése fuese el pretexto de la aproximación. Un juego refinado. Febo siempre podrá decir a los de Navarra: «He rendido homenaje sólo para serviros.»

Gastón Febo no necesitó más que una semana para seducir París. Había llegado con una nutrida escolta de hidalgos, muchos servidores, veinte carros para transportar su guardarropa y su mobiliario, una espléndida jauría y una parte de su colección de bestias salvajes. Este cortejo cubría un cuarto de legua. El criado de menor rango iba espléndidamente vestido, con la librea de Béarn; los caballos lucían gualdrapas de terciopelo de seda, como los míos. Ciertamente, un atuendo muy costoso, pero destinado a impresionar a la multitud. Febo consiguió lo que quería.

Los grandes señores se disputaban el honor de recibirlo. Todos los personajes importantes de la ciudad, los hombres del Parlamento, la universidad, las finanzas, e incluso los personajes de la Iglesia encontraban excusas para ir a saludarlo al palacio que su hermana Blanca, la reina viuda, le había prestado durante el tiempo que durase su estancia. Las mujeres deseaban contemplarlo, oír su voz y tocarle la mano. Cuando recorría las calles de la ciudad, los mirones lo reconocían por su cabellera dorada y se apiñaban a las puertas de las tiendas de los plateros y los tenderos en las cuales entraba. Reconocían también al escudero que lo acompañaba siempre, un gigante llamado Ernauton de España, quizá su hermanastro bastardo, del mismo modo que reconocían a los dos enormes perros pirenaicos que lo seguían llevados de la traílla por un criado. Un monito se mantenía en equilibrio sobre el lomo de uno de los perros... Un gran señor poco usual, más fastuoso que los más fastuosos, había llegado a la capital, y todos hablaban de él.

Os cuento todo esto en detalle ya que durante ese ingrato mes de julio nos hallábamos en la escalera del drama, y cada peldaño importa.

Archambaud, tendréis que gobernar un gran condado, y lo haréis en un tiempo que no será más fácil que éste; no es posible salir en pocos años del hondo abismo en el que hemos caído.

Recordad bien esto: cuando la naturaleza de un príncipe es mediocre o él está debilitado por la edad o por la enfermedad, no puede mantener la unidad de sus consejeros. Su entorno se divide y dispersa, pues cada uno se apropia los fragmentos de una autoridad que ya no se ejerce o que se ejerce mal; cada uno habla en nombre de un amo que ya no manda; cada uno construye para sí, la mirada puesta en el futuro. Se forman camarillas de acuerdo con las afinidades de la ambición o el temperamento. Las rivalidades se intensifican. Los fieles se agrupan de un lado y los traidores del otro, y éstos se creen fieles a su modo.

Pero llamo traidores a quienes traicionan el interés superior del reino. A menudo se trata de personas incapaces de advertirlo; ven únicamente el interés de las personas y, sin embargo, por desgracia, son ellos quienes generalmente triunfan.

Alrededor del rey Juan existían dos partidos, como existen hoy dos partidos alrededor del delfín, pues se trata de los mismos hombres.

Por un lado, el partido del canciller Pierre de La Fôret, arzobispo de Ruan, con la ayuda de Enguerrando del Petit-Cellier; a mi juicio, los hombres más sagaces y los más interesados en el bien del reino. Del otro lado, Nicolás Braque, Lorris, y sobre todo, Simón de Bucy.

Quizá lo conozcáis en Metz. Ah, desconfiad siempre de él y de las personas que se le parecen. Un hombre de cabeza demasiado grande sobre un cuerpo demasiado breve, eso ya es mal signo; erguido como un gallo, bastante maleducado y violento tan pronto deja de mostrarse taciturno, y desborda un inmenso orgullo, aunque disimulado. Saborea el poder ejercido en la sombra, y nada le agrada tanto como humillar, e incluso perder a todos los que adquieren demasiada importancia o excesiva influencia sobre el príncipe. Imagina que gobernar es sólo engañar, mentir, concebir maquinaciones. No tiene grandes ideas, sólo planes mediocres, siempre sombríos, y los ejecuta con mucha obstinación. Tinterillo del rey Felipe, trepó hasta donde está ahora (primer presidente del Parlamento y miembro del Gran Consejo) conquistando una reputación de fidelidad porque es autoritario y brutal. Se ha visto a este hombre impartiendo justicia y obligando a los solicitantes descontentos a arrodillarse en plena sala para pedirle perdón. También ordenó que ejecutasen de una vez a veintitrés burgueses de Ruan. Concede asimismo absoluciones arbitrarias, o posterga indefinidamente asuntos graves para mantener a la gente sometida a su voluntad. No descuida su fortuna; consiguió que el abate de Saint-Germain-des-Prés le otorgase la puerta de Saint-Germain, llamada también puerta de Bucy, y en ella cobra peaje sobre una buena parte de todo lo que entra en París.

Tan pronto La Fôret negoció el homenaje de Febo, Bucy se opuso y decidió que el acuerdo tenía que fracasar. Fue al encuentro del rey, que venía de Breteuil, y le dijo: «Febo os atrae a París para desplegar toda su riqueza... Febo recibió dos veces al preboste Marcel... Sospecho que Febo conspira con su mujer y la reina Blanca la fuga de Carlos el Malo... Es necesario exigir a Febo que rinda homenaje por Béarn... Febo no tiene buenas intenciones con vos... Cuidaos, cuando acogéis demasiado amablemente a Febo, no sea que ofendáis al conde de Armagnac, a quien mucho necesitáis en el Languedoc. Sí, el canciller La Fôret se muestra demasiado cordial con los amigos de vuestros enemigos... Y además, ¿qué es eso de llamarse Febo?» Y para irritar realmente al rey, le dio una mala noticia. Friquet de Fricamps había escapado del Châtelet gracias al ingenio de dos de sus domésticos. Los navarros ponían en jaque el poder real y recuperaban a un hombre muy hábil y peligroso.

De modo que, durante la cena que ofreció la víspera del homenaje, el rey Juan se mostró grosero y agresivo, y cuando se dirigía a Febo utilizaba la fórmula «Mi señor vasallo», y a veces le preguntaba: «¿Quedan hombres en vuestros feudos, después de haber retirado todos los que os escoltan y que vemos en mi ciudad?» También le dijo: «Me agradaría que vuestras tropas no volviesen a entrar en las tierras gobernadas por mi señor de Armagnac.»

Muy sorprendido, pues se había convenido con Pedro de La Fôret que se olvidarían estos incidentes, Febo replicó:

—Señor, primo mío, mis soldados no habrían tenido que entrar en Armagnac si no hubiese sido para rechazar a los que venían a atacarnos. Pero puesto que habéis ordenado que cesen las incursiones de los hombres que obedecen a mi señor de Armagnac, mis caballeros no sobrepasarán sus fronteras.

A esto respondió el rey:

—Desearía que estuviesen más cerca de mí. He convocado a la hueste a Chartres, para marchar contra los ingleses. Espero que acudiréis puntualmente con los regimientos de Foix y Béarn.

—Los regimientos de Foix —dijo Febo—, serán convocados, como debe hacerlo un vasallo, tan pronto os haya rendido homenaje, señor, mi primo. Y los de Béarn los acompañarán, si así os place.

¡Vaya cena de confraternización! El arzobispo canciller, sorprendido e inquieto, trataba vanamente de suavizar la situación. Bucy tenía una expresión impenetrable. Pero en el fondo de sí saboreaba el triunfo. Se creía el auténtico dueño de la situación.

No se mencionó siquiera el nombre del rey de Navarra, pese a que la reina Juana y la reina Blanca estaban allí.

Cuando salían del palacio, Ernauton de España, el gigantesco escudero, dijo al conde de Foix (yo no estuve allí, pero así me lo contaron): «¡He admirado vuestra paciencia. Si yo fuera Febo, no esperaría a que me infligiesen otro ultraje y partiría inmediatamente para mi Béarn!» A lo cual Febo respondió: «Y si yo fuese Ernauton, es exactamente el consejo que daría a Febo. Pero soy Febo y debo tener en cuenta ante todo el futuro de mis súbditos. No quiero ser el culpable de la ruptura y ponerme en una situación equivocada. Agotaré todas las posibilidades de acuerdo, hasta los límites del honor. Pero me temo que La Fôret me ha tendido una emboscada. A menos que un hecho que yo ignoro y que él ignora, haya trastornado al rey. Mañana lo veremos.»

Al día siguiente, después de misa, Febo entró en la gran sala del palacio. Seis escuderos sostenían la cola de su manto, y por una vez Febo no marchaba con la cabeza descubierta. Sostenía una corona, oro sobre oro. La cámara estaba ocupada por los chambelanes, los consejeros, los prelados, los capellanes, los principales personajes del Parlamento y los altos funcionarios. Pero el primero a quien Febo vio fue al conde de Armagnac, Juan de Forez, de pie, muy cerca del rey y como apoyado en el trono, en actitud arrogante. Al otro lado, Bucy fingía ordenar sus rollos de pergamino. Eligió uno y leyó, como si se tratase de una ocasión común y corriente: «Mi señor, el rey de Francia, mi señor, os recibe por el condado de Foix y el vizcondado de Béarn, que tenéis de su mano, y así os convertís en su hombre como conde de Foix y vizconde de Béarn, de acuerdo con las formas concertadas por sus antecesores, los reyes de Francia, y los vuestros. Arrodillaos.»

Se hizo el silencio. Después, Febo respondió con voz muy clara: «No puedo.»

Los presentes manifestaron su sorpresa, una sorpresa sincera en la mayoría, fingida en otros, con una pizca de placer. No es frecuente que en una ceremonia de homenaje sobrevenga un incidente de este tipo.

Febo repitió:

—No puedo. —Y agregó con voz muy clara—: Puedo doblar una rodilla, la de Foix. Pero no puedo doblar la de Béarn.

Entonces habló el rey Juan, en cuya voz se advertía la cólera:

—Os recibo por Foix y por Béarn.

Los presentes se estremecieron de curiosidad. Y la discusión continuó, cada vez más áspera...

Febo:

—Señor, Béarn es tierra sin servidumbre, y no podéis recibirme por lo que no corresponde a vuestra soberanía.

El rey:

—Afirmáis una falsedad, y algo que durante muchos

años fue materia de disputa entre vuestros antecesores y los míos.

Febo:

—Es verdad, señor, y será tema de discordia sólo si vos lo queréis. Soy vuestro fiel y leal súbdito por Foix, de acuerdo con lo que mis padres siempre afirmaron, pero no puedo declararme vuestro hombre por lo que he recibido sólo de Dios.

El rey:

—¡Mal vasallo! Apeláis a tortuosos argumentos para sustraeros al servicio que me debéis. El año pasado no llevasteis vuestros hombres al conde de Armagnac, mi lugarteniente en Languedoc, y por eso y por vuestra deserción no pude rechazar la incursión inglesa.

Entonces, Febo dijo con voz atronadora:

—Si sólo de nuestro auxilio depende la suerte del Languedoc y mi señor de Armagnac es incapaz de conservaros esa provincia, no corresponde que él la gobierne, y más vale que me deis su cargo.

El rey estaba enfurecido, y el mentón le temblaba.

—Os burláis de mí, buen señor, pero no lo haréis mucho tiempo. ¡Arrodillaos!

—Apartad Béarn del homenaje y doblaré inmediatamente la rodilla.

—¡La doblaréis en prisión, pérfido traidor! —gritó el rey—. ¡Que lo prendan!

La escena había sido organizada, prevista y montada por lo menos por Bucy, a quien bastó esbozar un gesto para que Perrinet *el Búfalo* y seis hombres de la guardia rodeasen a Febo. Ya sabían que debían llevarlo al Louvre.

El mismo día, el preboste Marcel decía en la ciudad: «El rey Juan necesitaba sólo un enemigo más, y ya lo tiene. Si todos los ladrones que rodean al rey conservan sus cargos, pronto ni un solo hombre honesto podrá respirar fuera del calabozo.»

4

El campamento de Chartres

¡Qué bien, sobrino, qué bien! Ved lo que me escribe el Papa en una carta el veintiocho de noviembre, cuyo envío seguramente se retrasó un poco, aunque también es posible que el mensajero que la traía fuese a buscarme adonde ya no estaba, pues llegó apenas ayer, y me fue entregada en Arcis. Adivinad... Pues bien, el Santo Padre deplora mi desacuerdo con Nicola Capocci, y me reprocha «la falta de caridad que prevalece entre nosotros». Me agradaría mucho saber cómo puedo demostrar caridad a Capocci. No volví a verlo después de Breteuil, de donde se fue repentinamente, sin despedirse, para instalarse en París. ¿Y quién es culpable del desacuerdo, sino el hombre que a toda costa me impuso la compañía de este prelado egoísta, limitado, interesado únicamente en su propio beneficio y cuyas actividades no tienen otro propósito que contrarrestar las mías? Poco le importa la paz general. Lo único que le interesa es que no sea yo quien la consiga. ¡Falta de caridad! Falta de caridad... Tengo buenos motivos para suponer que Capocci intriga con Simón de Bucy, y que tuvo algo que ver con la detención de Febo, que, quizá ya lo sabéis, recuperó la libertad en agosto... ¿gracias a quién? A mí —eso no lo sabíais—, a cambio de la promesa de incorporarse a las huestes reales.

Finalmente el Santo Padre me asegura que todos alaban mis esfuerzos, y que él mismo y el colegio cardenalicio en su totalidad aprueban mis actividades. Creo que no escribe lo mismo a Capocci..., pero insiste, como ya lo hizo en octubre, en su consejo de incluir a Carlos de Navarra en la paz general. Es fácil adivinar quién le sopla eso...

Después de la evasión de Friquet de Fricamps, el rey Juan decidió trasladar a su yerno a Arleux, una fortaleza de Picardía rodeada por gente muy fiel a los Artois. Temía que en París Carlos de Navarra contase con muchas complicidades. No deseaba que Febo y él estuviesen en la misma prisión, y ni siquiera en la misma ciudad...

Y después de echar a perder el asunto de Breteuil, como os contaba ayer, regresó a Chartres. Me había dicho: «Hablaremos en Chartres.» Y allí estuve, mientras Capocci se pavoneaba en París...

¿Dónde estamos? ¡Brunet! ¿Cómo se llama este burgo? ¿Poivres? ¿Ya pasamos por Poivres? ¡Ah! Bien, aún falta un trecho, me dijeron que vale la pena contemplar la iglesia. Por otra parte, todas estas iglesias de Champaña son muy hermosas. Es un país donde impera la fe...

¡Oh! No lamento haber visto el campamento de Chartres, y hubiera querido que vos también lo conocierais. Lo sé; os dispensaron del servicio en la hueste para reemplazar a vuestro padre enfermo, y contener a toda costa a los ingleses, impidiendo que entraran en Périgord. Quizá por eso ahora no estáis descansando bajo una losa, en un convento de Poitiers. ¿Quién sabe? La Providencia decide.

Bien, imaginad lo que fue Chartres: sesenta mil hombres, por lo bajo, acampados en la vasta llanura dominada por la catedral. Uno de los ejércitos más grandes, o quizás el principal reunido jamás en el reino. Pero separados en dos grupos muy diferentes.

A un lado, alineados en hermosas filas, centenares y centenares de tiendas y pabellones de seda o de tela con los estandartes de los caballeros. El movimiento de los hombres, los caballos y los carros originaba allí un gran hormigueo de colores y acero iluminado por el sol, hasta donde la vista alcanzaba, y allí venían a instalar sus tiendas ambulantes los vendedores de armas, de arneses, de vino, de comida, así como los dueños de burdeles, que traían carros colmados de muchachas, bajo la vigilancia del rey de los auxiliares, cuyo nombre todavía no consigo recordar.

Y a bastante distancia, bien alejados de ese sector, como en las imágenes del Juicio Final (de un lado el paraíso, del otro el infierno) los hombres de a pie, sin más abrigo, sobre los rastrojos, que una tela sostenida por una pica, y eso los que se habían tomado el cuidado de obtenerla; una inmensa multitud distribuida al azar, desganada y sucia, desaliñada; gentes que se agrupaban por regiones y apenas obedecían a jefes improvisados. Por otra parte, ¿a quiénes habrían obedecido? No se les imponían tareas, no se les ordenaba ninguna maniobra. Esta gente destinaba todo su tiempo a buscar alimento. Los más astutos se arrimaban a los caballeros, o bien saqueaban los corrales de las aldeas vecinas, o cazaban y pescaban en lugares prohibidos. Detrás de cada talud se veía a los grupos de hombres en cuclillas, alrededor de un conejo que estaban asando. Se producían súbitas avalanchas hacia los carros que distribuían pan de centeno a horas irregulares. Lo que era regular era el paso del rey, todos los días, entre los hombres de este sector. Inspeccionaba a los que habían llegado un poco antes: un día a los de Beuvais, al siguiente a los de Soissons, y más tarde a los de Orleans y Jargeau.

Por supuesto, lo acompañaban sus cuatro hijos, su hermano, el condestable, los dos mariscales, Juan de Artois, Tancarville, qué sé yo cuántos más... y una nube de escuderos.

Cierta vez, que en definitiva fue la última, ya veréis por qué... me invitó como si estuviese concediéndome un gran honor. «Monseñor de Périgord, si os place seguirme, mañana os llevaré a la revista.» Por mi parte, deseaba convenir con él ciertas propuestas, por indefinidas que fuesen, para transmitirlas a los ingleses e iniciar de ese modo algo que pareciese una negociación. Había propuesto que los dos reyes nombrasen diputados para redactar la lista de todos los litigios entre ambos reinos. Eso hubiera bastado para discutir durante cuatro años.

También lo enfocaba desde otro ángulo, muy distinto. Ambas partes fingían ignorar los litigios y comenzaban a preparar una expedición conjunta a Constantinopla. Lo que importaba era comenzar a hablar...

De modo que debía arrastrar mi capa por ese enorme criadero de pulgas que acampaba a orillas del Beauce. Digo bien: criadero de pulgas, pues al regreso Brunet tuvo que buscarme las pulgas. De todos modos, no podía rechazar a esos pobres miserables que venían a besar el ruedo de mi túnica. El olor era aún más desagradable que en Breteuil. La noche de la víspera había estallado una gran tormenta y los hombres habían dormido sobre el suelo húmedo. Bajo el sol de la mañana, las ropas desprendían vapor y olían muy fuerte. El arcipreste, que caminaba delante del rey, se detuvo. Ciertamente el arcipreste ocupaba un lugar importante. El rey interrumpió la marcha y lo mismo hizo su séquito.

«Señor, éstos son los hombres del preboste de Bracieux del municipio de Blois, que llegaron ayer. Su estado es lamentable.» Con su maza de armas, el arcipreste indicaba a un grupo de cuarenta patanes desaliñados, cubiertos de lodo, barbudos. Hacía diez días que no se afeitaban, y no hablemos del lavado. La disparidad de los vestidos se fundía en un color grisáceo de roña y tierra. Algunos calzaban zapatos reventados; otros llevaban las piernas envueltas únicamente en lienzos rasgados, y otros caminaban descalzos. Trataban de erguirse para aparentar mejor aspecto; pero tenían la mirada inquieta. Caramba, no esperaban que apareciera ante ellos el rey en persona, rodeado de su rutilante escolta. Los hombres de Bracieux trataban de estrechar filas. Las hojas curvas y las puntas afiladas de algunas alabardas o lanzas se elevaban sobre el grupo como las espinas que parten de un haz de leños fangosos.

«Señor —insistió el arcipreste—, son treinta y nueve cuando deberían haber venido cincuenta. Ocho tienen lanza, nueve están armados de espada, de las cuales una se encuentra en muy mal estado. Sólo uno tiene lanza y espada. Uno de ellos posee un hacha, tres vinieron con bastones herrados, y otro tiene únicamente un cuchillo puntiagudo; los otros no tienen nada.»

Me hubiera echado a reír, si no me hubiese preguntado qué impulsaba al rey a perder su tiempo y el de sus mariscales examinando espadas oxidadas. Que lo viese de una vez, estaba bien. Pero ¿todos los días, todas las mañanas? ¿Y para qué me invitaba a presenciar esa lamentable revista?

Me sorprendió oír la voz de su hijo más joven, Felipe, que tenía ese tono falso que caracteriza a los jovencitos cuando quieren pasar por hombres maduros: «Con hombres como éstos no ganaremos las grandes batallas.» Tiene sólo catorce años; está cambiándole la voz y su cuerpo no alcanza a sostener la cota de malla. Su padre le acarició la frente, como si se felicitase de haber echado al mundo un guerrero tan sagaz. Después, se dirigió a los hombres de Bracieux y preguntó: «¿Por qué no estáis mejor armados? Veamos, ¿por qué? ¿Así os presentáis a mi hueste? ¿No habéis recibido órdenes de vuestro preboste?»

Entonces, un mocetón un poco menos miedoso que el resto, quizás el mismo que portaba la única hacha, se adelantó y contestó: «Señor, el preboste ordenó que nos armásemos cada uno de acuerdo con nuestro estado. Hicimos lo posible. Si algunos nada tienen, es porque su condición no les permitió nada mejor.»

El rey Juan se volvió hacia los condestables y los mariscales, con esa expresión de las personas que se sienten satisfechas cuando, incluso en perjuicio propio, las cosas le dan la razón. «Otro preboste que no cumple su deber... Devolvedlos, como a los de Saint-Fargeau, y a los de Soissons. Pagarán la multa. Lorris, anotad.»

Pues como me explicó poco después, los que no se presentaban a la revista, o acudían sin armas y no podían combatir, debían pagar cierta suma. «Las multas de todos estos hombres me suministrarán lo necesario para pagar a mis caballeros.»

Una hermosa idea, sin duda sugerida por Simón de Bucy, y el rey la había adoptado. Por eso había ordenado la movilización general, y por eso contaba, con una especie de rapacidad, los destacamentos que devolvía a sus respectivas regiones. «¿De qué nos sirve esta chusma? —volvió a decirme—. Precisamente por estas tropas de infantería mi padre fue abatido en Crécy. Los hombres de a pie lo retrasan todo e impiden cabalgar como es necesario.»

Y todos aprobaron sus palabras, con la única excepción del delfín, que parecía tener una reflexión en la punta de la lengua, pero que se la guardó.

¿Quizás en el otro sector del campamento, donde estaban los caballeros, sus monturas y los arqueros, todo iba a pedir de boca? Pese a las repetidas convocatorias y a los bellos reglamentos, que exigían que los capitanes inspeccionaran dos veces por mes, sin previo aviso, a sus hombres, así como las armas y las monturas, de modo que las fuerzas siempre estuvieran dispuestas para entrar en acción, y que prohibían cambiar de jefe o ausentarse sin permiso «so pena de perder la soldada y de ser castigado sin clemencia», a pesar de todo, una tercera parte de los caballeros no había acudido a la convocatoria. Otros, obligados a equipar una compañía que tuviese por lo menos veinticinco lanzas, sólo habían traído diez. Cotas de malla rotas, los sombreretes abollados, los arneses demasiado secos que crujían constantemente... «¡Eh!, mi señor, ¿cómo puedo arreglar esto? Aún no recibí mi soldada y ya me cuesta bastante mantener la armadura.» Los hombres disputaban tratando de conseguir herreros que herrasen los caballos. Los jefes vagaban por el campamento en busca de su tropa dispersa y los rezagados hacían otro tanto buscando a sus jefes. Los hombres se robaban unos a otros los pedazos de madera, los pedazos de cuero, la lezna o el martillo que necesitaban. Los mariscales se veían asediados por las reclamaciones, y en sus cabezas resonaban las rudas expresiones que intercambiaban los capitanes coléricos. El rey Juan no quería saber nada de todo eso. Dedicaba su tiempo a contar a los hombres que pagarían rescate...

Estaba acercándose al grupo de Saint-Aignan cuando llegaron, atravesando el campamento al trote ligero, seis hombres de armas, los caballos blancos de espuma, y los propios jinetes con el rostro bañado de sudor y la armadura polvorienta. Uno de ellos desmontó pesadamente, pidió hablar con el condestable y, después de acercarse, le dijo: «Estoy a las órdenes de monseñor de Boucicaut, de quien os traigo noticias.»

Con un gesto, el duque de Atenas invitó al mensajero a presentar su informe al rey. El mensajero intentó doblar la rodilla, pero la armadura se lo impidió; el rey lo dispensó de la ceremonia y le dijo que hablase de inmediato. «Señor, mi señor de Boucicaut está encerrado en Romorantin», fue la respuesta.

¡Romorantin! La escolta real enmudeció de sorpresa, como tocada por un rayo. ¡Romorantin, apenas a treinta leguas de Chartres, del lado opuesto de Blois! Nadie imaginaba que los ingleses pudieran estar tan cerca.

En efecto, mientras concluía el sitio de Breteuil, se enviaba a la mazmorra a Gastón Febo, se ejecutaba lentamente la movilización parcial y después la total y los hombres se reunían en Chartres, el príncipe de Gales (Archambaud, vos lo sabéis mejor que nadie, porque debíais proteger Périgueux) había iniciado su incursión, partiendo de Sainte-Foy y Bergerac, donde ya estaba en territorio real, y continuado al norte por el camino que nosotros mismos habíamos seguido, Château-l'Evêque, Brantôme, Rochechouart, La Péruse, provocando las devastaciones que habíamos comprobado. Llegaban noticias de sus movimientos, y debo decir que no me sorprendía ver que el rey se demoraba en Chartres mientras el príncipe Eduardo asolaba el país. De acuerdo con las últimas noticias recibidas, todos creían que el príncipe Eduardo aún estaba en La Châtre y Bourges. Todos pensaban que avanzaría en dirección a Orleans, y el rey estaba seguro de que allí podría presentarle batalla y cortarle el camino a París. Por eso el condestable, en una actitud inspirada por la prudencia, había enviado un grupo de trescientas lanzas, a las órdenes de los señores de Boucicaut, de Craon y de Caumont, para llevar a cabo un reconocimiento amplio al otro lado del Loira y obtener información. Habían conseguido muy pocos datos. Y de pronto, Romorantin. Era evidente que el príncipe de Gales se había desviado hacia el oeste...

El rey ordenó al mensajero que continuara hablando.

—En primer lugar, señor, mi señor de Chambly, enviado a explorar por mi señor de Boucicaut, fue apresado cerca de Aubigny-sur-Nère.

—¡Ah! De modo que apresaron a Cordero Gris —dijo luego el rey, pues ése es el sobrenombre del señor de Chambly.

El mensajero de Boucicaut continuó:

—Pero mi señor de Boucicaut no lo supo a tiempo y, de pronto, nos encontramos con la vanguardia de los ingleses. Los atacamos con tanta fuerza que se retiraron.

—Como de costumbre —comentó el rey Juan.

—Pero se reunieron con su gente, un ejército mucho más numeroso que el nuestro, y nos atacaron por todas partes, de modo que los señores de Boucicaut, de Craon y de Caumont nos ordenaron una rápida retirada sobre Romorantin, donde se encerraron, perseguidos por el ejército del príncipe Eduardo, que precisamente cuando mi señor de Boucicaut me envió hacia aquí comenzaba el sitio. Y eso, señor, es todo lo que puedo deciros.

De nuevo se hizo el silencio. Entonces, el mariscal de Clermont exclamó colérico:

—¿Por qué demonios atacaron? No era lo que se les había ordenado.

—¿Les reprocháis su coraje? —inquirió el mariscal Audrehem—. Se encontraron con un enemigo y cargaron contra él.

—Hermoso coraje —dijo Clermont—. Unas trescientas lanzas ven a un grupo de veinte, lo atacan sin pensarlo, y creen que es una gran proeza. Y después aparecen mil y ellos huyen a su vez y corren a esconderse en el primer castillo. Ahora no nos sirven para nada. Eso no es coraje, sino tontería.

Los dos mariscales comenzaron a disputar, como de costumbre, y el condestable los dejó hablar. Al condestable no le agradaba tomar partido. Era un hombre más valiente de cuerpo que de alma. Prefería que lo llamasen Atenas y no Brienne, a causa del antiguo condestable, su primo, a quien habían decapitado. Pero Brienne era su feudo, y en cambio Atenas no era más que un viejo recuerdo de familia que no correspondía a ninguna realidad, a menos que una Cruzada... O quizá se trataba sencillamente de que, con la edad, todo le daba igual. Había mandado mucho tiempo, y muy bien, los ejércitos del rey de Nápoles. Añoraba Italia, porque añoraba su propia juventud. A pocos pasos de distancia, el arcipreste observaba con aire burlón la discusión de los mariscales.

El rey cerró el debate. «Por mi parte creo —dijo— que el tropiezo del señor de Boucicaut puede sernos útil. Ahora el inglés está aferrado al sitio que él mismo inició. Ahora sabemos dónde encontrarlo.»

Se dirigió entonces al condestable. «Gualterio, que la hueste inicie la marcha mañana, al alba, dividida en varios cuerpos que pasarán el Loira en diferentes puntos, por los puentes para evitar demoras, pero manteniendo un estrecho enlace entre los regimientos con el fin de reunirlos en el lugar fijado, del otro lado del río. Por mi parte, iré a Blois. Atacaremos al ejército inglés detrás de Romorantin o, si decide alejarse, le cortaremos todos los caminos. Vigilad el Loira hasta muy lejos, más allá de Tours, hasta Angers, de modo que el duque de Lancaster, que viene de la región normanda, no pueda reunirse con el príncipe de Gales.»

Juan II había sorprendido a su gente. De pronto se le veía sereno y dueño de sí mismo, e impartía órdenes claras e indicaba caminos a su ejército como si viese desplegado ante sus propios ojos todo el paisaje francés. Cerrar el paso del Loira por el lado de Anjou, franquearlo en Turena, prepararse para descender hacia Berry, es decir, cortar la ruta de Poitou y Angoumois... y finalmente, recuperar Burdeos y Aquitania. «Y sobre todo, prestemos atención a la rapidez, de modo que nos beneficie la sorpresa.» Todos se prepararon para la acción. Preveían una hermosa cabalgata.

«Y que retiren a todos los infantes —ordenó tajante Juan II—. No queremos otro Crécy. Solamente con los caballeros tenemos cinco veces más hombres que estos perversos ingleses.»

Así, porque diez años antes los arqueros y los ballesteros, masacrados, estorbaron los movimientos de la caballería y determinaron la pérdida de una batalla, el rey Juan renunciaba ahora a tener infantería. Y sus jefes aprobaron esta actitud, porque todos habían estado en

Crécy y conservaban en el recuerdo este episodio. Lo único que les importaba era no cometer el mismo error.

Únicamente el delfín se atrevió a decir: «Entonces, padre, no tendremos arqueros.»

El rey ni siquiera se dignó contestarle. Y el delfín, que se encontraba muy cerca de mí, me dijo, como si buscase apoyo o como si quisiera que no lo tomase por un tonto: «Los ingleses montan a sus arqueros. Pero en nuestro ejército nadie aceptaría que entregásemos caballos a los plebeyos.»

Y esto me recuerda... ¡Brunet! Si mañana el tiempo es tan benigno como hoy, recorreré la etapa, que será muy corta, en mi corcel. Es necesario que monte un poco antes de llegar a Metz. Además, deseo mostrar a los habitantes de Châlons, cuando entre en su ciudad, que puedo cabalgar tan bien como su tonto obispo Choveau... que aún no ha sido reemplazado.

5

El príncipe de Aquitania

Archambaud, estoy muy irritado a causa de este tramo del camino, el que nos lleva hasta Saint-Menehould. Tal parece que no puedo detenerme en una gran ciudad sin que me llegue una noticia que me hace hervir la sangre. En Troyes fue la carta del Papa. En Châlons, el correo de París. ¿Y qué novedad me trajo? Que casi una quincena antes de partir, el delfín firmó un decreto que modifica de nuevo la moneda en curso, por supuesto en el sentido de la pérdida de valor. Pero temeroso de que la medida fuese mal recibida (no necesitaba ser un genio o un adivino para preverlo), retrasó la promulgación del decreto, de modo que se conociera después de su partida, cuando ya estuviese bastante lejos, a cinco días de camino; de modo que la ordenanza fue publicada el diez de este mes. En resumen, teme enfrentarse con sus burgueses y ha huido como un ciervo. A decir verdad, la fuga es con frecuencia el recurso que él utiliza. No sé quién le inspiró este ardid poco honroso, si Braque o Bucy, pero los resultados están a la vista. El preboste Marcel y los comerciantes más importantes fueron encolerizados a protestar al duque de Anjou, a quien el delfín dejó como representante en el Louvre, y el segundo hijo del rey, que sólo tiene dieciocho años y bastante poco seso, con el fin de evitar el disturbio con que se lo amenazaba, aceptó suspender la aplicación de la ordenanza hasta el regreso del delfín. Era mejor abstenerse de adoptar esa medida, el criterio que yo hubiese preferido, pues como siempre se trata de un recurso mediocre o, si se la consideraba conveniente, había que imponerla sin vacilar. Nuestro delfín Carlos no quedará muy bien parado ante su tío el emperador... En su capital tiene un consejo que rehúsa acatar los decretos reales.

Pero entonces, ¿quién gobierna hoy el reino de Francia? Tenemos derecho a preguntarlo. No nos engañemos, esta situación acarreará graves consecuencias. Ahora ese Marcel se siente seguro de sí mismo, porque sabe que doblegó la voluntad de la corona, con el apoyo del populacho de los burgueses, cuyas fortunas defiende. El delfín había actuado bien frente a sus Estados Generales, pues con su partida los dejó desamparados; ahora, a consecuencia de este episodio, pierde toda la ventaja conquistada. Confesad que es frustrante tomarse tanto trabajo y recorrer los caminos, como lo hago desde hace medio año, para tratar de mejorar la suerte de los príncipes que se obstinan en perjudicar su propia causa.

Adiós, Châlons... ¡oh no, no! No quiero tener nada que ver con el nombramiento de un nuevo obispo. El conde-obispo de Châlons es uno de los seis pares eclesiásticos. Es asunto que compete al rey Juan o al delfín. Que lo resuelvan directamente con el Santo Padre (o que fatiguen a Capocci; por una vez tendrá que trabajar un poco).

No debemos mostrarnos demasiado duros con el delfín; su tarea no es fácil. El gran culpable es el rey Juan, y el hijo nunca podrá cometer tantos errores como los que ha sumado el padre.

Para calmarme, o quizá para irritarme todavía más (Dios no quiera que yo peque), os explicaré la situación del rey Juan. ¡Y ya veréis cómo un rey pierde Francia!

Como os decía, en Chartres parecía más decidido. Ya no hablaba de cosas de la caballería cuando había que resolver asuntos financieros, no se ocupaba de finanzas cuando debía interesarse en la guerra, ni se preocupaba de tonterías cuando se jugaba la suerte del reino. Parecía que por una vez había salido de su confusión íntima y de su funesta inclinación al contratiempo; por una vez parecía coincidir con la necesidad del momento. Había adoptado medidas eficaces para desarrollar la campaña, y como el humor del jefe es cosa contagiosa, estas disposiciones se aplicaron con exactitud y rapidez.

Ante todo, impedir a los ingleses el paso del Loira. Se enviaron nutridos destacamentos, mandados por capitanes que conocían bien la región, para cerrar los puentes y los pasos entre Orleans y Angers. Se ordenó a los jefes que mantuviesen contacto permanente con sus vecinos y que enviasen con frecuencia mensajeros al ejército del rey. Había que impedir a toda costa que la columna del príncipe de Gales, que venía de Sologne, y la del duque de Lancaster, que llegaba de Bretaña, se uniesen. La intención era derrotarlas por separado. Ante todo, el príncipe de Gales. El ejército, dividido en cuatro columnas para facilitar los movimientos, atravesaría el río por los puentes de Meung, Blois, Ambois y Tours. Evitar las escaramuzas a toda costa antes de que los cuerpos de batalla se hubiesen reunido en la orilla opuesta del Loira. Nada de proezas individuales, por tentadoras que fuesen. La proeza sería aplastar a la totalidad de los ingleses y purgar el reino de Francia de la miseria y la vergüenza que sufre desde hace muchos años. Tales eran las instrucciones que el condestable duque de Atenas impartió a los jefes de las columnas reunidos antes de la partida. «Id, mis señores, y que cada uno cumpla su deber. El rey os mira.» El cielo estaba cubierto por densas nubes negras que de pronto reventaron, atravesadas por los rayos. Durante estas jornadas, el Vendômois y Turena fueron castigados por tormentas, breves pero intensas, que empapaban las cotas de malla y los arneses, se colaban bajo las armaduras y aumentaban el peso de los correajes. Se hubiera dicho que el acero que desfilaba atraía el rayo; tres hombres de armas, que habían buscado la protección de un gran árbol, fueron alcanzados por una descarga. Pero en general el ejército soportaba bien la intemperie, a menudo alentado por un pueblo que venía a aclamarlo. Pues los burgueses de las pequeñas localidades y los campesinos del lugar estaban muy inquietos ante el avance del príncipe de Aquitania, de quien se decían cosas terribles. Ese largo desfile de armaduras que pasaban deprisa, de cuatro en fondo, los tranquilizaba apenas todos comprendían que los combates no se librarían en el lugar. «¡Viva nuestro buen rey! ¡Destruid al enemigo! ¡Dios los proteja, valerosos señores!» Lo que significaba: «Dios nos guarde, gracias a vosotros (muchos de los cuales caeréis muertos aquí y allá), Dios nos guarde y evite que el fuego destruya nuestras casas y nuestras pobres chozas, que la soldadesca disperse nuestro ganado, que perdamos la cosecha, que nuestras hijas se vean maltratadas. Dios nos guarde de la guerra que vais a hacer en otro sitio.» Y no regateaban el vino, fresco y picante. Lo ofrecían a los caballeros, que lo bebían, la visera levantada, sin detener la montura.

Vi todo eso, pues había decidido seguir al rey, e ir con él a Blois. Él quería la guerra, pero yo deseaba concertar la paz. Me obstinaba en ello. También yo tenía mi plan. Y mi litera avanzaba, detrás del grueso del ejército, seguida por destacamentos que no habían llegado a tiempo al campamento de Chartres. Todavía durante varios días debían llegar otros destacamentos, y entre ellos los de los condes de Joigny, Auxerre y Châtillon, tres hombres valerosos que avanzaban sin prisa, seguidos por las lanzas de sus condados, y que hacían alegremente la guerra.

—Buenas gentes, ¿habéis visto pasar por aquí el ejército del rey?

—¿El ejército? Pasó por aquí anteayer. ¡Y eran muchos, muchísimos! El desfile duró más de dos horas.

Otros pasaron esta mañana. Si encontráis al inglés, no le deis cuartel.

—Sin duda... Y si atrapamos al príncipe Eduardo, recordaremos enviaros un trozo.

Sin duda me preguntaréis qué hacía entretanto el príncipe Eduardo. El príncipe se había demorado frente a Romorantin. Menos de lo que había previsto el rey Juan, pero de todos modos lo suficiente para permitirle que realizara su maniobra. Cinco jornadas, pues los señores de Boucicaut, Craon y Caumont se habían defendido furiosamente. Durante la jornada del treinta y uno de agosto afrontaron tres asaltos, y los rechazaron. La plaza cayó el tres de septiembre. El príncipe ordenó incendiarla, como era su costumbre; pero al día siguiente, no tuvo más remedio que permitir que su tropa descansara, pues era domingo. Los arqueros, que habían perdido muchos hombres, estaban fatigados. Era el primer encuentro más o menos serio desde el comienzo de la campaña. Y el príncipe, menos sonriente que de costumbre, pues sabía por sus espías (en efecto, siempre tenía espías muy adelantados) que el rey de Francia con toda su hueste se dispone a caer sobre él, el príncipe se pregunta si no fue un error obstinarse en ocupar la fortaleza, y si no hubiera sido más conveniente dejar que las trescientas lanzas de Boucicaut continuasen encerradas en Romorantin.

No sabe exactamente cuál es la fuerza del ejército del rey Juan; pero sabe que es más numeroso que el suyo, aunque sólo sea un ejército que intenta atravesar el río por cuatro puentes a la vez... Si no quiere afrontar una desigualdad aplastante, a toda costa necesita unirse con el duque de Lancaster. Se ha terminado la grata incursión, ya no puede divertirse contemplando a los villanos que huyen a los bosques, o los techos de los monasterios incendiados. Mis señores de Chandos y de Grailly, sus mejores capitanes, también se muestran muy inquietos, y precisamente ellos, viejos soldados curtidos en la guerra, lo invitan a darse prisa. Desciende al valle del Cher, después de atravesar Saint-Aignan, Thésée y Montrichard, sin detenerse demasiado en el saqueo, incluso sin contemplar el hermoso río de aguas tranquilas y las islas plantadas de álamos e iluminadas por el sol, ni las orillas calizas donde maduran, favorecidas por el calor, las viñas. Va hacia el oeste, hacia los lugares donde puede obtener socorro y refuerzos.

El siete de septiembre llega a Montlouis y allí recibe la noticia de que en Tours hay un gran cuerpo de ejército mandado por el conde de Poitiers, tercer hijo del rey, y el mariscal de Clermont. Sopesa la situación. Espera cuatro días, acampado en las alturas de Montlouis, la llegada de Lancaster, que debía atravesar el río; en resumen, el milagro. Y si no hay milagro, de todos modos su posición es buena. Espera cuatro días que los franceses, que saben dónde está el inglés, libren batalla. El príncipe de Gales cree que puede contener e incluso vencer al ejército de Poitiers-Clermont. Ha elegido su puesto de batalla en un terreno sembrado de espesos matorrales espinosos. Entretiene a sus arqueros en la construcción de trincheras y baluartes. El príncipe Eduardo, sus mariscales y sus escuderos acampan en algunas casitas vecinas.

Desde la aurora, durante cuatro días, escudriña el horizonte, en dirección a Tours. La mañana trae brumas doradas al inmenso valle; el río, crecido a causa de las recientes lluvias, desliza sus aguas pardas entre la vegetación verde. Los arqueros continúan levantando taludes.

Durante cuatro noches, mientras mira el cielo, el príncipe se pregunta qué le reserva el alba del día siguiente. Esa semana las noches fueron muy hermosas, y Júpiter resplandecía, y parecía más grande que todos los restantes astros.

«¿Qué harán los franceses? —se preguntaba el príncipe—. ¿Qué harán?»

Pero los franceses, respetando por una vez la orden que se les había impartido, no atacaron. El diez de septiembre el rey Juan está en Blois con su cuerpo de batalla bien organizado. El once avanza hacia la hermosa ciudad de Amboise, lo que equivale a decir que está a las puertas de Montlouis. Adiós refuerzos, adiós Lancaster; el príncipe de Gales tiene que retirarse hacia Aquitania, y cuanto más rápido mejor, si quiere evitar que entre Tours y Amboise la tenaza lo aprisione; no puede enfrentarse con dos cuerpos de ejército. El mismo día sale de Montlouis para ir a dormir en Montbazon.

Y la mañana del doce, ¿quién llega a ese lugar? Unas doscientas lanzas presididas por un estandarte amarillo y blanco, y en medio de las lanzas una gran litera roja de la cual desciende un cardenal (como habéis visto, he acostumbrado a mis sargentos y criados a doblar la rodilla cuando desciendo). Eso siempre impresiona a los que me reciben. Y muchos se arrodillan a su vez, e incluso se persignan. Os aseguro que mi aparición provocó cierta conmoción en el campamento inglés.

La víspera me había separado del rey Juan en Amboise. Sabía que aún no deseaba atacar, pero que se aproximaba el momento decisivo. De modo que más valía que yo actuase. Había pasado por Bléré, donde descansé un poco. Flanqueado por los caballeros de mi sobrino de Durazzo y de mi señor de Heredia, y seguido por las túnicas de mis prelados y servidores, me acerqué al príncipe y le pedí una conversación a solas.

Llevaba prisa; me dijo que levantaría inmediatamente el campamento. Le aseguré que aún disponía de un poco de tiempo, y que mi propósito, que era el del Santo Padre, el Papa, merecía que me escuchase. Cuando supo que, como se desprendía de mis noticias ciertas, no sería atacado ese día, comprendió que tenía un respiro; pero mientras hablábamos, pese a que quiso mostrarse muy seguro de sí mismo, continuó demostrando prisa, lo que me pareció conveniente.

Este príncipe tiene un carácter altivo, y como ése es también mi caso, el comienzo no fue fácil para ambos. Pero yo tengo cierta edad, lo cual es útil...

Un hermoso hombre, de buen porte (sí, en efecto, sobrino, aún no os he ofrecido una descripción del príncipe de Gales). Tiene veintiséis años, la edad de todos los miembros de la nueva generación que está asumiendo la dirección de los asuntos. El rey de Navarra tiene veinticinco años, lo mismo que Febo; sólo el delfín es más joven. El príncipe de Gales tiene una sonrisa seductora, y ningún diente deteriorado la ha maculado todavía. En la parte inferior del rostro y el cutis se parece a su madre, la reina Felipa. Muestra la disposición amable de su progenitora y llegará a engordar como ella. Con respecto a la mitad superior del rostro, se parece más bien a su bisabuelo, Felipe el Hermoso. La frente lisa, los ojos azules, separados y grandes, de una frialdad de hierro. Miran fijamente, de un modo que desmiente la simpatía de la sonrisa. Las dos partes de este rostro, de expresiones tan distintas, están separadas por unos hermosos bigotes rubios, a la sajona, que le enmarcan el labio y el mentón. Su carácter es el de un hombre dominante. Ve el mundo desde lo alto de su caballo.

¿Conocéis sus títulos? Eduardo de Woodstock, príncipe de Gales, príncipe de Aquitania, duque de Cornualles, conde de Chester, señor de Vizcaya... Son sus superiores únicamente los reyes coronados y los Papas. A sus ojos, las restantes criaturas se distinguen sólo por el grado de inferioridad. Sin duda, posee don de mando y desprecia el peligro. Soporta bien las situaciones difíciles; conserva la cabeza clara en el peligro. Se muestra fastuoso cuando tiene éxito, y cubre de mercedes a sus amigos.

Ya tiene un sobrenombre, el de Príncipe Negro, que debe a la armadura de acero bruñido que le agrada mucho, y que llama la atención hacia su persona, sobre todo con las tres plumas blancas del yelmo, entre las cotas de malla brillantes y las insignias multicolores de los caballeros que lo rodean. Comenzó muy pronto a saborear la gloria. En Crécy, cuando tenía dieciséis años, su padre le confió el mando de un cuerpo de ejército, el de los arqueros galeses, y por supuesto lo rodeó de capitanes experimentados que debían aconsejarlo e incluso dirigirlo. Ahora bien, este cuerpo de ejército fue atacado tan duramente por los caballeros franceses que hubo un momento que, creyendo que el príncipe corría peligro, quienes debían ayudarle despacharon un mensajero para pedir al rey que acudiese en socorro de su hijo. El rey Eduardo III, que observaba el combate desde un molino, respondió al mensajero: «¿Mi hijo ha muerto, ha sido derribado o está tan herido que no puede valerse solo? ¿No? Entonces, volved donde está él, o aquellos que os enviaron, y decidles que mientras mi hijo siga con vida, no importa qué vicisitudes deban soportar, no vengan a pedir mi ayuda. Que el niño se gane sus espuelas; pues deseo, si Dios así lo dispuso, que la jornada sea suya y que él coseche el correspondiente honor.»

Este joven es ante quien yo comparecía por primera vez.

Le dije que el rey de Francia («Para mí no es el rey de Francia», dijo el príncipe. «Para la Santa Iglesia es el rey ungido y coronado», le repliqué; ya veis qué tono), que el rey de Francia se acercaba con su hueste de cerca de treinta mil hombres. Forcé un poco la situación y agregué: «Otros os hablarían de sesenta mil, pero yo os digo la verdad. Porque no incluyo a los infantes que quedaron atrás.» Evité decirle que los habían licenciado; tuve la sensación de que él ya lo sabía.

Pero qué importa; sesenta o treinta, o incluso veinticinco mil, cifra que se aproximaba más a la verdad; el príncipe tenía a lo sumo seis mil hombres, incluidos los arqueros y los escuderos. Le dije que en esas condiciones ya no era cuestión de coraje, sino de número.

Replicó que de un momento a otro se reuniría con el ejército de Lancaster. Le respondí que de todo corazón deseaba que así fuera, por su bien.

Comprendió que fingir seguridad no lo beneficiaba conmigo, y después de un breve silencio dijo de pronto que sabía que mi actitud era más favorable al rey Juan (ahora le aplicó el título de rey) que a su propio padre, el rey de Inglaterra. «Apoyo únicamente la paz entre los dos reinos —contesté—, y es lo que vengo a proponeros.»

Entonces, en actitud grandilocuente, comenzó a decirme que el año precedente había atravesado el Languedoc entero y llevado a sus caballeros hasta el mar latino sin que el rey hubiera podido oponerse; que poco antes había recorrido la Guyena hasta el Loira; que casi toda Bretaña estaba sometida a la ley inglesa; que una parte considerable de Normandía, aportada por mi señor Felipe de Navarra, estaba al borde de incorporarse a la causa inglesa; que muchos señores de Angoumois, de Poitou, de Saintonge e incluso del Limousin se habían unido a él (tuvo el buen gusto de no mencionar Périgord). Miraba por la ventana, mientras decía esto, la altura del sol, y al fin me soltó: «Después de tantos éxitos para nuestras armas, y de todos los triunfos que hemos cosechado, triunfos de derecho y de hecho, en el reino de Francia, ¿cuáles son las ofertas que nos hará el rey Juan para concertar la paz?»

Ojalá el rey hubiera querido oírme en Breteuil, en Chartres..., ¿qué podía responderle, podía darle algo? Dije al príncipe que no traía ninguna oferta del rey de Francia, pues éste, en vista de la fuerza que mandaba, no podía pensar en la paz antes de obtener la victoria que ya daba por hecha; pero le traía el mandamiento del Papa, que deseaba que los monarcas no continuaran ensangrentando los reinos de Occidente, y que reclamaba imperiosamente a los reyes que concertasen un acuerdo, con el fin de aportar socorro a nuestros hermanos de Constantinopla. Así, le preguntaba en qué condiciones Inglaterra...

El príncipe Eduardo continuaba con la mirada fija en el cielo, y puso fin a la conversación con estas palabras:

—Corresponde al rey mi padre, no a mí, decidir acerca de la paz. No tengo órdenes suyas que me auroricen tratar.

Después dijo que lo disculpara si me precedía en el camino. Sólo le interesaba distanciarse del ejército perseguidor.

—Permitid que os bendiga, mi señor —dije—. Y estaré cerca, pues quizá necesitéis de mí.

Diréis, sobrino, que cuando salí de Montbazon detrás del ejército inglés muy poco había obtenido. Pero no me sentía tan descontento como podríais creer. En vista de la situación que había hallado, puede afirmarse que el pez había mordido la carnada; y ahora yo dejaba correr el sedal. La cosa dependía de los movimientos y los remolinos del río. En todo caso, no debía alejarme de la orilla.

El príncipe marchó hacia el sur, en dirección a Châtellerault. Los caminos de Turena y Poitou vieron pasar extraños cortejos durante esas jornadas. En primer lugar, el ejército del príncipe de Gales, compacto y rápido, seis mil hombres que avanzaban en buen orden, aunque ahora un tanto agotados y poco dispuestos a entretenerse quemando las granjas. Hubiérase dicho que era más bien el suelo lo que quemaban los cascos de las monturas. A un día de marcha, lanzado en persecución de los ingleses, el formidable ejército del rey Juan, una vez reagrupados

279

como deseaba el monarca todos los contingentes, o por lo menos casi todos: veinticinco mil hombres o poco menos, pero excesivamente presurosos; un ejército que ya acusa la fatiga y comienza a mostrar fallos de organización y a dejar rezagados.

Después, entre los ingleses y los franceses, siguiendo a los primeros y precediendo a los últimos, mi pequeño cortejo, que pone un tono de púrpura y oro en la campiña. Un cardenal entre dos ejércitos es cosa que no se ve con frecuencia. Todos los destacamentos tienen prisa por hacer la guerra, y yo, con mi pequeña escolta, me obstino en obtener la paz. Mi sobrino de Durazzo se muestra inquieto; percibo que cree un tanto vergonzoso escoltar a un hombre cuya proeza sería conseguir que no se combatiese. Y los restantes caballeros de mi séquito, Heredia y La Rue entre ellos, piensan lo mismo. Durazzo me dice: «Dejad que el rey Juan castigue a los ingleses y acabemos de una vez. Por otra parte, ¿qué queréis impedir?»

En el fondo de mi ser pienso más o menos como él, pero no deseo abandonar la empresa. Comprendo que si el rey Juan alcanza al príncipe Eduardo, y en efecto lo alcanzará, es inevitable que lo aplaste. Si no es en Poitou, será en Angoumois.

Al parecer, todo indica que Juan será el vencedor. Pero yo sé que durante estas jornadas sus astros son negativos, muy negativos. Y me pregunto cómo, en una situación que parece tan ventajosa, conseguirá compensar un aspecto tan funesto. Me digo que quizá libre una batalla victoriosa pero muera en ella. O que en el camino lo afectará una enfermedad...

Por los mismos caminos avanzan también los grupos de rezagados, entre ellos los condes de Joigny, Auxerre y Châtillon, los buenos camaradas siempre dispuestos a hacer alegremente la guerra, los hombres que se acercan cada vez más al grueso del ejército francés. «Buenas gentes, ¿habéis visto al rey?» ¿El rey? Por la mañana partió de La Haye. ¿Y los ingleses? Durmieron aquí la víspera...

Juan II persigue a su primo inglés y está bien informado acerca del camino que sigue su adversario. Éste siente que le pisan los talones, llega a Châtellerault, y allí, para aligerar su carga y dejar libre el puente, ordena que su convoy personal atraviese de noche el Vienne; todos carros que llevan sus muebles, los arneses y los correajes de desfile, así como el botín: la seda, la vajilla de plata, los objetos de marfil, los tesoros de las iglesias recogidos en el curso de los saqueos. Después, enfila hacia Poitiers. El propio Eduardo, sus caballeros y sus arqueros parten al alba, y siguen un rato el mismo camino; después, por prudencia, Eduardo se interna con sus hombres por un camino lateral. Intenta una maniobra: rodear por el este Poitiers, donde el rey tendrá que descansar con su ejército; tendrá que permanecer allí algunas horas y así el inglés aumentará su ventaja.

Pero ignora que el rey no siguió el camino que lleva a Châtellerault. Acompañado por toda su caballería, a la que impone una velocidad de partida de caza, ha enfilado hacia Chauvigny, que está aún más al este, para tratar de sobrepasar a su enemigo y cortarle la retirada. Va a la cabeza, erguido en su silla, el mentón adelantado, sin prestar atención a nada, como hizo cuando se acercó al banquete de Ruan. Una etapa de más de doce leguas de golpe.

Detrás, siguiéndolo, iban los tres señores borgoñones: Joigny, Auxerre y Châtillon. «¿El rey?» «Va a Chauvigny.» «¡Vayamos, pues, a Chauvigny!» Se sienten satisfechos, casi están sobre la hueste; podrán participar de la gran batalla.

De modo que llegan a Chauvigny, donde hay un gran castillo construido en el recodo del Vienne. Al atardecer se reúne allí un enorme contingente de tropas, una acumulación sin igual de carros y corazas. Joigny, Auxerre y Châtillon gustan de la comodidad. Después de realizar una etapa muy dura, no desean caer en medio de semejante turba. ¿Para qué darse prisa? Más vale cenar bien, mientras los criados se ocupan de las monturas. Se quitan el yelmo, se aflojan las perneras y se echan al suelo, mientras se masajean los riñones y los muslos; después, van a cenar a un albergue que está cerca del río. Los escuderos, que conocen la glotonería de sus amos, han encontrado pescado, porque es viernes. Después, irán a dormir (todo esto me lo relataron después, con mucho detalle). A la mañana siguiente se despiertan tarde y descubren el lugar vacío y silencioso.

—Buenas gentes, ¿y el rey?

Les indican la dirección de Poitiers.

—¿El camino más corto?

—Por la Chaboterie.

De modo que Châtillon, Auxerre y Joigny, seguidos por sus hombres, avanzan al trote largo por los caminos sembrados de maleza. Una hermosa mañana; el sol se filtra entre las ramas, pero no molesta demasiado. Tres leguas no cansan mucho. Llegarán a Poitiers en menos de media hora. Y de pronto, en el cruce de dos caminos, tropiezan con unos sesenta exploradores ingleses. Los franceses son más de trescientos. Es casi un regalo. Bajemos las viseras, empuñemos las lanzas. Los exploradores ingleses, que por lo demás son hombres de Hainaut mandados por los señores de Ghistelles y de Auberchicourt, dan media vuelta y emprenden la fuga. «¡Ah, cobardes! ¡Tras ellos, tras ellos!»

La persecución no dura mucho, porque de pronto Joigny, Auxerre y Châtillon caen sobre el grueso de la columna inglesa, que se cierra sobre ellos. Las espadas y las lanzas entrechocan un instante. ¡Los borgoñones se baten bien! Pero el número los abruma. «¡Corred adonde está el rey, corred adonde está el rey si podéis!», gritan Auxerre y Joigny a sus escuderos, antes de ser desmontados y de verse obligados a rendir las armas.

El rey Juan estaba ya en las afueras de Poitiers cuando unos hombres del conde de Joigny, que habían podido escapar a una persecución furiosa, casi sin aliento, fueron a informarle. El monarca los felicitó. Se sentía muy reconfortado. ¿Porque había perdido a tres importantes barones con sus contingentes? No, ciertamente; pero el precio no era muy elevado a cambio de la buena noticia recibida. El príncipe de Gales, a quien creía todavía delante, estaba detrás. Había conseguido su propósito; le había cortado el camino. Media vuelta hacia la Chaboterie. ¡Adelante, mis valientes! El combate, el combate... el rey Juan acababa de vivir el día más feliz de su vida.

¿Y yo, sobrino? ¡Ah! Yo había seguido por el camino de Châtellerault. Llegué a Poitiers y me alojé en el obispado, y esa noche me enteré de todo lo ocurrido.

6

Las actividades del cardenal

Archambaud, no os sorprendáis si en Metz veis al delfín rindiendo homenaje a su tío el emperador. Naturalmente, por el delfinado, que corresponde al dominio imperial... Por supuesto, yo lo incité a eso; ¡incluso es uno de los pretextos del viaje! Ese acto de ningún modo humilla a Francia, todo lo contrario; confirma sus derechos sobre el reino de Arles, en caso de que se lo restablezca, pues el Vennois antaño estaba incluido. Y además es un buen ejemplo para los ingleses pues les demuestra que un rey o hijo de rey puede rendir homenaje a otro soberano sin que ellos implique menoscabo, cuando algunas regiones de sus estados corresponden a la antigua soberanía del otro...

Es la primera vez, desde hace mucho tiempo, que el emperador parece decidido a inclinarse un tanto del lado francés. Pues hasta ahora, y pese a que su hermana Bonne fue la primera esposa del rey Juan, se mostraba más bien favorable a los ingleses. ¿Acaso no nombró vicario imperial al rey Eduardo, que se había mostrado muy hábil con él? Las grandes victorias de Inglaterra y el deterioro de Francia sin duda lo movieron a la reflexión. Un imperio inglés al lado del Imperio no le pareció una perspectiva muy grata. Siempre ocurre lo mismo con los príncipes alemanes; hacen todo lo posible para disminuir el poder de Francia, y después comprenden que eso en nada los beneficia, todo lo contrario...

Cuando estemos ante el emperador, os aconsejo, si

llega a hablarse de Crécy, que no insistáis demasiado en esa batalla. En todo caso, no seáis el primero en nombrarla. Pues a diferencia de su padre Juan el Ciego, el emperador, que aún no era emperador, no hizo allí muy buen papel (no nos andemos con rodeos... sencillamente, se fugó). Pero tampoco habléis demasiado de Poitiers, un episodio que todos tienen en mente, ni creáis necesario exaltar el coraje infortunado de los caballeros franceses, y eso por consideración al delfín...

Pues tampoco él se distinguió por el exceso de valor. Es una de las razones por las cuales tropieza con dificultades cuando intenta afirmar su autoridad. ¡Ah, no! No será una reunión de héroes... Y bien, el delfín tiene cierta disculpa; y aunque no es un guerrero, no habría dejado de aprovechar la oportunidad que tuvo su padre...

Retomo la narración de lo que ocurrió en Poitiers, y os advierto que nadie podría hacerlo mejor que yo, ya veréis por qué. Habíamos llegado al sábado por la tarde, cuando los dos ejércitos saben que están uno muy cerca del otro, casi tocándose, y el príncipe de Gales comprende que ya no tiene muchas posibilidades.

El domingo muy temprano el rey oye misa, en medio del campo. Una misa de guerra. El oficiante lleva mitra y casulla sobre la cota de malla; es Regnault Chauveau, el conde-obispo de Châlons, uno de esos prelados que se sentirían mejor en las órdenes militares que en las religiosas... Sobrino, veo que sonreís... Sí, pensáis que yo pertenezco al mismo género; pero yo aprendí a moderarme, puesto que Dios me indicó el camino.

Ese ejército arrodillado en los prados empapados de rocío, frente al burgo de Nouaillé, debe de haber parecido a Chaveau una visión de las legiones celestes. Las campanas de la abadía de Maupertuis repican en su gran campanario cuadrado. Y, sobre la altura, detrás de los matorrales que los disimulan, los ingleses oyen el formidable *Gloria* cantado por los caballeros franceses.

El rey comulga rodeado por sus cuatro hijos y su hermano de Orleans, todos ataviados con su equipo de combate. Los mariscales miran con cierta perplejidad a los jóvenes príncipes, a quienes han tenido que dar mandos pese a que no tienen experiencia de guerra. Sí, los príncipes son una carga. Si han traído incluso a los niños, el joven Felipe, el hijo preferido del rey, y su primo Carlos de Alençon. Catorce años, trece años; ¡qué molestias acarrean estos minúsculos caballeros! El joven Felipe estará cerca de su padre, que desea cuidarlo personalmente, y se ha encomendado al arcipreste la protección del pequeño Alençon.

El condestable ha dividido el ejército en tres grandes cuerpos. El primero, formado por treinta y dos contingentes, está a las órdenes del duque de Orleans. El segundo está a las órdenes del delfín, duque de Normandía, ayudado por sus hermanos Luis de Anjou y Juan de Berry. Pero en realidad están al mando Juan de Landas, Thibaut de Vodenay y el señor de Saint-Venant, tres hombres de guerra a quienes se ha ordenado rodear estrechamente al heredero del trono y gobernarlo. El rey asumirá el mando del tercer cuerpo.

Levantan a éste sobre la silla de su gran corcel blanco. Con la mirada recorre el ejército y se maravilla de verlo tan numeroso y tan colorido. ¡Cuántos yelmos, cuántas lanzas una al lado de la otra, formando hileras interminables! ¡Cuántos caballos robustos que sacuden la cabeza y agitan los arreos! De las sillas cuelgan las espadas, las mazas de guerra, las hachas de doble filo. Las lanzas enarbolan pendones y banderolas. ¡Qué vivos colores pintados en los escudos y las armaduras, bordados sobre las cotas de los caballeros y los arreos de sus monturas! Todo centellea y se agita, brilla iluminado por el sol de la mañana.

Ahora el rey se adelanta y exclama: «Mis buenos caballeros, cuando estabais en París, en Chartres, en Ruan o en Orleans, amenazabais a los ingleses y deseabais tenerlos frente a frente; ahora ha llegado el momento; están frente a nosotros. ¡Mostradles lo que podéis hacer, y venguemos las angustias y las decepciones que nos infligieron, pues sabe Dios que los derrotaremos!» Y después del enorme clamor que le responde: «Dios lo quiera. ¡Que así sea!», el rey espera. Antes de dar la orden de atacar, espera el regreso de Eustaquio de Ribemon, el baile de Lille y de Douai, a quien envió con un pequeño destacamento para determinar exactamente la posición inglesa.

Y el ejército entero espera, espera en silencio. Es un momento difícil éste en que se acerca el momento de atacar y la orden se demora. Pues todos se dicen: «Quizás hoy sea mi turno... es posible que vea este mundo por última vez.» Y bajo el protector de acero todos y cada uno sienten un nudo en la garganta, y los hombres ruegan a Dios con más sinceridad que durante la misa. El juego de la guerra de pronto se convierte en un hecho solemne y terrible.

El señor Godofredo de Charny llevaba el estandarte de Francia, un honor concedido por el propio rey, y me dicen que tenía el rostro transfigurado.

El duque de Atenas parecía muy tranquilo. Sabía por experiencia que ya había realizado la parte principal de su trabajo de condestable. Apenas se iniciase el combate, ya no vería nada a más de doscientos pasos, y su voz se oiría a lo sumo a cincuenta; desde diferentes lugares del campo de batalla le enviarían escuderos que llegarían o no llegarían, y a los que llegaran les impartiría una orden que sería o no sería ejecutada. Que él estuviese allí, que los comandantes pudieran enviarle mensajes, que él respondiese con gestos, que diese muestras de aprobación, todo eso podía reconfortar. Tal vez una decisión adoptada en un momento crítico... Pero en esa gigantesca confusión de combates y clamores, en realidad ya no sería él quien mandaría, sino la voluntad de Dios. Y en

—Mi señor Eustaquio vio, y mi señor de Douglas sabe. ¿Qué puede añadir ahora vuestro discurso?

—El plan del explorador y del invitado se convierte en el plan del rey.

—En ese caso, bastaría nombrar mariscal a Ribemon y condestable a Douglas —rezonga Audrehem.

Los que no participarán en la carga, a desmontar, a desmontar... «¡Quitaos las espuelas y cortad las lanzas de modo que no sobrepasen los cinco pies!»

Disconformidad y protestas en las filas. No han venido para eso. ¿Y por qué licenciaron a los infantes en Chartres, si ahora hay que hacer el trabajo que a ellos les corresponde? La orden de recortar las lanzas destroza el corazón de los caballeros. ¡Esas hermosas astas de fresno, seleccionadas con cuidado para obtener armas eficaces, que apuntan al blanco y enfilan al galope del corcel! Ahora tenían que caminar, cargados de hierro y armados con bastones.

—No olvidemos que en Crécy... —decían quienes, pese a todo, deseaban dar la razón al rey.

—Crécy, siempre Crécy —respondían los hombres.

Esos hombres que, media hora antes, sentían el alma exaltada por el sentimiento del honor, ahora rezongaban como campesinos a quienes se les rompió el eje de la carreta. Pero el propio rey quiso dar ejemplo y ordenó que se llevaran su corcel blanco; ahora caminaba sobre la hierba, los talones sin espuelas, pasando su maza de una mano a la otra.

En medio de este ejército ocupado en cortar lanzas a hachazos entré al galope, viniendo de Poitiers, protegido por el estandarte de la Santa Sede y escoltado únicamente por mis caballeros y mis mejores escuderos, Guillermis, Cunhac, Elie de Aimery, Hélie de Raymond, los hombres con quienes viajamos. ¡Seguramente ellos no olvidaron el episodio! Os lo habrán contado... ¿no es así?

Me apeo del caballo y arrojo las riendas a La Rue;

enderezo el sombrero, inclinado a causa de la carrera, Brunet me desempolva un poco y me acerco al rey con las manos unidas. Apenas puede oírme, le digo con tanta firmeza como reverencia: «Señor, os ruego y os suplico, en nombre de la fe, que detengáis un momento el combate. Me dirijo a vos por orden y voluntad de nuestro Santo Padre. ¿Aceptaréis escucharme?»

Aunque la llegada, en ese momento, de este entrometido enviado por la Iglesia, pudo sorprenderlo mucho, qué podía hacer el rey Juan sino responderme con el mismo tono ceremonioso: «Con mucho gusto, Monseñor cardenal. ¿Qué os place decirme?»

Permanecí un momento con los ojos elevados al cielo, como si solicitase inspiración. Y en efecto, rogaba; pero también esperaba que el duque de Atenas, los mariscales, el duque de Borbón, el obispo Chauveau (que podía ser un aliado), Juan de Landas, Saint-Venant, Tancarville y otros, entre ellos el arcipreste, se aproximasen a nosotros. Pues ahora no se trataba de conversaciones a solas o de charlas durante la comida, como en Breteuil o en Chartres. Quería ser oído, no sólo por el rey, sino por los hombres más encumbrados de Francia, y ansiaba que ellos fuesen testigos de mi esfuerzo.

«Muy amado señor —continué—, tenéis aquí a la flor de la caballería de vuestro reino, una multitud que se dirige a combatir a un puñado de hombres, los ingleses que están frente a este ejército. Nada pueden contra vuestra fuerza, y sería más honroso para vos que se pusieran a vuestra merced sin batalla, en lugar de arriesgar a esta caballería y provocar la muerte de buenos cristianos de ambos lados. Os digo esto por orden de nuestro Muy Santo Padre el Papa, que me envió como nuncio, con toda su autoridad, para ayudar a concertar la paz, de acuerdo con el mandamiento de Dios, que quiere verla reinar entre los pueblos cristianos. Por eso os ruego aceptéis, en nombre del Señor, que vaya a ver al príncipe de Gales, para señalarle con cuántos peligros lo amenazáis y para obligarle a mostrarse razonable.»

Creo que si el rey Juan hubiese podido morderme, lo habría hecho. Pero un cardenal en un campo de batalla suscita cierta impresión. Y el duque de Atenas meneaba la cabeza, y ahí estaban el mariscal de Clermont y mi señor de Borbón. Agregué: «Muy amado señor, hoy es domingo, el día del Señor, y acabáis de oír misa. ¿Os complacería ejecutar el trabajo de la muerte el día consagrado al Señor? Permitid por lo menos que vaya a hablar al príncipe.»

El rey Juan miró a los señores que estaban alrededor, y comprendió que él, un rey muy cristiano, no podía rechazar mi petición. Si sobrevenía un accidente funesto, se le achacaría la culpa, y se vería en ello una prueba del castigo de Dios. «Sea, monseñor —dijo—. Nos complace acceder a vuestro deseo. Pero regresad sin demora.»

Experimenté entonces un sentimiento de orgullo. El buen Dios me lo perdone... Conocí la supremacía del hombre de la Iglesia, del príncipe de Dios, sobre los reyes temporales. Si yo hubiera sido conde de Périgord, en lugar de vuestro padre, jamás habría ejercido tanto poder. Y pensé que estaba realizando la tarea más importante de mi vida.

Escoltado siempre por mis lanzas, señalado siempre por el estandarte del papado, enfilé hacia arriba por el camino que Ribemon había explorado, en dirección al bosquecillo donde acampaba el príncipe de Gales.

«Príncipe... buen hijo... —pues ahora, cuando estuve frente a él, no le concedí el tratamiento de mi señor; en efecto, deseaba que sintiese más profundamente su debilidad—. Si consideráis el poder del rey de Francia, como yo lo hice hace un momento, debéis permitirme que intente un acuerdo entre vosotros y tendréis que acatarlo.» Y le describí el ejército de Francia, al que yo había podido ver desplegado frente al burgo de Nouaillé.

«Ved dónde estáis, y cómo estáis... ¿creéis que os será posible resistir mucho tiempo?»

Pues no, no podría resistir mucho tiempo, y lo sabía muy bien. Su única ventaja era el terreno; tenía las mejores defensas que hubiera podido concebir. Pero sus hombres ya comenzaban a padecer sed, pues no había agua en esa colina; hubieran tenido que ir a buscarla al arroyo, el Miosson, que corría al pie de la ladera; pero los franceses ocupaban el terreno. Habían llevado víveres para una sola jornada. ¡El príncipe saqueador ya no reía con su alegre risa blanca bajo los bigotes a la sajona! Si no hubiera sido quien era, rodeado por sus caballeros, Chandos, Grailly, Warwick, Suffolk, que lo observaban, habría admitido lo que ellos mismos pensaban; que su situación era desesperada. A menos que un milagro... Y quizá yo traía el milagro. De todos modos, para mantener a salvo su propia grandeza, discutió un poco: «Monseñor de Périgord, os dije en Montbazon que no podía llegar a un acuerdo a no ser por orden del rey mi padre.» «Mi buen príncipe, una orden de Dios es superior a una orden real. Ni vuestro padre el rey Eduardo, instalado en su trono de Londres, ni Dios instalado en el trono celestial os perdonarían que arrebatéis la vida a tantos hombres buenos y valerosos entregados a vuestra protección, cuando es posible que procedáis de otro modo. ¿Aceptáis que discuta las condiciones en que podríais, sin mengua del honor, evitar un combate muy cruel y dudoso?»

La armadura negra y la túnica roja frente a frente. El yelmo con las tres plumas blancas interrogaba mi sombrero rojo, y parecía contar los hilos de seda. Finalmente, el yelmo esbozó un gesto de asentimiento.

Volví a recorrer el camino de Eustaquio, y vi a los arqueros ingleses formando apretadas filas, detrás de las empalizadas de caña que ellos mismos habían plantado, y de nuevo me encontré frente al rey Juan. Lo sorprendí en consejo de guerra, y por algunas miradas comprendí que no todos estaban de acuerdo conmigo. El arcipreste balanceaba el cuerpo con expresión malhumorada bajo el sombrero de Montauban.

«Señor —dije—, he hablado con los ingleses. No es necesario que os apresuréis a combatir y nada perderéis descansando un poco. Pues dada la situación de sus tropas, no pueden huir ni evitar vuestro cerco. En realidad, creo que podéis tenerlos sin descargar un solo golpe. Por eso mismo os ruego les concedáis respiro hasta mañana al salir el sol.»

Sin descargar un solo golpe... Vi a varios, por ejemplo el conde Juan de Artois, Douglas, el propio Tancarville, que se movieron inquietos al oírlo y ansiaban descargar golpes. Insistí: «Señor, si así lo deseáis, no concedáis nada a vuestro enemigo, pero otorgad a Dios su día.»

El condestable y el mariscal de Clermont se inclinaban a apoyar esta suspensión de las hostilidades: «Señor, veamos qué propone el inglés y qué podemos exigirle; nada arriesgamos.» En cambio, Audrehem, sólo porque Clermont tenía una opinión, afirmaba lo contrario. Y entonces dijo, en voz alta para que yo lo oyese: «¿Hemos venido a combatir o a escuchar sermones?» Eustaquio de Ribemon deseaba iniciar inmediatamente el combate, pues el rey había adoptado la disposición que él proponía, y este hombre deseaba que sin perder tiempo se pusiese manos a la obra.

Y Chauveau, el conde-obispo de Châlons, que tenía un yelmo en forma de mitra pintado de violeta, de pronto comenzó a agitarse y casi perdió los estribos.

—Monseñor cardenal, ¿es deber de la Iglesia permitir que los saqueadores y los perjuros se alejen sin castigo?

Entonces yo también me molesté un poco.

—¿Es deber de un servidor de la Iglesia, Monseñor obispo, rechazar la tregua de Dios? Sabed, si aún nada os dijeron, que puedo retirar su cargo y sus beneficios al eclesiástico que estorbe mis esfuerzos de paz... La Providencia castiga a los presuntuosos. Dejad por lo tanto al rey el honor de demostrar su grandeza, si así lo desea... Señor, todo está en vuestras manos... Dios decide a través de vuestra persona.

El cumplido había surtido efecto. El rey dio largas al asunto, mientras yo continuaba alegando y salpimentando mis palabras con cumplidos tan altos como los Alpes. ¿Qué príncipe, desde san Luis, había dado el ejemplo que a él se le ofrecía? ¡Toda la cristiandad admiraría su gesto caballeresco y en adelante acudiría a pedir su arbitraje a la sabiduría de Juan, o su socorro al poder del monarca francés!

—Levantad mi pabellón —dijo el rey a sus hombres.

—Sea, Monseñor cardenal; permaneceré aquí hasta mañana, al alba, por amor a vos.

—Por amor a Dios, señor, sólo por amor a Dios.

Y parto nuevamente. Durante esa jornada seis veces recorrí ida y vuelta ese camino, y sugería a uno las condiciones del acuerdo y venía a informar al otro, y cada vez pasaba entre las filas de arqueros galeses vestidos con su uniforme mitad blanco mitad verde y me decía que si alguno se equivocaba y me lanzaba una andanada de flechas allí mismo terminaba mi paso por este mundo.

El rey Juan jugaba a los dados, para matar el tiempo, en su pabellón de lienzo bermellón. Alrededor de la tienda real, el ejército se formulaba preguntas. ¿Combatirían o no? Y las discusiones llegaban hasta el propio rey. Había sabios y bravucones, timoratos y coléricos... Cada uno pretendía dar su opinión. A decir verdad, el rey Juan estaba indeciso. No creo que por un instante se planteara la cuestión del bien general. Sólo lo inquietaba su gloria personal, que confundía con el bien de su pueblo. Después de tantas derrotas y amarguras, ¿cuál era el mejor modo de enaltecer su propia figura, una victoria por las armas o la negociación? Pues cabe afirmar que ni siquiera concebía la posibilidad de una derrota, y que lo mismo ocurría con todos sus consejeros.

Ahora bien, las ofertas que yo le traía al cabo de cada viaje no eran desdeñables. En primer lugar, el príncipe de Gales aceptaba entregar todo el botín que había reunido durante su incursión, lo mismo que a todos los prisioneros, y sin pedir rescate. Segundo, aceptaba devolver todos los lugares y los castillos conquistados, y consideraba nulos los homenajes y las adhesiones que había recibido. Al tercer viaje, aceptó entregar una suma en oro, como reparación de lo que había destruido, no sólo durante el verano sino incluso el año precedente, en la región del Languedoc. Lo que equivalía decir que el príncipe Eduardo no conservaría ningún beneficio de las dos expediciones.

¿El rey Juan exigía todavía más? Lo aceptaba. Conseguí que el príncipe retirase todas las guarniciones destacadas fuera de Aquitania... era un éxito importante... Prometió que en el futuro jamás trataría con el conde de Foix... A propósito, Febo estaba en el ejército del rey, pero yo no lo vi; se mantenía completamente apartado... Tampoco trataría con ningún pariente del rey, con lo cual aludía concretamente al de Navarra. El príncipe cedía mucho; cedía más de lo que cualquiera hubiese cedido. Y sin embargo, yo adivinaba que en el fondo de su mente no pensaba que podría salvarse de combatir.

La tregua no impedía trabajar. Por ejemplo, durante todo el día obligó a sus hombres a fortificar la posición. Los arqueros duplicaron las hileras de estacas puntiagudas para formar baluartes defensivos. Talaron árboles y los atravesaron en los corredores que el adversario podía utilizar. El conde de Suffolk, mariscal de la hueste inglesa, inspeccionaba un contingente tras otro. Los condes de Warwick y de Salisbury, así como el señor de Audley, participaban en nuestras entrevistas y me escoltaban a través del campamento.

Caía el día cuando llevé al rey Juan la última propuesta, formulada por mí mismo. El príncipe estaba dispuesto a jurar y afirmar que durante siete años enteros no se armaría ni haría nada que pudiera perjudicar al reino de Francia. En resumen, estábamos al borde de la paz general.

—¡Oh! Ya conocemos a los ingleses —dijo el obispo Chauveau—. Juran y después reniegan de su palabra.

Contesté que se verían en dificultades para negar un compromiso concertado en presencia del legado papal; yo sería signatario del acuerdo.

—Os daré la respuesta al alba —dijo el rey.

Fui a alojarme a la abadía de Maupertuis. Jamás había cabalgado tanto durante la misma jornada, ni discutido tan intensamente. Aunque agotado por la fatiga, me di tiempo para rezar, y lo hice con todo mi corazón. Ordené que me despertasen con las primeras luces del alba. El sol comenzaba a ascender en el firmamento cuando me presenté ante la tienda del rey Juan. Al alba, había dicho el monarca. No se podía pedir más exactitud que la mía. Tuve una sensación ingrata. El ejército entero de Francia estaba en armas, en orden de batalla, a pie, con la excepción de los trescientos designados para cargar sobre el enemigo, y todos esperaban la señal de combate.

—Monseñor cardenal —me dijo brevemente el rey—, aceptaré renunciar al combate sólo si el príncipe Eduardo y cien de sus caballeros, elegidos por mí, aceptan entregarse prisioneros.

—Señor, es la petición más inaudita y contraria al honor; deja sin valor todo lo que hablamos ayer. Conozco bastante al príncipe de Gales y sé que ni siquiera considerará la propuesta. No es hombre de capitular sin combatir y de entregarse con la flor de la caballería inglesa, aunque éste sea el último de los días de su vida. ¿Lo haríais vos, lo haría uno cualquiera de vuestros caballeros de la Estrella, si estuvieseis en su lugar?

—¡Desde luego que no!

—Entonces, señor, me parece inútil llevarle una propuesta formulada únicamente para lograr que él la rechace.

—Monseñor cardenal, os agradezco los buenos oficios; pero ha salido el sol. Hacedme el bien de salir del campo.

Detrás del rey, mirándose por detrás de la visera e intercambiando sonrisas y guiños, estaban el obispo Chauveau, Juan de Artois, Douglas, Eustaquio de Ribemon e incluso Audrehem, y por supuesto el arcipreste, al parecer tan satisfechos porque habían conseguido que el legado del Papa fracasara como lo hubieran estado de derrotar a los ingleses.

Durante un instante perdí los estribos, tanto me agobiaba la cólera, y pensé en la posibilidad de revelar que ejercía el poder de excomunión. ¿Y qué? ¿Qué efecto habría tenido mi gesto? De todos modos, los franceses habrían desencadenado el ataque, y yo hubiese conseguido únicamente que se revelase con más claridad aún la impotencia de la Iglesia. Me limité a agregar: «Señor, Dios juzgará cuál de vosotros dos ha demostrado ser mejor cristiano.»

Y monté y fui por última vez al bosquecillo. Hervía de cólera. «¡Que estos locos revienten todos! —me decía mientras galopaba—. El Señor no necesitará elegir; todos merecen el infierno.»

Llegué frente al príncipe de Gales y le dije:

—Hijo, haced lo que podáis; tendréis que combatir. No pude hallar compasión ni acuerdo en el rey de Francia.

—Batirnos es nuestra intención —respondió el príncipe—. ¡Que Dios me ayude!

Después, amargado y triste, me dirigí a Poitiers. Fue precisamente el momento que eligió mi sobrino de Durazzo para decirme:

—Tío, os ruego me relevéis del servicio. Deseo combatir.

—¿Y contra quien? —grité.

—Por supuesto, al lado de los franceses.

—¿No te parece que ya son bastante numerosos?

—Tío, comprended que se librará una batalla y que no es digno de un caballero negarse a participar. Si mi señor de Heredia os pide otro tanto...

Hubiera debido reprenderlo enérgicamente y decirle que la Santa Sede lo había elegido para escoltarme en una misión de paz, y que unirse a una de las dos partes sería, a los ojos de muchos, no un acto noble sino una forma de faltar a su deber. Hubiera debido limitarme sencillamente a ordenar que permaneciese conmigo... estaba cansado e irritado. Y hasta cierto punto lo entendía. También yo deseaba aferrar una lanza y atacar, no sé muy bien a quién, quizás al obispo Chauveau, de modo que grité: «¡Id al diablo ambos! ¡Y que os aproveche!» Fueron las últimas palabras que dirigí a mi sobrino Roberto. Me lo reprocho. Me lo reprocho profundamente...

7

La mano de Dios

Si uno no participó en ella, es muy difícil describir ordenadamente una batalla, y también lo es incluso cuando uno estuvo. Sobre todo cuando su desarrollo es tan confuso como en el caso de la de Maupertuis... Me la relataron, varias horas después, de veinte modos diferentes, y cada narrador la juzgaba desde el lugar que ocupaba y consideraba importante sólo lo que él había hecho. Esto vale sobre todo para los vencidos que, según decían, jamás se habrían visto en esa condición de no ser por culpa de sus vecinos, quienes a su vez afirmaban otro tanto.

En todo caso, es indudable que poco después de que yo dejara el campamento francés los dos mariscales comenzaron a discutir violentamente. El condestable y duque de Atenas preguntó al rey si estaba dispuesto a escuchar un consejo, y le dijo más o menos lo siguiente:

—Señor, si deseáis realmente que los ingleses se rindan sin condiciones, ¿por qué no hacéis de modo que se agoten por falta de víveres? La posición que ocupan es fuerte, pero no podrán sostenerla cuando se les debilite el cuerpo. Están rodeados por todas partes, y si intentan salir por el mismo camino que es el único que nosotros podemos tomar, los aplastaremos sin dificultad. Puesto que hemos esperado una jornada, ¿qué nos impide esperar una o dos más? Sobre todo porque, a cada minuto que pasa, engrosan nuestras filas los rezagados que vienen a reunirse con el ejército.

El mariscal de Clermont apoyó esta opinión:

—El condestable tiene razón. Una breve espera nos permitirá ganar mucho, y nada perderemos.

Entonces, el mariscal de Audrehem se encolerizó. ¡Esperar, siempre esperar! Hubiera sido necesario acabar de una vez la tarde de la víspera.

—Tanto haréis que en definitiva los dejaréis escapar, como ocurrió a menudo. Ved cómo se mueven. Descienden para fortificarse más abajo y preparar la fuga. Se diría, Clermont, que no tenéis mucha prisa por batiros y que os desagrada ver tan cerca de los ingleses.

Era inevitable que estallase la disputa entre los mariscales. Pero ¿era el momento más apropiado? Clermont no era hombre que aceptara un insulto tan grosero y descarado. Replicó, como en el juego de pelota:

—Audrehem, no os mostraréis tan temerario hoy cuando pongáis el hocico de vuestro caballo sobre el culo del mío.

Dicho esto se reúne con los caballeros a los que debe llevar al ataque, ordena que lo suban a la montura y da la señal de iniciar el asalto. Audrehem lo imita inmediatamente y, antes de que el rey haya dicho una palabra o el condestable haya impartido órdenes, se inicia la carga no en un solo cuerpo, como se había decidido, sino en dos escuadrones separados, que parecen menos interesados en doblegar al enemigo que en distanciarse o perseguirse. A su vez, el condestable pide que le traigan su corcel y se lanza en pos de los dos grupos, con el propósito de reunirlos.

Entonces, el rey ordena que todos los contingentes inicien la marcha, y los hombres de armas, a pie, agobiados por las cincuenta o sesenta libras de hierro que cargan sobre la espalda, comienzan a avanzar por el campo en dirección al camino empinado por donde ya se mete la caballería. Tienen que avanzar quinientos pasos...

Arriba, el príncipe de Gales vio dividirse la carga de los franceses y gritó: «Mis buenos señores, somos muy pocos, pero no temáis. Ni la virtud ni la victoria corresponden siempre al número; sonríen a los que Dios quiere favorecer. Si terminamos derrotados, nadie podrá censurarnos mucho, y si ganamos la batalla, seremos los hombres más honrados del mundo.»

Ya la tierra temblaba al pie de la colina; los arqueros galeses se mantenían rodilla en tierra detrás de sus empalizadas puntiagudas. Y comenzaron a silbar las primeras flechas...

Al principio el mariscal de Clermont marchó contra el contingente de Salisbury, y se metió por el camino para abrir una brecha. Una lluvia de flechas quebró su embate. Según explicaron los que escaparon con vida, fue una masacre atroz. Los caballos que no fueron alcanzados por las flechas acabaron clavándose las estacas puntiagudas de los arqueros galeses. Detrás de la empalizada, los escuderos y los piqueros manipulaban sus alabardas y sus picas, esas terribles armas de tres cortes, cuyo gancho atrapaba al caballero por la cota de malla, y a veces por la carne, para desmontarlo... cuya punta desgarra la coraza en la ingle o la axila cuando el hombre cae al suelo y cuyo filo de medialuna permite quebrar el yelmo... El mariscal de Clermont fue uno de los primeros muertos y casi ninguno de los suyos pudo penetrar en la posición inglesa. Todos murieron en el intento aconsejado por Eustaquio de Ribemon.

En lugar de acudir en socorro de Clermont, Audrehem quiso distanciarse y seguir el curso del Miosson para rodear a los ingleses. Cayó sobre las tropas del conde de Warwick, cuyos arqueros no lo recibieron mejor que a su colega. Pronto se supo que Audrehem estaba herido y que había caído prisionero. Del duque de Atenas no se sabía nada. Había desaparecido en el desorden general. En pocos minutos el ejército vio desaparecer a sus tres jefes. Mal comienzo. Pero de todos modos no eran más que trescientos hombres muertos o rechazados de un total de veinticinco mil que avanzaban paso a paso. El rey había montado a caballo para ver mejor ese campo de armaduras que avanzaba lentamente.

Entonces hubo una extraña agitación. Los que consiguieron salvarse de la carga mandada por Clermont comenzaron a descender entre las dos mortales líneas de enemigos, y sus caballos huían al galope, porque sus jinetes eran incapaces de frenar a las monturas, y así los fugados vinieron a caer sobre el primer cuerpo del ejército, el que mandaba el duque de Orleans, y derribaron como si hubieran sido fichas de ajedrez a sus compañeros que avanzaban a pie, penosamente. Oh, no derribaron a muchos, a treinta o quizás a cincuenta, pero en su caída éstos tumbaron al doble.

De pronto el pánico se apoderó del contingente de Orleans. Las primeras filas, ansiosas de evitar el golpe, retrocedieron desordenadamente; los que marchan detrás no saben por qué los primeros retroceden, ni qué los asusta, y la derrota se apodera en pocos instantes de un ejército de cerca de seis mil hombres. No están acostumbrados a combatir a pie, sino en campo cerrado, uno contra uno. Ahora, agobiados por el peso, moviéndose con dificultad, la vista limitada por las viseras, creen que están perdidos y que no tienen salvación. Y todos echan a correr, cuando aún están lejos del alcance del primer enemigo. ¡Es cosa extraordinaria ver a un ejército que se rechaza a sí mismo!

De modo que las tropas del duque de Orleans y el propio duque cedieron un terreno que nadie les disputaba, y ambos batallones fueron a refugiarse detrás del contingente del rey, pero la mayoría corrió directamente, si puede hablarse de correr, hacia los caballos guardados por los criados, cuando en verdad lo único que perseguía a estos fieros guerreros era el miedo que se inspiraban a sí mismos.

Y allí ordenan que los suban a las monturas para partir enseguida, y algunos salen tumbados como alfombras atravesadas sobre las monturas, porque no han conseguido pasar del otro lado la pierna. Y se alejan por el campo... No puedo dejar de pensar: «La mano de Dios.» ¿No os parece, Archambaud? Y sólo los descreídos se atreverían a sonreír.

También el contingente del delfín había avanzado, y como no había soportado el asalto de los rezagados ni iniciado un movimiento de reflujo, continuaba avanzando. Las primeras filas, los hombres jadeantes a causa de la marcha, entraron por los mismos corredores que habían sido funestos para Clermont, tropezando con los caballos y los hombres abatidos allí un instante antes. Fueron recibidos por las mismas nubes de flechas, tiradas desde la protección de las empalizadas. Se oyeron el estrépito de las corazas perforadas y los gritos de furor o de dolor. Como el paso era muy angosto, muy pocos soportaban el choque del enemigo, y el resto marchaba atrás, muy apretados unos contra otros, casi impedidos de maniobrar. Juan de Landas, Voudenay y Guichard también estaban allí, y cumpliendo las órdenes recibidas se mantenían al lado del delfín, que se había visto en graves dificultades, lo mismo que sus cofrades de Poitiers y de Berry, para actuar u ordenar maniobras. Debo repetirlo: a pie, a través de las ranuras de un yelmo, con varios centenares de corazas delante, la mirada no abarca nada. El delfín apenas veía más allá de su estandarte, sostenido por el caballero Tristán de Meignelay. Cuando los caballeros del conde de Warwick, los mismos que habían apresado a Audrehem, atacaron a caballo los flancos del contingente del delfín, fue demasiado tarde para hacerles frente y resistir la carga.

¡Era el colmo! Esos ingleses, tan dispuestos a combatir a pie y que por eso eran famosos, volvieron a montar apenas observaron que sus enemigos pensaban combatir desmontados. Sin ser muy numerosos, provocaron en el contingente del delfín la misma carambola, pero más desastrosa, que la que se había producido por sí misma entre los hombres del duque de Orleans. Y la confusión fue todavía mayor: «Cuidaos, cuidaos», decían a los tres hijos del rey. Los caballeros de Warwick avanzaban hacia el estandarte del delfín y éste ya había dejado caer su lanza corta y se esforzaba, empujado por los suyos, tratando por lo menos de sostener la espada.

Fue Voudenay, o quizá Guichard, no se sabe muy bien, quien lo tomó del brazo mientras le gritaba: «Seguidnos; ¡mi señor, es necesario que os retiréis!» Pero no era tan fácil... El delfín vio al pobre Tristán de Meignelay caído en el suelo, la sangre brotándole de la garganta como de un vaso quebrado y empapando el estandarte con las armas de Normandía y del Delfinado. Me temo que esta visión le infundió el ardor necesario para huir. Landas y Voudenay le abrían camino en sus propias filas. Lo seguían sus dos hermanos, apremiados por Saint-Venant.

Que se haya salvado del aprieto, no es criticable, y sólo cabe alabar a quienes lo ayudaron. La misión de estos hombres era guiarlo y protegerlo. No podían dejar a los hijos de Francia, y sobre todo al primogénito, en manos del enemigo. Todo eso está bien. Que el delfín se haya acercado a los caballos, o que se le trajese su caballo, y que él lo montase, y que sus compañeros hicieran otro tanto, también me parece apropiado, pues acababan de verse atropellados por enemigos que venían montados.

Pero que el delfín, sin mirar hacia atrás, se haya alejado al galope furioso, abandonando el campo de batalla, exactamente como había hecho un momento antes su tío de Orleans, no podrá pasar jamás por una conducta honrosa. ¡Ah, sin duda este día no fue el más propicio para los caballeros de la Estrella!

Saint-Venant, que es un viejo y devoto servidor de la

corona, afirmará siempre que él adoptó la decisión de alejar al delfín, que ya había juzgado que el contingente del rey estaba en mala posición, que era necesario salvar costara lo que costase al heredero del trono encomendado a su cuidado, y que tuvo que insistir vigorosamente y casi ordenar al delfín que partiese, y este hombre repite su versión ante el propio delfín... ¡Valeroso Saint-Venant! Por desgracia, otros tienen una lengua menos discreta.

Los hombres del contingente del delfín vieron alejarse a su jefe y no tardaron mucho en salir a la desbandada hacia sus caballos mientras proclamaban la retirada general.

El delfín partió y se alejó una legua larga. Cuando consideraron que estaba en lugar seguro, Voudenay, Landas y Guichard anunciaron que regresaban al combate. El delfín nada dijo. ¿Y qué podía decirles? «¿Volvéis a la batalla y yo me aparto; os presento mis cumplidos y os saludo?» Saint-Venant quería regresar también. Pero era necesario que alguien permaneciese al lado del delfín, y los otros le impusieron esa tarea, porque era el más viejo y el más sensato. De modo que Saint-Venant, con una pequeña escolta que aumentó rápidamente gracias a los hombres que huían del campo de batalla, llevó al delfín y se encerró con él en el gran castillo de Chauvignay. Y según dicen, cuando llegaron, el delfín se quitó dificultosamente el guantelete, porque tenía la mano monstruosamente hinchada y la piel violácea. Y lo vieron llorar.

8

El contingente del rey

Quedaba el contingente real... Brunet, sírvenos un poco más de este mosela... ¿Cómo? ¿El arcipreste?... Ah, sí, el de Verdún. Lo veré mañana, y ojalá nuestro encuentro se demorase un poco. Vinimos aquí para pasar tres días, tan rápido hemos viajado con este tiempo primaveral que se prolonga, al extremo de que los árboles tienen brotes en diciembre...

Sí, quedaba el rey Juan en el campo de batalla de Maupertuis... Maupertuis... Caramba, no había pensado en ello. Uno repite los nombres, y ya no presta atención al sentido... Mal destino, mal paso... Había que desconfiar de una batalla librada en un lugar que lleva ese nombre.

En primer lugar, el rey había visto huir desordenadamente, antes incluso del choque con el enemigo, a los regimientos capitaneados por su hermano. Después, se dispersaron y desaparecieron, tras un breve combate, los destacamentos de su hijo. Sí, se sentía decepcionado, pero no creía que se hubiera perdido nada. Su propio contingente todavía era más numeroso que todos los ingleses reunidos.

Un capitán más diestro sin duda habría comprendido el peligro y modificado un tanto su maniobra. Pero el rey Juan permitió que los caballeros de Inglaterra repitiesen con él la carga que tan buenos resultados les había dado. Se arrojaron sobre él, lanza en ristre, y quebraron su frente de batalla.

¡Pobre Juan II! Su padre, el rey Felipe, fue derrotado en Crécy porque lanzó a su caballería contra los infantes, y Juan consiguió que lo derrotaran en Poitiers exactamente por la razón contraria.

«¿Qué puede uno hacer cuando se enfrenta a individuos sin honor que siempre usan armas diferentes de las vuestras?» Es lo que me dijo cuando volví a verlo. Puesto que Juan avanzaba a pie, los ingleses hubieran debido, ateniéndose a las reglas de la caballería, combatir también a pie. Oh, no es el único príncipe que achaca la culpa de su fracaso a un adversario que no se atuvo a las reglas del juego que se quiso imponerle.

También me dijo que la profunda cólera que esta situación provocó en él había terminado por infundir mayor vigor a sus miembros. Ya no sentía el peso de la armadura. Había quebrado su maza de hierro, pero antes de llegar a eso había acabado con más de un atacante. Por otra parte, prefería aplastar con la maza antes que tajar con la espada; pero como ahora sólo le quedaba el hacha de guerra de doble filo, la blandía, describía círculos y la descargaba. Se hubiese dicho un carnicero loco en un bosque de acero. Nunca se vio a un hombre tan enfurecido como él en un campo de batalla. No sentía ni la fatiga ni el miedo, sólo la cólera que lo cegaba, y ni siquiera advertía la sangre que le corría por la cara y le brotaba del párpado izquierdo.

Un momento antes había tenido la certeza de que vencería; ¡tenía la victoria en la mano! Y todo se había echado a perder. ¿A causa de qué, a causa de quién? ¡A causa de Clermont, a causa de Audrehem, esos perversos mariscales que habían partido con excesiva prisa, a causa de ese asno del condestable! ¡Que revienten, que revienten todos! Si de eso se trata, el buen rey puede tranquilizarse; por lo menos ese anhelo se verá satisfecho. El duque de Atenas ha muerto; lo hallarán poco después, el cuerpo apoyado contra un matorral, abierto en canal por un golpe de alabarda y pisoteado por los caballos que pasaron sobre él durante una carga. El mariscal de Clermont ha muerto; recibió tantas flechas que su cadáver parece una cola de pavo real. Audrehem cayó prisionero, con la nalga atravesada.

Cólera y furor. Todo está perdido, pero el rey Juan sólo desea matar, matar, matar todo lo que se le pone delante. ¡Y después, tanto peor si muere con el corazón destrozado! Su cota de malla, azul y adornada con los lises de Francia está completamente desgarrada. Vio caer el estandarte apretado contra el pecho por el valeroso Godofredo de Charny; cinco escuderos cayeron sobre él; un arquero galés o un infante irlandés, armado con un mal cuchillo de carnicero, se llevó la bandera de Francia.

El rey llama a los suyos. «¡A mí, Artois! ¡A mí, Borbón!» Estaban allí un momento antes. ¡Pues sí! Pero ahora, el hijo del conde Roberto, el delator del rey de Navarra, el gigante de poco seso, «mi primo Juan, mi primo Juan», ha caído prisionero, y la misma suerte corrieron su hermano Carlos de Artois y mi señor de Borbón, el padre de la delfina.

«¡A mí, Regnault, a mí, obispo! ¡Habla con Dios!» Si Regnault Chauveau hablaba con Dios en ese momento, lo hacía cara a cara. El cuerpo del obispo de Châlons yacía por ahí, los ojos cerrados bajo la mitra de hierro. Nadie respondía al rey, salvo quizás una vocecita que exclamaba: «¡Padre, padre, cuidaos! ¡A la derecha, padre, cuidaos!»

El rey tuvo un momento de esperanza cuando vio a Landas, a Voudenay y a Guichard que se incorporaban montados a la batalla. ¿Los fugitivos habían regresado? ¿Los destacamentos de los príncipes regresaban al galope, para salvarlo?

—¿Dónde están mis hijos?

—¡En lugar seguro, señor!

Landas y Voudenay habían cargado. Solos. El rey sabría después que murieron, murieron por haber regresado al combate, para que no se les tomase por cobardes después de haber salvado a los príncipes de Francia. Al lado del rey permanece sólo uno de sus hijos, el más joven y el preferido, Felipe, que continúa gritando: «¡A la izquierda, padre, cuidaos! Padre, padre, cuidaos a la derecha», y confesémoslo, que lo molesta más de lo que lo ayuda. Pues la espada pesa demasiado en las manos del niño y no puede dañar mucho al enemigo, y así el rey Juan a veces tiene que apartar con su larga hacha esa hoja inútil para descargar golpes que detienen a los atacantes. ¡Pero por lo menos este niño Felipe no huyó!

De pronto, Juan II se encuentra rodeado por veinte adversarios de a pie, tan ansiosos de acercarse que se estorban unos a otros. Oye sus gritos: «¡Es el rey, es el rey, vamos al rey!»

Ni una cota francesa en ese círculo terrible. Sobre los pechos y los escudos, únicamente divisas inglesas o gasconas. «Rendíos, rendíos, porque de lo contrario sois hombre muerto», le gritan.

Pero el rey loco no oye nada. Continúa batiendo el aire con su hacha. Como lo han reconocido, los hombres se mantienen a cierta distancia; caramba, quieren apresarlo vivo. Y él descarga golpes a derecha, a izquierda, sobre todo a la derecha porque a la izquierda tiene el ojo cerrado por la sangre. «Padre, cuidaos...»

Un golpe alcanza al rey en el hombro. De pronto, un caballero enorme atraviesa el círculo de enemigos, con su cuerpo abre una brecha en el muro de acero, y llega frente al rey jadeante, que continúa describiendo salvajes círculos con el hacha. No, no es Juan de Artois; ya os lo dije, ha caído prisionero. Con una potente voz francesa el caballero exclama: «Señor, señor, rendíos.»

Entonces, el rey Juan deja de batir el aire, contempla

a quienes lo rodean, a los hombres que lo encierran, y responde al caballero:

—¿A quién me rendiré, a quién? ¿Dónde está mi primo el príncipe de Gales? Con él hablaré.

—Señor, no está aquí; pero rendíos a mí y os llevaré con él —responde el gigante.

—¿Quién sois?

—Soy Denis de Morbecque, caballero, pero desde hace cinco años residente del reino de Inglaterra, porque ya no puedo habitar en el vuestro.

Morbecque, condenado por homicidio y por el delito de guerra privada, hermano de este Juan de Morbecque que tan bien ha trabajado para los de Navarra, el hombre que negoció el tratado entre Felipe de Evreux y Eduardo III. Ciertamente, el destino hacía bien las cosas y condimentaba el infortunio para lograr que fuese aún más amargo.

«Me rindo a vos», dice el rey, y arroja al suelo su hacha de guerra, se quita el guantelete y lo ofrece al corpulento caballero. A continuación, inmóvil por un instante, los ojos cerrados, permitió que la derrota descendiera sobre él.

Y de pronto, los hombres comienzan a sacudirlo, a empujarlo, a arrastrarlo, a ahogarlo. Los veinte soldados gritan al mismo tiempo:

—¡Yo lo prendí, yo lo prendí, fui yo quien lo hizo!

Un gascón aullaba más fuerte que el resto:

—¡Es mío! Fui el primero en atacarlo. Y vos, Morbecque, habéis venido cuando todo estaba resuelto.

A su vez, Morbecque contesta:

—¿Qué pretendéis, Troy? Se rindió a mí, no a vos.

¡Es que la captura del rey de Francia debía aportar honores y dinero! Y todos trataban de aferrarlo para asegurar su derecho. Tomado del brazo por Bertrand de Troy, del cuello por otro, el rey acabó por caer al suelo, todavía revestido con su armadura. Parecían dispuestos a repartírselo a trozos.

—¡Señores, señores! —gritaba—, llevadme cortésmente, por favor, y también a mi hijo, adonde está el príncipe, mi primo. No continuéis disputando acerca de mi captura. Soy tan grande que puedo ser la fortuna de todos.

Pero no lo escuchaban. Continuaban aullando:

—Yo lo prendí. ¡Es mío!

Y se peleaban, los caballeros de rostro patibulario, con las viseras levantadas, disputando por un rey como los perros por un hueso.

Pasemos ahora al príncipe de Gales. Su buen capitán Juan Chandos acababa de reunirse con el monarca sobre un montículo que dominaba gran parte del campo de batalla; y allí se habían reunido todos. Los caballos, con los hocicos ensangrentados, los arreos empapados de baba pegajosa, estaban cubiertos de espuma. También los animales jadeaban. «Cada uno oía el jadeo del otro, cuando trataba de respirar hondo», me contó Chandos. El rostro del príncipe relucía y su malla de acero, unida al casco, la malla que le protegía el rostro y los hombros, se elevaba cada vez que Eduardo tomaba aliento.

Frente a ellos, empalizadas destruidas, arbolillos rotos, viñedos pisoteados. Por doquier monturas y hombres abatidos. Aquí, un caballo no acababa de morir y agitaba los cascos. Allá, una armadura se movía. Un poco más lejos, tres escuderos acercaban a un árbol el cuerpo de un caballero agonizante. Por doquier, los arqueros galeses y los escuderos irlandeses despojaban los cadáveres. De algunos lugares llegaba todavía el golpeteo de las armas en combate. Varios caballeros ingleses pasaron a poca distancia, tratando de rodear a uno de los últimos franceses que intentaba retirarse.

Chandos dijo:

—Dios sea loado, la jornada es vuestra, mi señor.

—Sí, por Dios, lo es. ¡Hemos vencido! —respondió el príncipe.

—Creo que sería conveniente que os detengáis aquí y enarboléis el estandarte sobre ese alto matorral —intervino Chandos—. Así se reunirán todos los hombres, que están muy dispersos. Y vos mismo podréis descansar un poco, pues os veo muy fatigado. Ya no hay a quién perseguir.

—Pienso lo mismo —convino el príncipe.

Y mientras se enarbolaba el estandarte de los leones y las flores de lis, y los trompeteros tocaban la llamada del príncipe, Eduardo ordenó que le quitaran el yelmo, se sacudió los cabellos rubios y se secó el bigote empapado.

¡Qué jornada! Es inevitable reconocer que había trabajado bien, galopando sin descanso, para mostrarse a cada uno de los contingentes, alentar a sus arqueros, exhortar a los caballeros, decidir los lugares donde convenía enviar refuerzos... en realidad, quienes decidieron fueron sobre todo Warwick y Suffolk, los mariscales del príncipe; pero él estaba siempre ahí para decirles: «Id, hacéis bien.» A decir verdad, adoptó por sí mismo una sola decisión, aunque fundamental, y que fue la razón principal de la gloria cosechada ese día. Cuando vio el desorden provocado en el contingente de Orleans por el mero reflujo de la carga francesa, ordenó inmediatamente que una parte de su tropa volviese a montar y provocase un efecto semejante en el cuerpo del duque de Normandía. El propio príncipe Eduardo intervino diez veces en el combate. Uno tenía la impresión de que estaba en todas partes. Y cuando se acercaba a alguno de sus jefes, éste le decía: «La jornada es vuestra. La jornada es vuestra. Es un gran día y los pueblos lo recordarán eternamente. La jornada es vuestra, habéis hecho maravillas.»

Sus hidalgos se apresuraron a levantar el pabellón en el lugar y a ordenar que se acercase la carreta que contenía todo lo necesario para la comida: asientos, mesas, cubiertos, vino.

No podía decidirse a desmontar, como si la victoria no estuviese del todo segura. «¿Dónde está el rey de Francia? ¿Lo habéis visto?», preguntaba a sus escuderos.

Excitado por la acción, se paseaba por el campo dispuesto a afrontar una lucha suprema.

Y de pronto vio, entre los matorrales, una armadura inmóvil. El caballero estaba muerto y había sido abandonado por todos sus escuderos salvo un anciano servidor herido, que se escondía en un matorral. Cerca del caballero, su pendón: las armas de Francia en campos azules. El príncipe ordenó retirar el yelmo del muerto. Sí, Archambaud... precisamente lo que pensáis; era mi sobrino... era Roberto de Durazzo.

No me avergüenzo de mis lágrimas. Ciertamente, su amor propio lo había impulsado a una acción que, por el honor de la Iglesia y el mío propio, habríamos debido impedir. Pero lo comprendo. Y además, fue un valiente. No pasa día sin que pida a Dios que lo perdone.

El príncipe ordenó a sus escuderos: «Poned a este caballero sobre un carro, llevadlo a Poitiers y, en mi nombre, entregadlo al cardenal de Périgord y decidle que lo saludo.»

Y así supe que la victoria pertenecía a los ingleses. ¡Y pensar que por la mañana el príncipe estaba dispuesto a tratar, a devolver todas sus capturas, a evitar durante siete años la toma de las armas! Al día siguiente, cuando volvimos a vernos en Poitiers, me lo reprochó. Ah, no ahorró comentarios. Yo había querido servir a los franceses, lo había engañado acerca de las fuerzas que ellos tenían, había volcado en la balanza todo el peso de la Iglesia para obligarlo a concertar un acuerdo. Me limité a contestarle: «Buen príncipe, por amor a Dios, habéis agotado los medios pacíficos. Y la voluntad de Dios se ha manifestado.» Eso fue lo que le dije.

Pero Warwick y Suffolk habían llegado al montículo y con ellos venía lord Cobham.

—¿Tenéis noticias del rey Juan? —preguntó el príncipe.

—No, nada vimos, pero tenemos la certeza de que ha muerto o fue capturado, pues no partió con sus contingentes.

Entonces el príncipe les dijo:

—Os lo ruego, partid y cabalgad para conocer la verdad. Encontrad al rey Juan.

Los ingleses se habían dispersado y estaban distribuidos sobre un territorio que abarcaba cerca de dos leguas, y perseguían a los franceses, y los capturaban o combatían. Ahora que habían ganado la batalla, cada uno buscaba su propio provecho. ¡Vaya! Todo lo que un caballero capturado lleva encima —trátese de armas o de joyas— pertenece a quien lo apresa. Y los barones del rey Juan solían adornarse bastante. Muchos llevaban cinturones de oro. Por supuesto, sin hablar de los rescates, que se discutirían y fijarían de acuerdo con el rango del prisionero. Los franceses son tan vanidosos que vale la pena permitirles que fijen ellos mismos el precio que juzgan apropiado. Uno podía fiarse de su pomposidad. De modo que cada cual buscaba su oportunidad. Los que habían tenido la suerte de apoderarse de Juan de Artois, o del conde de Vendôme, o el conde de Tancarville bien podían pensar en la posibilidad de construir su propio castillo. Los que se habían apoderado de un noble de menor rango o de un simple escudero, a lo sumo conseguirían cambiar los muebles de la sala de su casa y ofrecer algunos vestidos a su dama. Y además, había que contar con las mercedes del príncipe, destinadas a premiar los hechos más excelsos y las proezas destacadas.

«Nuestros hombres aprovechan la derrota del enemigo y se acercan a las puertas de Poitiers», vino a decir Juan de Grailly, lugarteniente de Buch. Un hombre de su contingente venía del lugar y traía a cuatro prisioneros importantes; no había podido hacer más, y había informado a su jefe que cerca de la ciudad morían muchos enemigos, porque los burgueses de Poitiers habían cerrado sus puertas; delante de éstas, junto al camino, los hombres de ambos bandos se habían masacrado sin piedad, y ahora los franceses se rendían apenas veían a un inglés. Vulgares arqueros habían tomado hasta cinco o seis prisioneros. Jamás se había visto tal desastre.

—¿Dónde está el rey Juan? —preguntó el príncipe.

—No lo hemos visto. Si estuviese por aquí, alguien nos habría informado.

Poco tiempo después, Warwick y Cobham reaparecieron al pie del montículo; venían a pie, la brida del caballo al brazo, y trataban de pacificar a una veintena de caballeros y escuderos que los escoltaban. Estos hombres discutían en inglés, en francés y en gascón, y gesticulaban mucho, imitando los movimientos del combate. Y delante del grupo, arrastrando los pies, marchaba un hombre agotado, un poco titubeante que con la mano desnuda sostenía por el guantelete a un niño revestido de armadura. Un padre y un hijo que caminaban uno al lado del otro, y los dos tenían sobre el pecho la insignia de la flor de lis dibujada sobre la seda. «Atrás; que nadie se aproxime al rey», gritaba Warwick a quienes discutían.

Y sólo entonces Eduardo de Gales, príncipe de Aquitania, duque de Cornualles, conoció, comprendió y abarcó la inmensidad de su victoria. El rey, el rey Juan, el jefe del reino más poblado y poderoso de Europa... El hombre y el niño se acercaban muy lentamente... Ah, ese instante que perduraría para siempre en la memoria de los hombres... El príncipe tuvo la sensación de que la humanidad entera lo contemplaba.

Con un gesto ordenó a sus hidalgos que lo ayudasen a desmontar. Tenía las nalgas lastimadas y los riñones doloridos.

Permaneció a la puerta de su pabellón. El sol, que comenzaba a descender, atravesaba con sus rayos dorados el follaje de los árboles. Todos esos hombres se habrían sorprendido mucho si se les hubiese dicho que la hora de las Vísperas ya había pasado.

Eduardo extendió las manos al presente que le traían Warwick y Cobham, al presente otorgado por la Providencia. E incluso agobiado por el destino adverso, Juan de Francia es más alto que Eduardo. Respondió al gesto de su vencedor. Y también él extendió las dos manos, una enguantada y la otra desnuda. Permanecieron así un momento, no unidos, sino sencillamente tocándose las manos. Y después, Eduardo tuvo un gesto que habría de conmover a todos los caballeros. Era hijo de rey; su prisionero era rey coronado. Entonces, siempre sosteniendo las manos, inclinó profundamente la cabeza, y dobló apenas la rodilla. Honor al coraje abatido por el infortunio... Todo cuanto enaltece a nuestro vencido exalta nuestra victoria. Muchos de estos hombres rudos sintieron un nudo en la garganta. «Acomodaos, señor, mi primo —dijo Eduardo mientras invitaba al rey Juan a entrar en el pabellón—. Permitidme serviros el vino y las especias. Y perdonad que por cena os ofrezca una vianda muy sencilla. Enseguida nos sentaremos a la mesa.»

Los hombres se apresuraban a levantar una gran tienda sobre la elevación. Los hidalgos del príncipe sabían cuál era su deber. Y los cocineros tienen siempre manjares y viandas en sus cofres. Fueron a buscar lo que faltaba en la despensa de los monjes de Maupertuis. El príncipe agregó: «Vuestros parientes y barones se sentirán complacidos de venir a vos. Ordené que se los llamase. Y aceptad que se os cure esa herida de la frente, que revela vuestro gran valor.»

9

La cena del príncipe

Cuando os relatamos todo esto que acaba de sobrevenir, es inevitable reflexionar acerca del destino de las naciones, de estos episodios que señalan un gran cambio, un rumbo muy diferente para el reino, y hablamos precisamente aquí, en Verdún... ¿Por qué? Ah, sobrino, porque aquí nació el reino, porque lo que podemos denominar el reino de Francia se originó en el tratado que se firmó aquí mismo después de la batalla de Fontenoy, entonces Fontanetum (sí, el lugar que acabamos de dejar atrás), entre los tres hijos de Luis el Piadoso. La división de Carlos el Calvo estuvo mal planificada y, por otra parte, no tuvo en cuenta los accidentes naturales. Los Alpes y el Rin hubieran debido ser las fronteras naturales de Francia, y es insensato que Verdún y Metz sean porciones del Imperio. Y bien, ¿cuál será ahora el destino de Francia? ¿Cómo la desmembrarán? Quizá de aquí a diez o veinte años ni siquiera exista Francia; algunos se formulan seriamente este interrogante. Prevén un dilatado territorio inglés y otro navarro que se extenderá de mar a mar e incluirá la totalidad del Languedoc, y un reino de Arles reorganizado con territorios del dominio imperial, a los que se agregará Borgoña... En fin, cada uno sueña con la perspectiva de arrebatar un pedazo.

Si os interesa mi opinión, no creo que tal cosa sea posible, porque mientras yo viva y vivan otros como yo, la Iglesia no permitirá ese desmembramiento. Además, el pueblo recuerda demasiado, está muy acostumbrado a una Francia unificada y grande. Los franceses comprenderán muy rápidamente que no son nada sin el reino, si no están agrupados en un solo Estado. Pero habrá que afrontar situaciones difíciles. Tal vez se os propongan decisiones penosas. Archambaud, elegid siempre lo que sea favorable al reino, aunque ello signifique acatar las órdenes de un mal rey (porque el rey puede morir, o perder el trono, o sufrir cautividad), pero el reino perdura.

En la tarde de Poitiers, la grandeza de Francia se manifestaba incluso en las consideraciones que el vencedor, deslumbrado por su propia fortuna y casi incrédulo, prodigaba al vencido. Extraña mesa la que se tendió después de la batalla en medio de un bosque de Poitou, entre paredes de lienzo rojo. En los lugares de honor, iluminados por cirios, el rey de Francia, su hijo Felipe, mi señor Jaime de Borbón, ahora duque porque su padre había muerto durante la jornada, el conde Juan de Artois, los condes de Tancarville, de Etampes, de Dammartin, y también los señores de Joinville y de Parthenay, servidos con vajilla de plata. Distribuidos en las restantes mesas, entre los caballeros ingleses y gascones, los más poderosos y ricos de los restantes prisioneros.

El príncipe de Gales se esforzaba por servir en persona al rey de Francia, y con frecuencia llenaba de vino su copa.

«Comed, querido señor, os lo ruego. No temáis hacerlo. Pues si Dios no complació vuestra voluntad y la jornada no se inclinó de vuestro lado, de todos modos habéis conquistado gran renombre por vuestras proezas y vuestras hazañas han sobrepasado las más famosas. Ciertamente, mi señor, mi padre os dispensará todos los honores posibles y llegaréis a acuerdos tan razonables que la amistad entre ambos perdurará. A decir verdad, todos los que estamos aquí reconocemos vuestra bravura, pues en eso habéis aventajado a todos.»

El tono estaba dado. El rey Juan se tranquilizó. Con el ojo izquierdo completamente azul, y una herida en la frente, respondía a las cortesías de su anfitrión. Rey-caballero, le importaba mostrarse tal en la derrota. En las mesas restantes, se elevaban las voces. Después de haberse enfrentado duramente con la espada o el hacha, ahora los señores de los dos bandos rivalizaban en cumplidos.

Se comentaban en alta voz las peripecias de la batalla. No se escatimaban elogios al coraje del joven príncipe Felipe que, atiborrado de comida después de la dura jornada, cabeceaba en su asiento y se adormecía.

Comenzaban a echarse las cuentas. Además de los grandes señores, los duques, los condes y los vizcondes, que eran una veintena, ya habían identificado entre los prisioneros a más de sesenta barones y vasallos de importancia, y era imposible calcular el número de los simples caballeros, los escuderos y los auxiliares. Sin duda más de dos mil; sólo al día siguiente se conocería la cifra total.

¿Los muertos? No andaban lejos de esa cifra. El príncipe ordenó que los que ya habían sido recogidos fuesen llevados, desde la madrugada siguiente, al convento de los hermanos menores de Poitiers (en primer lugar los cuerpos del duque de Atenas, del duque de Borbón, del conde-obispo de Châlons), para enterrarlos allí con toda la pompa y el honor que merecían. ¡Qué procesión! Jamás un convento vio llegar en un solo día a tantos hombres, y tan ricos. ¡Qué fortuna en misas y mercedes llovería sobre los hermanos menores! Y lo mismo puede decirse de los hermanos predicadores.

Os digo de entrada que fue necesario levantar el suelo de la nave y el claustro de los dos conventos para poner allí, en dos capas, a los Godofredo de Charny, a los

Rochechouart, a los Eustaquio de Ribemon, a los Dance de Melon, a los Juan de Montmorillon, a los Seguin de Cloux, a los La Fayette, a los La Rochedragon, a los La Rochefoucault, a los La Roche Pierre de Bras, a los Olivier de Saint-Georges, a los Imbert de Saint-Saturnin, y a veintenas y veintenas de nobles cuyos nombres podría mencionar.

—¿Quién conoce la suerte que corrió el arcipreste? —preguntó el rey.

El arcipreste estaba herido y era prisionero de un caballero inglés. ¿Cuánto valía el arcipreste? ¿Tenía un castillo importante, muchas tierras? Su vencedor se informaba sin rubor. No. Una pequeña residencia en Vélines. Pero el hecho de que el rey lo hubiese mencionado elevaba su precio.

—Yo lo rescataré —dijo Juan II que, cuando aún no sabía lo que él mismo podía costar a Francia, de nuevo comenzaba a darse aires de grandeza.

Y entonces el príncipe Eduardo respondió:

—Por amor a vos, señor, mi primo, yo mismo rescataré a este arcipreste, y si así lo deseáis le devolveré la libertad.

Las voces se elevaban alrededor de las mesas. El vino y las viandas, ávidamente ingeridos, trastornaban la mente de estos hombres fatigados, que no habían comido nada desde la mañana. La reunión se parecía a una comida de la corte después de un gran torneo, y al mismo tiempo a una feria de bestias.

Morbecque y Bertrand de Troy no habían acabado de disputar acerca de la captura del rey.

—¡Os digo que a mí me corresponde!

—De ningún modo; yo estaba sobre él, vos me habéis apartado.

—¿A quién entregó su guante?

De todos modos, no serían ellos sino el rey de Inglaterra quien recibiría el rescate, seguramente enorme. La captura de un rey beneficia al rey. Lo que en realidad discutían era quién recibiría la pensión que el rey Eduardo no dejaría de conceder. También se preguntaban si no hubiesen obtenido más beneficio, incluso conquistado más honor, apoderándose de un rico barón al que se habrían dividido entre ambos. Pues se realizaban repartos si dos o tres hombres caían sobre el mismo prisionero. O bien se hacían canjes.

—Dadme al señor de La Tour; lo conozco, es pariente de mi buena esposa. Os entregaré a Mauvinet, que es mi prisionero. Ganáis con el cambio; es senescal de Turena.

De pronto, el rey descargó la palma de la mano sobre la mesa.

—Señores, mis buenos señores, entiendo que entre vosotros y los que nos apresaron todo se hace de acuerdo con el honor y la nobleza. Dios ha querido que soportemos la derrota, pero ya veis con cuánta consideración se nos trata. Debemos respetar las reglas de la caballería. Que nadie intente huir o faltar a la palabra dada, pues lo avergonzaré.

Se hubiera dicho que este hombre, derrotado y prisionero, aún podía impartir órdenes. Apelaba a toda la altivez de que era capaz para invitar a sus barones a demostrar un puntilloso respeto de las formas en su cautividad.

El príncipe de Gales, que le servía el vino de Saint-Emilion, se lo agradeció. El rey Juan pensó que este joven era amable. Qué atento se mostraba, qué modales tan corteses. ¡El rey Juan hubiera deseado que sus hijos se le parecieran! Quizás influido por la bebida y la fatiga, no resistió la tentación de preguntarle:

—¿No habéis conocido a mi señor de España?

—No, querido señor; sólo me enfrenté a él en el mar.

Un príncipe cortés; habría podido decir: «Lo derroté.»

—Era un buen amigo. Me lo recordáis por el rostro y la actitud. —Y de pronto, añadió en un tono de voz que rezumaba maldad—: No me pidáis que conceda la libertad a mi yerno de Navarra; aunque me cueste la vida, eso no lo haré.

Por un instante, el rey Juan II había mostrado auténtica grandeza; pero fue un momento muy breve, el instante que siguió a su captura. Había mostrado la grandeza que se tiene en la suprema desgracia. Y ahora recuperaba su naturaleza: actitudes que respondían a la imagen exagerada que tenía de sí mismo, al criterio equivocado, a las preocupaciones sin importancia, a las pasiones vergonzosas, a los impulsos absurdos y los odios tenaces.

En cierto sentido, la cautividad no le desagradaría; por supuesto, era una cautividad dorada, real. Este falso héroe había encontrado nuevamente su auténtico destino, que era la derrota. Durante un tiempo ya no afrontaría las preocupaciones del gobierno, la lucha contra todos los obstáculos que se le oponían en su propio reino, la preocupación de impartir órdenes que no se cumplen. Ahora está en paz; puede tomar por testigo a este cielo que se le opuso, refugiarse en su infortunio y fingir que afronta noblemente el dolor de una suerte que tan bien le cuadra. ¡Que otros afronten la carga de gobernar a un pueblo díscolo! Ya veremos si consiguen hacerlo mejor...

—¿Adónde me lleváis, primo? —preguntó.

—A Burdeos, querido señor, donde os daré una hermosa residencia, manutención y festividades que os regocijen, hasta el momento en que concertéis un acuerdo con el rey mi padre.

—¿Acaso hay alegría para un rey cautivo? —dijo Juan II, ya muy dispuesto a representar su papel.

¡Ah, si hubiese aceptado al comienzo de la jornada de Poitiers las condiciones que yo le ofrecía! Jamás se vio nada semejante: un rey que por la mañana puede ganarlo todo sin necesidad de desenfundar la espada, que puede restablecer su imperio sobre la cuarta parte de su reino, y que para ello necesita únicamente estampar su firma y su sello sobre el tratado que su enemigo cercado le ofrece, y que rehúsa... ¡y por la tarde se ve prisionero!

Un sí en lugar de un no. El acto irrevocable. Como la decisión del conde de Harcourt, cuando vuelve a subir la escalera de Ruan en lugar de salir del castillo. Juan de Harcourt lo pagó con la cabeza; en este caso, Francia entera se arriesga a soportar una agonía semejante.

Lo más sorprendente, y lo injusto, es que este rey absurdo, obstinado en arruinar sus posibilidades, a quien antes en Poitiers nadie amaba, muy pronto se convierte, porque es el vencido, porque sufre cautividad, en objeto de admiración, de compasión y del amor de su pueblo, para una parte del cual en adelante será Juan el Valiente, Juan el Bueno.

Y esto comienza durante la cena del príncipe. Aunque podían reprochar mucho a este rey que los había llevado al infortunio, los barones y los caballeros prisioneros exaltaban su coraje, su magnanimidad... qué sé yo. De ese modo, los vencidos se afirmaban en su virtud y su honra. Cuando regresaran, después de sangrar a sus respectivas familias y a los campesinos para pagar el rescate, seguramente dirían con soberbia: «Vosotros no estuvisteis como yo cerca de nuestro rey Juan.» ¡Sí, sin duda aprovecharán a fondo su presencia durante la jornada de Poitiers!

En Chauvigny, el delfín, que cenaba tristemente en compañía de sus hermanos, rodeado por unos pocos servidores, fue informado de que su padre estaba vivo pero había caído prisionero. Saint-Venant le dijo: «Mi señor, ahora os corresponde gobernar.»

Por lo que sé, el pasado no nos ofrece ejemplos de

príncipes de dieciocho años que tengan que aferrar el timón en una situación tan lamentable. El padre prisionero, la nobleza disminuida por la derrota, dos ejércitos enemigos acampando en el país, pues había que recordar la presencia del Lancaster allende el Loira... varias provincias asoladas, las finanzas maltrechas, los consejeros codiciosos, divididos y odiados, un cuñado en prisión pero con partidarios activos que levantan la cabeza con más energía que nunca, una capital inquieta e incitada a la revuelta por un puñado de burgueses ambiciosos... Agregad a todo eso que el joven tiene mala salud y que su conducta durante la batalla no ha consolidado su reputación.

Esa misma tarde en Chauvigny, como se había decidido regresar cuando antes a París, Saint-Venant le preguntó:

—Mi señor, ¿qué tratamiento deberán otorgar a vuestra persona quienes hablen por vos?

Y el delfín contestó:

—El que tengo, Saint-Venant, el que Dios me ha otorgado: teniente general del reino.

Una respuesta muy sensata...

Han pasado tres meses. Nada se ha perdido totalmente, pero tampoco puede afirmarse que nada haya mostrado indicios de mejoría; todo lo contrario: Francia se descompone. Y en menos de una semana volveremos a Metz; y os confieso que de lo que allí se resuelva sólo el emperador podrá beneficiarse. Tampoco pienso que quepa esperar mucho de lo que resuelvan un teniente del reino, que no es el rey, y un legado pontificio, que no es el Papa.

¿Sabéis lo que acaban de decirme? La estación es tan benigna y los días son tan cálidos en Metz, donde van a reunirse más de tres mil príncipes, prelados y señores, que si este tiempo tan amable se mantiene, el emperador ha decidido que ofrecerá el festín de Navidad al aire libre, en un jardín cerrado.

En Lorena, la cena de Nochebuena al aire libre: ¡Eso es algo que nadie había visto jamás!

Índice